Parnasse et Symbolisme

DU MÊME AUTEUR :

———

L'Orient dans la littérature française au XVII° et au XVIII° siècles, Hachette, 1906. épuisé.

Les descriptions de Fromentin, avec le texte critique d'une rédaction inédite du début de l'« Année dans le Sahel », Champion, 1910.

Le roman réaliste sous le Second Empire, Hachette, 1913.

Stendhal, Société française d'imprimerie et de librairie, aujourd'hui chez Boivin, 1914.

Fromentin, essai de bibliographie critique, Champion, 1914.

Jules Lemaître à Alger, Champion, 1919.

Stendhal, Del romanticismo nelle arti, publié et annoté par Pierre Martino, Champion, 1922.

Le Naturalisme français (1870-1895), Collect. Armand Colin, 1923; 2° éd. 1930.

Le Second Empire dans l'Histoire de la littérature française illustrée de J. Bédier et P. Hazard, Larousse, 1924.

Verlaine. Boivin, 1924 ; 2° éd. 1930.

Stendhal, Racine et Shakspeare, nouvelle édition avec introduction et notes, Champion, 1925 (Prix Saintour. Académie française).

L'abbé d'Aubignac, La Pratique du Théâtre, nouvelle édition avec introduction et notes, Champion, 1927.

Stendhal, Racine et Shakspeare, A. Delpeuch, 1928.

Stendhal, La Chartreuse de Parme, éditions Bossard, 1929.

P. Mérimée, Théâtre de Clara Gazul, Les Textes français, 1929.

Le Débat romantique (1813-1830) en collaboration avec E. Eggli. Tome I, Les Belles Lettres, 1933.

Stendhal, éd. refondue. Boivin, 1934.

COLLECTION ARMAND COLIN
(Section de Langues et Littératures)

Parnasse

et

Symbolisme

(1850-1900)

par

P. MARTINO

Doyen honoraire de la Faculté des Lettres d'Alger,
Recteur de l'Académie de Poitiers

4e édition revue et corrigée.

LIBRAIRIE ARMAND COLIN

103, Boulevard Saint-Michel, PARIS

—

1935

———

On a nommé dans ce livre plus de cent poètes et l'on a parlé avec un peu de détail d'une trentaine d'entre eux. C'est bien peu de noms et bien peu de pages pour représenter la poésie française dans la seconde moitié du XIXᵉ siècle! Mais on n'a nullement songé à rédiger un catalogue des poètes de France entre 1850 et 1900 ; plusieurs anthologies satisfont aujourd'hui à ce besoin de description énumérative. On a voulu dire les principales tendances des cénacles poétiques pendant ce demi-siècle, montrer les efforts des poètes et leurs principales curiosités. Le Romantisme avait affirmé la doctrine de l'Art pour l'Art, qui libérait le poète des règles et des stylisations obligatoires et qui le poussait à augmenter le pouvoir d'expression des mots et du rythme. Ces désirs de liberté et de toute puissance prirent vite des formes très diverses : c'est que les poètes subirent fortement l'influence des grands courants intellectuels du temps, des préoccupations philosophiques, scientifiques, sociales qui furent, dans le monde des hommes de lettres, plus pressants à cette époque qu'à aucun moment de notre histoire. De ce point de vue, que déjà l'éloignement du temps nous rend accessible, on voit s'atténuer singulièrement les différends qui, tous les dix ou vingt ans, ont lancé l'une contre l'autre les successives générations de poètes.

1925.

———

CHAPITRE PREMIER

LE LENDEMAIN DE 1830. — L'« ART POUR L'ART ». THÉOPHILE GAUTIER ET THÉODORE DE BANVILLE

---

1. Après 1830 : L'école intime et l'école pittoresque. — Si l'on faisait commencer l'histoire du Parnasse en 1866 — année où parut la première série du *Parnasse contemporain* —, on rendrait cette histoire bien peu intelligible, et elle serait vite inexacte. On s'obligerait d'abord à ne point parler, ou très peu, de Théophile Gautier, de Théodore de Banville, de Baudelaire, de Leconte de Lisle, dont, à cette date, les œuvres, du moins les belles, étaient presque entièrement parues. Ce sont eux pourtant qui, aujourd'hui, représentent le plus complètement l'idéal parnassien ; ils le définirent eux-mêmes fort nettement, et ils le réalisèrent en des œuvres de grand prestige ; auprès d'eux, un Sully Prudhomme, un Glatigny, un Dierx, un Coppée, même un Heredia ne font pas grande figure. Et puis, ce qui est aussi grave peut-être, on serait disposé, à cause du tour que prit à ce moment-là, et pour un peu de temps, la bataille littéraire, à définir le mouvement parnassien comme une révolte contre le romantisme. Pareillement, vingt années après, les polémiques de revues et de journaux opposeront aussi le Parnasse et le Symbolisme. Opposi-

tions trop simples, qui ne sont fondées que sur quelques-
uns des arguments jetés au jour le jour dans cette dispute éternelle qui, à intervalles assez réguliers, dresse
la génération des poètes de vingt-cinq ans contre celle
des poètes qui vont vers la cinquantaine !

Romantisme, Parnasse, Symbolisme, c'est en réalité
une même tradition poétique, un effort continu, malgré
des piétinements et des retours, pour la réalisation
d'une grande ambition d'art sans cesse élargie.

Aucune date n'est plus favorable que celle de 1830
pour envisager cette histoire de la tradition poétique
au XIXe siècle. Elle est comme un haut belvédère d'où
l'on peut envisager les deux paysages et les deux chemins, celui qui montait, celui qui continue.

C'est la date que les historiens choisissent d'ordinaire pour marquer le triomphe du romantisme, du
moins son acceptation par le grand public et le succès
incontesté de ses manifestations. *Hernani* est joué le
21 février 1830, Lamartine prend place à l'Académie
française le 1er avril de la même année. Mais ces succès,
que d'autres, très nombreux, vinrent rapidement conso-
lider, ne parurent pas aussi décisifs aux contemporains
que nous avons tendance à les dessiner pour la commo-
dité de nos regards vers le passé. Beaucoup, parmi les
romantiques eux-mêmes, eurent l'impression, au lendemain des journées de juillet, que le beau mouvement
qui les avait portés jusqu'alors s'alanguissait tout à
coup dans une indifférence invincible. Des adversaires
triomphèrent : le 29 juillet 1830, Blanqui, tout chaud de
la bataille, entre dans un salon ami en criant : « Enfon-
cés les romantiques ! » Et son cri, qui nous étonne,
ne dut point surprendre en ces jours d'exaltation. On
avait trop le sentiment que l'occupation des jours
nouveaux serait de liquider tout le passé récent, de
démolir toutes les constructions politiques et intellec-

tuelles de la Restauration, pour ne pas penser que le
romantisme dût être, lui aussi, entraîné dans le désastre.
En fait, il y eut alors comme une première liquidation
du romantisme. Sainte-Beuve le constatera, en 1840 :
« Le mouvement littéraire de la Restauration était au
plus plein de son développement et au plus brillant de
son zèle, quand il fut brisé et comme licencié par le coup
d'État de juillet et par les journées qui s'ensuivirent. »
Quand on y vit clair, après quelques années d'incertitude, on s'aperçut que les poètes et les romanciers de
la génération romantique avaient de tout autres ambitions et une conception de la littérature fort différente
de celles qu'ils proclamaient généralement à la veille de
la révolution.

Cette rencontre soudaine des mouvements « littéraires » et des faits politiques et sociaux est une des plus
curieuses qui soient, une des plus faciles à noter. Elle
eut des conséquences profondes et durables. Elle apparaît comme un cas privilégié pour l'historien des idées
et des formes d'art.

Ce fut un vrai changement de direction. Tout pousse
alors les « intellectuels » à jouer un rôle considérable
dans la nouvelle société, sans renoncer à leurs habitudes
de vie et à leurs goûts d'art : la hantise des préoccupations contemporaines, le besoin et les nécessités du succès, l'appel des partis politiques et philosophiques, les
exigences enfin du public qui s'offrait maintenant à eux.
Dès le mois d'août 1830, L. Véron proclame, dans la
très jeune *Revue de Paris*, « la nécessité présente d'appeler les gens de lettres aux affaires ». C'était aller un
peu vite, mais quel flair de découvrir ainsi du premier
coup une grande orientation nouvelle ! Encore quelques
années, presque tous les hommes de lettres devien-
draient, au vrai sens du mot, des « journalistes » ;
quelques-uns seraient députés, ministres. La plupart

des grands écrivains romantiques firent vite leur choix,
dans les années qui suivirent immédiatement 1830 : il
leur parut naturel de « marcher avec leur temps ». Le
sens de leurs œuvres fut modifié du tout au tout, et cette
empreinte nouvelle se marqua si profondément que, désormais, pendant tout le XIXᵉ siècle, il faudra aux poètes,
aux romanciers, aux dramaturges, pour s'affranchir de
ces soucis de politique et de ce désir de plaire au grand
public, un goût singulier de la révolte, le dédain du
succès et l'acceptation des cénacles étroits.

L'heure était d'ailleurs favorable à un renouvellement
littéraire. En 1830 la bataille d'idées autour de la doctrine romantique était comme terminée ; du moins on
ne produisait plus d'arguments nouveaux. La question
théâtrale paraissait réglée : il y avait longtemps que
l'on avait accepté, même dans le camp classique, la
tragédie historique à sujet moderne ; le grand succès
de Walter Scott et du roman historique avait aidé les
réformateurs du théâtre à achever leur victoire. Sur
les unités on était arrivé à une espèce de compromis ;
la campagne du *Globe* avait fini par ébranler la pure
doctrine classique ; les plus intransigeants admettaient
des tolérances : un élargissement de la scène, une manière moins rigide de compter le temps. D'autre part,
les romantiques se montraient moins ardents à prôner,
comme autrefois, le drame en prose, qui décidément
sentait trop le mélodrame ; le *Globe* s'était prononcé
pour l'alexandrin au théâtre. Il ne s'agissait plus que
de réaliser, après tant de théories et de discussions,
une œuvre qui fût à la fois un succès et une œuvre d'art.
Le triomphe d'*Hernani*, préparé avec un grand soin et
admirablement réussi, avait brisé le charme ; on n'avait
plus qu'à exploiter les bonnes dispositions du public et
sa lassitude passagère de la tragédie régulière.

C'était de questions de théâtre qu'on avait surtout

disputé de 1826 à 1830. Quelques années auparavant on
s'occupait surtout de définir la nouvelle poésie lyrique.
Mais, plus vite qu'au théâtre, les œuvres étaient venues
au secours des théories, les éclairant, les dépassant.
Lamartine, A. de Vigny, V. Hugo avaient essayé quelques-uns des chemins où, sourdement, par dégoût des
anciennes routes, désirait s'aventurer la sensibilité de
la génération nouvelle. En 1830 on commençait à bien
voir le terrain qui avait été gagné. D'un commun
accord on y distinguait deux provinces, deux *écoles*,
selon le langage du temps, c'est-à-dire en réalité deux
grandes tendances : *l'école intime* et *l'école pittoresque.*
Cette distinction parut satisfaisante, pendant plusieurs
années, à la majorité des critiques de lettres et d'art ;
de fait, elle permet de classer fort nettement les tentatives poétiques du temps ; elle aide à mieux comprendre comment s'est produite, en 1830, dans l'école
romantique, une grande et définitive cassure.

L'*école intime*, c'était la tendance romantique la plus
ancienne, celle que le succès des *Méditations* de Lamartine, puis des premières *Odes* de V. Hugo avait assurée,
et qui s'était vite fait accepter, car elle répondait aux
désirs des jeunes gens et des femmes, satisfaits que le
poète traduisît leurs émotions, leurs inquiétudes, qu'il
saisît la nuance de leur foi ou de leur athéisme et qu'il
parlât d'amour avec les mots et les images qui les
troublaient. Modernité dans le sentiment, ou plutôt
dans l'expression du sentiment : c'était la tendance de
fond de l'*école intime.*

Et nous aussi, écrivait Philarète Chasles dans la *Revue
de Paris* de février 1830, nous sentons qu'il y a aujourd'hui
de nouvelles émotions à demander à la poésie. Ceux qui admirent le plus sincèrement la sensibilité profonde et la mer-
veilleuse connaissance du cœur qui distinguent Racine ne
peuvent se dissimuler que des passions plus populaires, plus
domestiques, plus intimement religieuses, demandent aujour-

d'hui leur poétique expression. A peine ce besoin s'est-il manifesté, il a trouvé des interprètes. Les émotions et les regrets
du peuple ont trouvé Béranger pour organe. Lamartine a dit
admirablement cette tristesse profonde, le recueillement au
sein d'un monde meilleur, cette soif d'émotions précises que
les âmes tendres et élevées ont ressentie après nos orages civils,
au milieu de nos amères querelles.

Plus encore que Lamartine ou Béranger, c'est Sainte-
Beuve et George Sand qui, en 1830, servent à caractériser l'*école des intimes*. La poésie simple, humble et
familière de *Joseph Delorme* et des *Consolations* (1830)
est en grande faveur. Saint-simoniens et romantiques
s'accordent pour louer l'actualité des romans de George
Sand, son dessein évident de peindre l'amour moderne
et le mariage de demain. De toutes parts on sollicite
les poètes *intimes* ; on les invite à traduire, non plus les
troubles de cœurs solitaires, mais les soucis de la « vie
actuelle », ses « agitations » ; on a confiance en eux ;
et on se sert de leur exemple pour accabler les poètes
de l'autre école, les *sensualistes*, la *poésie visible*, l'*école
pittoresque*.

Cette école est récente alors, ou plutôt elle ne s'est
manifestée au grand jour que récemment ; il est vrai
que cette manifestation fut éclatante : l'éblouissement
des *Orientales* et le tapage de leur préface ! Une histoire
détaillée de la doctrine romantique nous montrerait
cette tendance *pittoresque* se formulant, très maladroite-
ment d'abord, dès les premiers temps de la querelle :
liberté dans l'art, droits de la fantaisie, augmentation
des ressources de la langue, multiplication des formes
rythmiques... tout cela est dans l'air, mais la théorie
claire n'en est faite qu'en 1828 par Sainte-Beuve, grâce
au hasard d'une étude sur le XVIᵉ siècle, qui lui permet
de confronter et de rapprocher les ambitions de la
Pléiade et celles du nouveau Cénacle. Déjà, dans le
recueil des *Odes* de 1824, V. Hugo s'était plu à des

thèmes de fantaisie ; en 1826, il avait renouvelé la
ballade, et, en 1828, il s'amusait à des tours de force
rythmiques. Bientôt on allait réhabiliter le sonnet,
exalter la rime, vanter la forme difficile. Toute la querelle romantique était ramenée à une question de style :
il ne s'agissait plus de sentiments et d'émois modernes,
mais d'images et de métaphores, de césure mobile,
d'enjambement ; la poésie devait pouvoir décrire comme
la peinture et faire entendre des sons harmonieux,
comme un instrument de musique.

Les *Orientales* s'emplissent de couchers de soleil, de
fonds de ciel tout en or sur lesquels se profilent d'imagi-
naires villes d'Orient ; des nuées de feu y galopent à
travers l'espace ; des incendies s'allument sur l'eau ; des
pavillons aux couleurs éclatantes se reflètent dans la
mer... Tous les rythmes s'y essaient, anciens et nouveaux, — les nouveaux, anciens à vrai dire, mais si
oubliés, si méprisés qu'ils apparaissent alors comme de
belles inventions du poète. Le vers et la strophe s'enflent
ou se rapetissent : ils suivent le balancement d'un corps
de femme sur une escarpolette, le grondement de
l'ouragan, le galop d'un cheval effréné.

On fut stupéfait. On cria au *sensualisme*, au *matérialisme* : c'était déshonorer la poésie que de l'employer à
ces besognes de marchand de couleurs ! Les critiques
classiques se virent alors épauler dans leur résistance
par ceux des romantiques qui ne comprenaient pas
qu'on pût faire autre chose que de la poésie *intime*. « La
poésie visible manque d'âme ; elle n'a rien sous la
mamelle gauche » : on tourna de vingt façons cette formule pour l'appliquer aux *Orientales*, le livre-maître
de la *poésie visible*.

Mais ce livre eut ses enthousiastes. Il révéla à de
jeunes poètes, qui n'avaient pas encore pris leurs habitudes en poésie, toute la beauté du monde extérieur,

toute la volupté qu'il y a à faire jaillir, hors des mots adroitement rapprochés, des images lumineuses et des images sonores.

Je ne puis me rappeler, écrira bien plus tard Leconte de Lisle, sans un profond sentiment de reconnaissance l'impression soudaine que je ressentis, tout jeune encore, quand ce livre me fut donné autrefois, sur les montagnes de mon île natale, quand j'eus cette vision d'un monde plein de lumière, quand j'admirai cette richesse d'images si neuves et si hardies, ce mouvement lyrique irrésistible, cette langue précise et sonore. Ce fut comme une immense et brusque clarté illuminant la mer, les montagnes, les bois, la nature de mon pays.

Ces lignes disent admirablement le sens de la nouvelle révélation : une onde de lumière et de musique s'épandit sur la poésie française.

Autour de V. Hugo se groupèrent quelques jeunes gens, poètes, peintres ou sculpteurs, bien convaincus que la préface des *Orientales* était une Bible d'art, et que le droit de l'artiste à la fantaisie, proclamé par le maître sur les ruines des poétiques et des règles, était la loi du monde nouveau.

On disait à l'univers — raconte Jérôme Paturot dans *Jérôme Paturot à la recherche d'une position sociale* (1842), qui est une recension plaisante mais exacte des expériences intellectuelles du temps — on disait à l'univers que le temps des génies était arrivé, qu'il suffisait de frapper du pied la terre pour en faire sortir des œuvres rutilantes et colorées, où le don de la forme devait s'épanouir en mille arabesques plus ou moins orientales. On annonçait que le grand style, le vrai style, le suprême style allait naître, style à ciselures, style chatoyant et miroitant, empruntant au ciel son azur, à la peinture sa palette, à l'architecture ses fantaisies... La littérature que nous allions créer devait... chanter avec l'oiseau, blanchir avec la vague, verdir avec la feuille, ruminer avec le bœuf, hennir avec le cheval, enfin se livrer à toutes ces opérations physiques avec un bonheur extraordinaire, vaincre en un mot, dominer, supplanter et (passez-moi encore une fois l'expression) enfoncer la nature.

Du coup, Jérôme Paturot devient « poète chevelu » ;

il écrit un poème de cent cinquante vers monosyllabiques ; il réalise de prodigieux enjambements ; il écrit d'innombrables sonnets ; il barbouille ses vers de couleur locale. Daniel Jovard, dans les *Jeunes France* de Th. Gautier (1833), apprend aussi, à la même époque, à trouver la rime riche, à « casser » les vers, à « jeter galamment la jambe d'un alexandrin à la figure de l'alexandrin qui vient après » ; il se « monte une palette flamboyante : noir, rouge, bleu, toutes les couleurs de l'arc-en-ciel, une véritable queue de paon ».

Ce sont là des caricatures certes, mais point trop éloignées de la réalité. Jérôme Paturot et Daniel Jovard ont existé à quelques dizaines d'exemplaires. Au lendemain de 1830, on les appela les *Jeunes France*, les *bouzingots*... et les excentricités de leur costume et de leurs œuvres devinrent vite célèbres. On les raille. Eux, ils se réclament de l'« Art ». C'est à ce moment-là que se vulgarise l'emploi, au singulier, de ce mot qui allait faire, avec ce nouveau sens, une belle fortune au XIXe siècle. « L'*Art*, pour ces messieurs, bougonne la *Revue de Paris* de janvier 1833, c'est tout, la poésie, la peinture, etc. ; ces messieurs sont amoureux de l'*art* ; ces messieurs méprisent quiconque ne travaille pas pour l'*art*, et ils passent leur vie à parler *art*, à causer *art*. » Gérard de Nerval, Arsène Houssaye, Célestin Nanteuil, Jehan du Seigneur, Ed. Ourliac, Petrus Borel, Philothée O'Neddy, Lassailly, Mac Keat (Maquet), Théophile Gautier incarnent le nouvel idéal, batailleur et fantasque. Gérard de Nerval, Arsène Houssaye, Théophile Gautier s'unissent pour vivre, rue du Doyenné, une vie conforme à ce programme d'art total : de belles peintures aux murs, des séances poétiques, de belles femmes, des soupers savoureux, des fêtes costumées, une orgie « folle, échevelée, hurlante », que les bols de punch éclairent diaboliquement ! Les *Jeunes France* de

Théophile Gautier (1833) sont l'épopée burlesque de
cette joyeuse bohème ; mais, si les aventures sont
plaisantes et la volonté de satire constante, la préface
est là pour nous avertir que la doctrine continue à être
prise très au sérieux ; les déclarations de la préface
des *Orientales* y sont poussées à l'extrême : l'art, les
« jongleries » de l'art sont dits la seule raison de vivre ;
tout le reste ne compte point.

**2. Les « Utilitaires ». Contre-réaction de « l'Art pour
l'Art ».** — Dans cette préface et dans celle de ses *Poésies*
(1832), Théophile Gautier affirme avec une certaine
violence dans l'expression que l'art ne sert à rien. Il
paraît attaquer : en réalité il se défend. La révolution
de 1830 avait en effet donné un grand courage aux défenseurs de *l'art utile*, aux classiques qui voulaient que
l'œuvre littéraire eût pour but « l'instruction des hommes », à la « secte philosophique » qui désirait employer
la prose et le vers pour assurer « les progrès de l'esprit
humain », aux nouveaux réformateurs enfin, à qui tous
les auxiliaires sont bons pour achever la transformation
de la société et des mœurs. Tous ces adversaires se dressent contre *l'art*, contre la prétention du poète à être
libre et maître de sa fantaisie ; ils veulent qu'il soit utile.

Le plus puissant de ces adversaires est l'école saint-
simonienne, qui réunit en un même faisceau les classiques
de la *Revue Encyclopédique* et les doctrinaires romantiques du *Globe*. En quelques années une bonne partie de
la littérature devient saint-simonienne, de volonté
déclarée ou de fait, plus ou moins consciemment. Jérôme
Paturot, qui était poète chevelu en 1829, ne manque pas
de se faire saint-simonien dès le chapitre deuxième de
ses mémoires. Il est le symbole d'une grande tentation
à laquelle succombèrent beaucoup de gens de lettres.

Il ne s'agissait de rien de moins que de régénérer

l'humanité, en améliorant le sort des classes les plus pauvres, en supprimant le capitalisme, en développant l'industrie ; il suffisait, pour réussir, de créer un esprit d'association, une sorte de mysticisme d'amour et de fraternité, une vraie religion. A cette religion il fallait des prêtres ; ce furent les « artistes », poètes, romanciers, peintres, musiciens, que l'on convia à occuper cet emploi dans l'humanité nouvelle ; eux-mêmes ils s'offrirent. Dès 1826, le *Producteur*, organe de la doctrine, avait proclamé la « fonction sociale de l'art ». « Le génie des beaux-arts, disait-il, n'est point un esclave destiné à suivre pas à pas la société ; il lui appartient de s'élancer devant elle pour lui servir de guide ; c'est à lui de marcher, c'est à elle de suivre » (Buchez).

La révolution fait sortir la doctrine du cénacle étroit où elle s'était élaborée. Tout autour d'elle fleurissent des utopies, des mysticismes, des philosophies, une extraordinaire ardeur de foi et de propagande, dont elle bénéficie, car elle est la plus vivante de toutes ces fois, et elle recueille les hésitants et les insatisfaits. Fourier attaque la doctrine de Saint-Simon, mais son idéal « sociétaire » et phalanstérien est tout voisin ; lui aussi, il a besoin des hommes de lettres ; il enthousiasmera un Leconte de Lisle et un Louis Ménard, qui lui demanderont leurs croyances sociales et leur conception présente des besoins de l'humanité. Auguste Comte, « élève de Saint-Simon », pose, dans le même temps, « l'efficacité populaire » comme « le vrai critérium des beaux-arts » ; son positivisme « incorpore l'art à l'ensemble de l'ordre moderne ». L'esthétique de tous ces réformateurs est sensiblement la même.

Une propagande spéciale est d'ailleurs entreprise auprès des « artistes » : un enseignement régulier est créé pour eux rue Taitbout. On leur dit que « leur place est au Forum », qu'ils ont « une tribune », qu'ils sont

« les précepteurs de l'humanité ». Dès mars 1830, le saint-
simonien Barrault a publié une sorte de déclaration
officielle : *Aux artistes. Du passé et de l'avenir de la doctrine de Saint-Simon*, qui définissait les arts et la poésie
selon l'esprit nouveau. Fini le temps des effusions sentimentales, de l'art désintéressé et indépendant, de la
poésie de luxe, des vers « bien ciselés »,des strophes « bien
panachées » : c'était là, pour les artistes, des métiers de
baladin. « Qu'ils ne ressemblent plus, si nous osons le
dire, à des danseurs s'étudiant à retomber en mesure avec
l'orchestre qui préside à leurs jeux ; mais que l'humanité se remette en marche à leur voix et au bruit de leurs
accords... Désormais les beaux-arts sont le culte et
l'artiste est le prêtre. »

Les grands écrivains de l'époque romantique, en des
conversions presque soudaines, se laissent aller à ce souci
d'action publique et de littérature sociale. Quelques-uns
vont jusqu'au saint-simonisme. Sainte-Beuve, rallié
pour un temps, rédige en novembre 1830 la profession
de foi littéraire du *Globe* régénéré et devenu saint-simonien : « la mission, l'œuvre de l'art aujourd'hui, affirme-
t-il,... c'est de réfléchir et de rayonner sans cesse et en
mille couleurs le sentiment de l'humanité progressive »
(*Premiers Lundis*, t. I) ; il tient, pendant quelques mois,
l'emploi d'un vrai prédicateur saint-simonien. V. Hugo
ne récrit point les *Orientales*. A ses récents disciples les
Feuilles d'Automne apparaissent comme une poésie bien
pâle ; ils y voient le signe d'une trahison envers « l'art ».
Bien vite le poète va se persuader de la réalité et de
l'urgence de la « fonction du poète ». Lamartine veut
enseigner le peuple et lui chanter la toute-puissance de
l'association familiale ; il se fait homme politique. Musset
croit que les larmes du poète malade sont un baume pour
l'humanité. Vigny étudie curieusement le saint-simonisme et affirme son propre désir de régénérer la France

par l'exercice des vertus stoïciennes. George Sand, ga-
gnée à la doctrine de la femme nouvelle, émancipée et
prêtresse de l'humanité, est considérée par les saint-
simoniens comme un véritable missionnaire. Même dans
le camp des « artistes » il y a bien des défaillances :
l'*Artiste*, leur journal, parle avec sympathie des doctrines de Fourier ; il laisse quelques-uns de ses rédacteurs
défendre la cause des *utilitaires* ; Petrus Borel y affirme
qu'on doit considérer l'art comme un « 'élément social » !
Maxime du Camp veut nous faire croire que Th. Gautier
songea, en 1832, à devenir saint-simonien ; il aurait
trouvé trop laid le costume des habitants de la cité de
Ménilmontant : légende probablement ; mais elle est
symbolique !

De toutes parts, dans les années qui suivent 1830,
la tradition romantique est attaquée, surtout celle
du romantisme fantaisiste et pittoresque des *Orientales*. On crie partout la mort du romantisme, en dépit
de ses grands succès au théâtre. Du moins la réaction
est-elle violente ; Michiels (*Histoire des idées littéraires
en France au* XIXᵉ *siècle*, 1842) la dira « effrénée ».
Nisard a commencé dès 1830 ses études sur les *Poètes
latins de la décadence*, qui, réunies en volume (1834),
apparaissent nettement pour ce qu'elles ont voulu
être : un pamphlet contre le romantisme ; dans le même
temps, il lance un manifeste bruyant contre « la littérature facile ». Musset, en 1836, dans ses *Lettres de
Dupuis et Cotonet*, raillera les ambitions romantiques ;
il n'aime point certes les « humanitaires », mais ses
brocards vont surtout à « l'art pur », au « rythme
brisé », aux « contorsions poétiques ».

A toutes ces attaques les « artistes » ripostèrent par
la doctrine de l'Art pour l'Art ; ou plutôt ils définirent
alors plus exactement leurs chers principes, en les
exagérant, pour mieux répondre. Non, l'art n'est pas

pour l'humanité, pour la société, pour la morale, etc. ;
il est *pour lui-même* ; il est *l'art pour l'art.* Cousin
l'avait dit quinze ans auparavant ; mais c'était en
Sorbonne, et on l'avait oublié. La paternité de cette
expression semble revenir à V. Hugo ; du moins, il l'a
avouée. C'est que, en 1833, il n'a pas encore lâché
ouvertement la doctrine à laquelle ces mots vont servir
d'étiquette ; il la défend même à l'occasion. Il est un
des collaborateurs notables de l'*Europe littéraire* (mars-
décembre 1833), qui est considérée comme le journal
de l'Art pour l'Art, et qui affirme orgueilleusement son
dédain de toute politique ; il s'y prononce contre « l'utilité directe » de la littérature. La revue ne cesse de
louer son œuvre et d'y découvrir une sûre doctrine
d'art : l'affirmation de la toute-puissance de l'artiste
et de l'illimitation de son droit.

L'art a été posé comme un élément nécessaire, absolu,
sui generis, spontané, laissant échapper de ses sources vives
une suite infinie de créations.

La vraie parole d'émancipation a été prononcée, et le dogme
de l'esclavage détruit, lorsqu'on a nié que *l'imitation de la nature* fût l'objet de l'art. La nature est l'instrument de l'artiste.
Pour s'en servir, il doit la connaître ; mais lorsqu'il s'en sert
pour créer, il l'assimile à sa propre substance, il l'*humanise* en
quelque sorte, et la marque du sceau de son intelligence et
de sa volonté. Le poète n'imite pas la nature, il imite Dieu,
qui crée suivant des lois absolues, *omniformes* et non *uniformes*
(12 juin 1833).

Mais, bientôt, l'*Europe littéraire* meurt ; Hugo abandonne la partie ; l'*Artiste*, malgré son beau titre, est
encore assez timide, et comme troublé par les idées
à la mode ; il a trop le désir d'améliorer le sort des peintres et des sculpteurs pour ne pas tenir compte un peu
des idées présentes du public. Théophile Gautier reste
seul. Les invectives des adversaires s'acharnent. Exaspéré, il écrit (mai 1834) la préface de *Mlle de Maupin*,
qui ne fit pas très grand bruit au moment même de sa

publication, mais qui ne tarda pas à apparaître aux
initiés comme le vrai manifeste de l'école de l'Art, de
l'ancienne et pure école romantique. Avec une indigna-
tion bouffonne, mais sincère, Th. Gautier attaque l'art
utilitaire, les prétentions de la littérature à être morale,
pieuse, démonstrative... Il s'en prend surtout aux
saint-simoniens. Les choses, dit-il, sont belles en pro-
portion inverse de leur utilité ; « il n'y a de vraiment
beau que ce qui ne peut servir à rien ; tout ce qui est
utile est laid ». Il affirme son absolue indifférence à la
politique du jour ou du lendemain, son mépris de tous
les plans de réforme sociale. Seule compte, à ses yeux,
la jouissance que donnent les belles œuvres d'art ; et
c'est pourquoi il admire l'antiquité qui ignorait la
tristesse de la morale chrétienne et qui n'avait point
le souci de la pudeur.

Le roman, *Mlle de Maupin* (1836), confirme cet exposé
de doctrines. Th. Gautier y verse toutes ses théories,
toutes ses aspirations artistiques et littéraires, toutes
ses ambitions de vie ; et il pousse leur expression jusqu'à l'extrême. Il dit son fait au christianisme, qui a
développé une fâcheuse préoccupation de la spirituali-
lité, au romantisme et à son mièvre amour sentimental.
A la Vierge Marie, symbole de chasteté, il préfère de
beaucoup la Vénus Anadyomène, à cause de sa nudité
et de ses promesses de joie. Son héros, qui est poète,
regrette de n'être point peintre ou sculpteur ; mais il
ne se soucie, comme s'il avait en mains un pinceau ou
un ciseau, que de la beauté physique et « palpable »,
que des lignes et des formes du monde visible, que de
la splendeur des couleurs étalées sur l'univers. Le nu
surtout le ravit, le nu harmonieux d'un corps de femme
immobilisé en une belle statue. Les arts n'ont plus de
domaine séparé : le poète et le peintre travaillent sur
une même matière avec des outils semblables.

O beauté ! s'écrie-t-il, nous ne sommes créés que pour t'aimer et t'adorer à genoux, si nous t'avons trouvée, pour te chercher éternellement à travers le monde, si ce bonheur ne nous a pas été donné... Amants, poètes, peintres et sculpteurs, nous chercherons tous à t'élever un autel, l'amant dans sa maîtresse, le poète dans son chant, le peintre dans sa toile, le sculpteur dans son marbre ; mais l'éternel désespoir c'est de ne pouvoir faire palpable la beauté que l'on sent.

Qui parlerait de morale ou de progrès serait conspué ; voir et jouir, adorer, sous toutes ses formes, la beauté comme une « divinité visible », la représenter au vrai, c'est le seul but et la seule raison de vivre de l'artiste.

3. Théophile Gautier et l'« École de l'Art ». — Vingt

ans après *Mlle de Maupin* — exactement en décembre 1856 —, Th. Gautier (1) répéta ce programme dans l'*Artiste*, dont il prenait la direction ; un manifeste proclama ses intentions : il lui servit surtout à se définir et à se raconter.

A proprement parler, nous ne sommes pas un homme de lettres... Épris, tout enfant, de statuaire, de peinture et de plastique, nous avons poussé jusqu'au délire l'amour de l'art ; — arrivé à l'âge mûr, nous ne nous repentons nullement de cette belle folie ; nous lui avons dû et lui devons encore nos moments les plus heureux : c'est par elle que nous valons quelque chose — si nous valons quelque chose. D'autres ont plus de science, plus de profondeur, plus de style, mais nul n'aime plus que nous la peinture ; nous avons toujours laissé, on le voit bien, la littérature pour les tableaux et les bibliothèques pour les musées... L'Écriture parle quelque part de la concupiscence des yeux, *concupiscentia oculorum* : — ce péché est notre péché, et nous espérons que Dieu nous le pardonnera. — Jamais œil ne fut plus avide que le nôtre, et le bohémien de Béranger n'a pas mis en pratique plus consciencieusement que nous la devise : voir c'est avoir. — Après avoir vu, notre plus grand plaisir a été de transporter dans notre art à nous monuments, fresques, tableaux, statues, bas-reliefs, au risque sou-

(1) Voir page 29 : Notes complémentaires.

vent de forcer la langue et de changer le dictionnaire en palette...

Quant à nos principes, ils sont suffisamment connus : nous
croyons à l'autonomie de l'art ; l'art pour nous n'est pas le
moyen, mais le but ; — tout artiste qui se propose autre chose
que le beau n'est pas un artiste à nos yeux ; nous n'avons
jamais pu comprendre la séparation de l'idée et de la forme,
pas plus que nous ne comprenons le corps sans l'âme, ou l'âme
sans le corps, du moins dans notre sphère de manifestation ;
— une belle forme est une belle idée, car que serait-ce qu'une
forme qui n'exprimerait rien ?

Ce morceau est la plus exacte des biographies intellectuelles de Th. Gautier ; il marque aussi très exactement sa place dans l'histoire littéraire et son rôle
comme « chef de branche » du romantisme.

Ses premiers recueils de poésies (*Poésies*, 1830 ;
Albertus, 1833) sont déjà caractéristiques. On est, il
est vrai, frappé par l'abondance des imitations, par le
retour des pastiches à la mode ; aussi bien les tout premiers poèmes ont-ils été écrits de quinze à dix-huit
ans, et *Albertus* immédiatement après. Le très jeune
poète est pénétré à fond de l'influence de V. Hugo ;
tous les thèmes des *Odes et Ballades* et des *Orientales*,
il les essaie, comme des exercices nécessaires : thèmes
sentimentaux et romanesques, méditations philosophiques et byroniennes, fantaisies macabres, évocations du moyen âge, cathédrales gothiques, descriptions colorées et pittoresques. *Albertus* est un conte
fantastique sur un vieux thème de folklore, écrit à la
manière du Musset des *Contes d'Espagne et d'Italie*.
Tous les effets sont grossis et donnent souvent l'impression d'une parodie voulue, écrite par un disciple
respectueux, mais qui est trop sûr de bien connaître
les bonnes recettes poétiques. Toutefois de nombreux
paysages, des descriptions nous frappent ; évidemment
ce nouveau poète est — il s'en est vanté plus tard —
un « homme pour qui le monde extérieur existe », et

il était tout préparé à comprendre la grande leçon des
Orientales. « Poète et peintre », il décrit comme il des-
sinerait et colorerait une toile ; ses images sont d'une
étonnante netteté : les plans très marqués, les acci-
dents du paysage fixés, la lumière du tableau saisie
et nuancée à point.

> C'est une poésie au moins, une palette
> 　　Où brillent mille tons divers,
> Un type net et franc, une chose complète,
> 　　De la couleur ! des chants ! des vers !

Ce *Jeune France* laissa tomber très vite les oripeaux
moyenâgeux et byroniens, la défroque fantastique
qu'un débutant, à la veille et au lendemain de 1830,
se devait de porter quelque temps. Il alla vers ce qui
était son vrai goût.

La *Comédie de la mort* (1838) est oubliée aujourd'hui ;
et pourtant il est peu de poètes au XIXᵉ siècle qui aient
appelé à eux de façon aussi saisissante que Th. Gautier
l'image de la mort. C'était évidement une hantise
chez lui ; elle apparaît dès ses premiers vers, on la retrou-
vera dans *España*, dans *Émaux et Camées*, dans toute
l'œuvre poétique. Il ne médite point sur la mort ni sur
l'au delà ; il croit au néant d'ailleurs et son matérialisme
est fort brutal ; mais il *voit* le cadavre sous terre, il
voit les vers qui le rongent, et ce qu'il voit si bien, il le
fait voir. Inspiré peut-être par une œuvre d'un
poète anglais, Th Gautier imagine une série de visions funèbres, macabres ou dantesques : dans un décor
de cimetière nocturne, le ver du tombeau s'entretient
avec le cadavre, les morts se réincarnent, désespérés
de l'usage qu'ils ont fait de leur vie ; Faust dit la vanité
du savoir ; il aurait voulu aimer ; Don Juan avoue le
dégoût d'aimer, il désirerait savoir ; la gloire paraît à
Napoléon une chose vaine... Rien ne vaut la peine de
vivre, et pourtant on désire jouir passionnément de sa

jeunesse et de l'univers jusqu'au jour où « la vieille infâme » avec ses « grands yeux creux » viendra nous saisir de « ses maigres bras ». Ces pensées, évidemment, n'ont point ruiné chez Th. Gautier la joie de vivre, qui était grande ; et mainte autre poésie nous le représente fort et joyeux ; mais ces poèmes « noirs » correspondent à des moments de crise, à des obsessions visuelles ; ils sont comme les images d'une *danse macabre* moderne, haute en couleur romantique, dont le mouvement et l'angoisse s'imposent au souvenir.

Des « poésies diverses » accompagnent la *Comédie de la mort* et *España* (1845) — un volume de vers inspiré par un voyage en Espagne, où le poète satisfit sa passion de pittoresque et de couleur locale. Pour la plupart, ces poésies diverses et les poèmes d'*España* sont des *transpositions d'art*, au sens que Gautier donnait à cette expression. Ce peintre manqué, échappé de l'atelier de Rioult, le jour où les *Orientales* l'eurent convaincu qu'on pouvait peindre aussi chez les gens de lettres, se propose à l'ordinaire de traduire avec des mots soit un paysage, soit, bien souvent, la traduction déjà stylisée par un peintre ou un sculpteur d'un paysage ou des belles lignes d'un corps humain. « Je préfère le tableau à l'objet qu'il représente », disait-il déjà dans la préface des *Jeunes France*. Sans cesse il affirme ces équivalences : la plume est un pinceau, l'encrier un godet, le dictionnaire une palette... Son tableau terminé, il ne peut pas s'empêcher de reculer, de lui voir un cadre doré et de chercher instinctivement quelque clou où l'accrocher. D'ailleurs son métier de critique d'art, de revuiste des *Salons* à la *Presse*, l'obligea à « décrire, pour les faire voir, les tableaux » ; son goût naturel devint une habitude professionnelle. A force de décrire, il se fit plus exigeant, plus difficile ; il voulut **tout représenter**, et comme sa vision était généralement

somptueuse et colorée, — il s'affirme un *flamboyant* en
face des *grisâtres*, — il chargea sa palette et l'élargit. Ses
couleurs, ce sont ses épithètes... : il se lance à la chasse
des épithètes ! « Tout me paraît plat, déclare-t-il aux
Goncourt... Je f... du rouge, du jaune, de l'or ; je barbouille comme un enragé, et jamais ça ne me paraît
éclatant ! »

Les « poésies diverses » sont souvent éclatantes,
mais toujours lumineuses, pittoresques, aux plans bien
équilibrés, à la composition harmonieuse. Celles qui
frappent le plus sont des transpositions de tableaux
célèbres : le *Triomphe de Pétrarque* de L. Boulanger, le
Thermodon de Rubens d'après les cartons de Voster-
mann. Ce dernier poème est célèbre, et on l'a reproduit,
comme il convenait, en édition de luxe, avec les gravures qui l'ont inspiré ; si l'on met sur sa table, en même
temps, le long feuilleton de la *Presse* (8 novembre 1836),
où le poète avait décrit longuement ces belles grandes
gravures, on a véritablement les trois états du travail
de Th. Gautier ; l'image visuelle à l'origine, la description minutieuse, l'interprétation poétique, parallèle,
si je puis dire, à celle du graveur. De même, bien des
poèmes d'*España* peuvent être rapprochés utilement
des pages en prose du *Voyage en Espagne*.

Beaucoup de ces poèmes sont d'intention symbolique.
Mais, par une singularité qui ne nous surprend point,
ce n'est pas le symbole qui crée la métaphore, c'est la
métaphore qui conduit le poète vers le symbole. Des
deux termes de la comparaison symbolique, Th. Gautier s'attache exclusivement au second, la réalisation
concrète de l'idée ; il le décrit avec complaisance, parce
qu'il est visible, « palpable ». C'est cette image qui a
été la raison d'être du poème, et l'idée n'occupe qu'une
toute petite place ; elle est souvent insignifiante d'ailleurs et paraît n'intervenir que pour justifier le choix

de l'image. Un « choc de cavaliers » de pierre sur l'arche
d'un pont... c'est l'image du tumulte de ses pensées,
mais c'est surtout une vision fantastique ; un aloès
qui brise avec ses racines le beau vase chinois où il
grandissait... c'est un amour qui s'est insinué et qui
a brisé le cœur, mais c'est d'abord une éclatante gravure
en couleurs. De créer ainsi des images, de faire des
« métaphores qui se suivent », Th. Gautier tirait grand
orgueil. « Tout est là », disait-il.

En 1845 il fit ses adieux à la poésie. Ses besognes de
journaliste et de critique l'accaparaient tout entier.
Mais il avait trop joui de cet « harmonieux trésor »
pour ne pas le rouvrir et le faire miroiter encore. De
1847 à 1852 il écrit les poèmes des *Émaux et Camées*,
qui parurent en 1852, la même année que les *Poèmes
antiques* de Leconte de Lisle ; jusque vers 1870 il écrira
de nouveaux poèmes pour ce recueil, qui est son préféré,
et qui reste le plus célèbre. C'est justice, car dans ce
charmant petit livre les qualités de Th. Gautier et la manière de l'Art pour l'Art se manifestent avec une adresse
parfaite ; c'est une des réussites les plus heureuses de la
poésie au XIXe siècle. Ce recueil renferme (édition de
1858) le poème intitulé *L'Art*, le plus sévère et le plus
connu des *credos* parnassiens. Th. Gautier y proclame
que l'artiste doit être un bon ouvrier, connaissant toutes les ressources de la langue et du vers, et que, pour
faire valoir son habileté technique, il doit choisir la
forme difficile, la matière dure, « sceller son rêve dans
le bloc résistant » ; seule la *forme* demeure, plus forte
que le temps et que la mort.

Les strophes des *Émaux et Camées* sont de courtes
stances d'octosyllabes, unies en de brefs poèmes, sur
des sujets menus et jolis, quelquefois insignifiants à
plaisir, pour que l'habileté de l'exécution soit plus apparente : des faits-divers, des images pittoresques, des

sensations plastiques, des harmonies de lignes, des symphonies de couleurs. Th. Gautier était très fier de sa *Symphonie en blanc majeur*, où il avait voulu jouer avec des mots sur une gamme étendue de couleurs blanches délicatement nuancées, en évoquant au passage des souvenirs de parfums et des sons de musique. C'était, selon sa pensée, une transposition d'art complète.

Au moment où il publia les *Émaux et Camées*, Théophile Gautier était célèbre et aimé ; il était le chef reconnu de l'École de l'Art ; il dirigeait la *Revue de Paris* ; il allait diriger l'*Artiste* ; il avait des disciples (1) qui, à son exemple, voulaient être de bons ouvriers en vers et en prose et des dévots de la « Beauté ». Flaubert ne jurait que par lui ; il accueillait sans les discuter toutes les idées d'art du maître, et il les outrait ; ne rêvait-il pas d'écrire un livre sans sujet où seule la forme eût été visible ? Baudelaire dédiait à Gautier ses *Fleurs du Mal* comme à un poète « impeccable », un « magicien » de la langue. La génération parnassienne se groupera respectueusement autour de lui, car elle salue comme un maître celui qui a reçu de V. Hugo le flambeau sacré, à la plus belle heure du romantisme — celle des *Orientales* — et qui a su parfois aviver sa lumière. Au lendemain de sa mort, Th. de Banville, Dierx, Catulle Mendès, Sully Prudhomme, Stéphane Mallarmé, etc. lui élèveront un magnifique « tombeau » poétique ; ils l'encenseront comme une vraie divinité du Parnasse moderne.

4. Théodore de Banville. — C'est en 1842 que Théodore de Banville (2) publie son premier recueil de vers ; mais il s'est toujours fait gloire d'appartenir à « la race de 1830 » et d'en avoir les enthousiasmes et les haines :

(1) Voir page 29 : Quelques poètes de l'école de l'art.
(2) Voir page 30 : Notes complémentaires.

la religion de l'art, le mépris du bourgeois. Il s'est avoué
disciple de Th. Gautier et dévot de V. Hugo, dont il
prétendra, dans sa vieillesse, rester le dernier adorateur.
Les œuvres du maître lui étaient, suivant ses propres
mots, « la Bible et l'Évangile ». A côté de Th. Gautier,
qui n'est guère son aîné que d'une dizaine d'années,
il est le plus représentatif des poètes de l'Art pour l'Art.

Ses premiers vers, les *Cariatides*, ont été écrits entre
seize et dix-huit ans : rien d'étonnant qu'il ait imité
alors la plupart des grands poètes romantiques, Musset
et Sainte-Beuve aussi bien que V. Hugo. Mais déjà
Banville sent que son goût vrai le conduit à aimer,
plus que les émois du sentiment, les belles images et
tout le luxe de la nouvelle orfèvrerie poétique.

> Hélas ! ma folle muse est une enfant bohème
> Qui se consolera d'avoir fait un poème
>   Dont le dessin va de travers,
> Pourvu qu'un beau collier pare sa gorge nue,
> Et que, charmante et rose, une fille ingénue
>   Rie et pleure en lisant ses vers.

La beauté qu'il préfère à toutes les autres, c'est la
beauté antique, telle que les sculpteurs et les peintres
voluptueux l'ont stylisée, et telle que la révèlent les
agréables histoires des vieilles mythologies. Évidemment ce retour à la Grèce, qui est, dès le début de son
œuvre, sa note originale, ne va pas sans de belles déclarations sur la signification symbolique des mythes
antiques : la Grèce, dit-il, symbolise ce qu'il y a de
meilleur au monde, la Beauté, la Force, l'Amour ; les
Grecs sont nos aïeux spirituels, et si la tristesse et la
laideur ont envahi le monde moderne, c'est que nous
avons oublié leurs traditions. Ces idées, nous allons le
voir, sont dans l'air vers 1845. Louis Ménard et Leconte
de Lisle les fixeront et essaieront de leur donner une
base sûre selon la science du temps. Banville se contente

à moins de frais. La Grèce et l'antiquité se colorent,
dans son esprit, avec les couleurs des trumeaux où
Boucher peignit des nymphes et des bergères : des
seins blancs, des corps de lys et de roses, des appels
d'amour, des enlacements gracieux, la musique mira-
culeuse de la lyre, l'ivresse jolie des Bacchantes :

> La Coupe, le Sein et la Lyre
> Nous donnent le triple délire.

C'est une perpétuelle cascade de noms antiques,
oubliés ou inconnus du public, harmonieux en eux-
mêmes ; sans cesse défilent les dieux et les héros antiques en un splendide cortège que conduisent Cypris,
maîtresse du monde, et l'Amour, le premier des Im-
mortels... Aucun souci archéologique, aucun désir de
reconstituer ou même d'imaginer quelque chose de la
vie antique et du paysage grec. Le décor est absolument
fantaisiste : il n'est, à vrai dire, qu'une atmosphère
diaphane et exquise où se dressent d'admirables images,
symboles d'amour, de volupté, de bonheur. « Dans tout
ce qu'on me voit écrire, dit Banville, j'abuse sans pudeur du mot suave : *J'aime.* » C'est ce goût de l'amour
gracieux et charmant, facile et insoucieux, qui, trans-
posé à l'antique, est la note dominante des principaux
recueils poétiques de Banville : les *Stalactites*, le *Sang
de la Coupe*, les *Exilés*.

L'évocation de l'antiquité, telle qu'il l'avait inaugurée
en poésie, fut vite abandonnée ; on préféra une autre
facture plus sévère. Mais ces thèmes faciles étaient chez
lui une occasion de faire montre de sa virtuosité technique. C'est en cela surtout que ses contemporains
et la génération qui suivit l'ont reconnu pour un maître.
Baudelaire dit fort exactement de lui que sa gloire fut
d'avoir réalisé la « certitude dans l'expression lyrique ».
Plus absolu encore que Th. Gautier, il fait consister

tout l'art dans la difficulté vaincue, et peu importe,
si un tour de force est réussi, que le thème qui l'a permis soit sans beauté plastique. « Je ne m'entends qu'à
la métrique, dit Banville dans une *Ballade sur lui-
même*... Je suis un poète lyrique » ; et encore : « Fai-
sons des vers pour rien, pour le plaisir... Chantons,
contons comme Schéhérazade ! »

L'art principal, l'art unique en réalité est celui de la
rime, « clou d'or » de la poésie, vraie génératrice du
vers, sa seule harmonie. C'est ainsi que Banville la
définira dans son *Petit traité de poésie française* (1872) ;
c'est ainsi qu'il l'avait toujours comprise. Son influence
a été énorme sur les poètes de la génération parnassienne ; il est certainement un de ceux qui ont le plus
contribué à fonder ce culte de la rime riche qui est une
des plus notables caractéristiques de la poésie dans la
seconde moitié du XIXᵉ siècle. Pour mettre en valeur
la rime, devenue très riche, il cherche des formes de
strophes compliquées et rares ; il s'attache « obstinément... pendant toute sa carrière d'ouvrier et d'artiste, à restituer les anciennes formes poétiques et à
tenter d'en créer de nouvelles (ce qui est tout un) ».
La ballade est sa forme préférée à cause des retours
malaisés de rimes ; mais il aime le rondel, le sonnet,
le rondeau, le rondeau redoublé, le triolet, la villanelle,
le lai, le virelai, le chant royal, le sextin, la glose, le
pantoum... ! La variété rythmique est extrême chez lui,
bien plus grande qu'elle ne l'avait été dans les *Orientales*, et son œuvre a l'aspect d'un musée d'arts et
métiers où sont venus s'instruire et se former la plupart des parnassiens et des symbolistes.

Sa maîtrise et son ingénieuse habileté sont telles
qu'il ose tenter l'expérience dangereuse des *Odes funambulesques*. Il voulait y créer non pas « une manifestation de sa pensée », mais « une forme nouvelle ». Avec

des faits-divers, des actualités, des coupures de journal, des motifs de revue, il fallait faire du « comique
rimé », une « ode bouffonne », petite sœur de « l'ode
lyrique », « cherchant dans la rime elle-même ses principaux moyens comiques », et produisant le rire « par
des combinaisons de rimes, par des effets harmoniques
ou par des sonorités particulières » ; aussi exagère-t-il
les allitérations et fait-il la rime si riche qu'elle est un
vrai calembour, ou un écho très obéissant. Dans ce
recueil, Banville réalise jusqu'au bout sa théorie poétique ; il monte « sur l'échelle du saltimbanque », il
« daigne faire des tours sur la corde funambulesque » ;
c'est, pense-t-il, une manière comme une autre de « marcher au-dessus des fronts de la foule » ! Quant aux
sujets des poèmes, ils sont menus, si liés à l'actualité
qui passe, que de son vivant Banville a dû les accompa-
gner de longs commentaires, et que ces commentaires,
aujourd'hui, par ce qu'ils nous apprennent sur l'époque,
intéressent plus quelquefois que les poèmes eux-mêmes.

C'était peut-être exagérer la doctrine de l'Art pour
l'Art ; mais quel exemple de virtuosité ! Après ces déhan-
chements, il n'était rien qu'on ne pût demander au
vers : il devenait pure musique et l'on peut en écrire
pour une opérette et pour une revue ou bien pour d'admirables symphonies. Aussi les symbolistes ont-ils
généralement excepté Banville de leurs mépris sur le
Parnasse ; ils l'aimèrent parce qu'il avait libéré les formes rythmiques et rendu le vers admirablement sonore.
L'homme d'ailleurs était charmant ; on ne l'approchait
pas sans l'aimer ; et il a été très aimé. On ne le lit plus
guère, semble-t-il, aujourd'hui, mais son prestige dure.
On l'a bien vu quand on a célébré son centenaire en
1923 : c'est par jonchées qu'on est venu jeter des fleurs
sur son souvenir. Sa fête anniversaire fut, comme il
l'eût souhaitée, toute de sourire et de joie.

NOTES COMPLÉMENTAIRES

I. THÉOPHILE GAUTIER. — Théophile Gautier est né à Tarbes en 1811 ; il vint très jeune à Paris. Au sortir du lycée, il se destina à la peinture et entra dans l'atelier de Rioult. En février 1830 on réquisitionna, pour faire triompher *Hernani*, des bandes de rapins romantiques ; Th. Gautier se distingua dans la bataille. En juillet 1830, en pleine révolution, il publie ses *Poésies* qu'il fait réapparaître en 1833 avec vingt pièces nouvelles et une préface dans le même volume qu'*Albertus ou l'âme et le péché, légende théologique*. Il mène à cette époque, avec quelques amis peintres et écrivains, notamment Gérard de Nerval et Arsène Houssaye, une joyeuse vie de « bohème dorée », qui lui a inspiré les *Jeunes France, romans goguenards* (1833) et *Mademoiselle de Maupin* (1836), roman très fantaisiste, qui lui fut surtout un prétexte d'exprimer toutes ses idées sur la vie et sur l'art. Deux autres recueils poétiques, la *Comédie de la mort* (1838) et *España* (1845), contiennent, en outre du poème principal, de très nombreuses poésies diverses. Les *Émaux et Camées* sont de 1852 (éd. crit. 1927) ; la 1re éd. a 18 pièces ; la 2e (1853), 20 ; la 3e (1858), 27 ; la 4e (1863), 38 ; la 5e (1866), 39 ; la 6e (1872), 47 ; la 7e (1884), 48 ; la pièce *L'Art*, qui termine le recueil, réponse à une odelette de Banville (1856), a paru dans l'*Artiste* le 13 septembre 1857, et est entrée dans la 3e éd. des *Émaux et Camées*. Toutes les poésies antérieures et postérieures à ce recueil, y compris les *Poésies nouvelles* (1863), ont été publiées sous le titre de *Poésies complètes*, 2 vol. 1876. *Choix de poésies* (1922) ; *Chefs-d'œuvre*, 5 vol. (1929) ; *Poésies complètes*, éd. Jasinski (1932).

En 1836 Th. Gautier commença à collaborer régulièrement à la *Presse* ; il donne des *Salons* et des chroniques dramatiques ; le journalisme et la critique l'accaparent dès lors presque tout entier, et la plupart des volumes qu'il publie sont des recueils d'articles. En outre de sa collaboration à de très nombreux journaux, il fonde la *Revue de Paris* (1851) et dirige l'*Artiste* (1857). A signaler, parmi ses ouvrages en prose, ses récits de voyage en Espagne, Algérie, Italie, Grèce, Turquie, Russie, Égypte ; et, parmi ses œuvres romanesques, *Le roman de la momie* (1857) et le *Capitaine Fracasse* (1863).

Il meurt à Paris le 23 octobre 1872.

A consulter : SPŒLBERCH DE LOVENJOUL, *Histoire des œuvres de Théophile Gautier*, 1887 ; R. JASINSKI, *Les années romantiques de Th. Gautier* ; *L'*España *de Th. Gautier*, 2 vol. (1929).

II. Quelques poètes de l'art pour l'art. — Parmi les
poetae minores qui se réclament de la tradition de l'Art pour
l'Art il convient de citer tout particulièrement Charles Coran
(1814-1883), auteur de *Onyx* (1840), *Rimes galantes* (1847),
Elégances (1846-1857), *Dernières élégances* (1868), *Sous les
rides* (1867-1878), recueils réunis dans *Poésies* (1884-1895),
3 vol. ; — Amédée Pommier (1804-1877), auteur notamment
de *Poésies* (1832), *Océanides et fantaisies* (1839), *Crâneries et
dettes de cœur* (1842), *Colères* (1844), *L'Enfer* (1853), *Colifichets
et jeux de rimes* (1860), *Paris* (1866) ; il s'appelait lui-même
« le Métromane » et se vantait de sa virtuosité :

Je fais avec le vers devenu mon hochet

Ce que Paganini faisait de son archet ;

— enfin Arsène Houssaye (1815-1895), grand ami de Th. Gautier, directeur longtemps de *L'Artist*?, polygraphe infatigable,
auteur notamment de *Sentiers perdus* (1841), *La Poésie dans
les bois* (1845), *Sapho*, drame (1850), *Cent et un sonnets* (1874),
etc., œuvres réunies plusieurs fois, et particulièrement dans
Œuvres poétiques (1857), *Les Poésies de A. Houssaye* (1877).
Beaucoup de « vers antiques ».

III. Théodore de Banville. — Théodore de Banville est
né à Moulins le 14 mars 1823 et mort à Paris le 13 mars 1891.
Ses recueils de poésies sont les *Cariatides* (1842) ; les *Stalactites* (1846) ; les *Odelettes* (1856); les *Odes funambulesques* (1857),
le *Sang de la Coupe* (1857), rééd. en 1874 et 1890 ; *Améthystes,
nouvelles odelettes* (1862) ; *Les Exilés* (1867) ; *Nouvelles odes
funambulesques* (1869) ; *Rimes dorées* (1869), rééd. en 1875 ;
Occidentales (1869), rééd. en 1874 ; *Idylles prussiennes* (1871) ;
Trente-six ballades joyeuses (1873) ; les *Princesses* (1874) ; *Nous
tous* (1884) ; *Roses de Noël* (1889) ; *Sonnailles et clochettes*
(1890) ; *Dans la fournaise* (1892). Les recueils publiés de 1842
à 1875 ont été réunis dans 3 vol. de *Poésies complètes* (1879-
1880, éd. Charpentier augmenté plus tard dans des rééd.) et
dans les *Œuvres complètes* (1872-1891, éd. Lemerre). Un *Choix
de poésies* a paru en 1912 : une anthologie de l'œuvre a été
donnée en 1923 (*Contes, souvenirs et portraits, poésies, théâtre*).
Aux recueils de poésies il faudrait ajouter, pour être complet,
le volume des *Comédies* (1878), le *Petit traité de poésie française* (1872) et plusieurs volumes de nouvelles et de souvenirs.

A consulter : M. Fuchs, *Théodore de Banville*, 1912. —
It. Siciliano, *Th. de Banville* (en italien), 1927.

CHAPITRE II

POSITIVISME ET POÉSIE.
NOUVELLES CURIOSITÉS HISTORIQUES,
PHILOSOPHIQUES ET SCIENTIFIQUES.

————

**1. Le positivisme et ses curiosités. Nouvelles tendances
de la recherche historique.** — Les *Émaux et Camées* et
les *Odes funambulesques* marquent, il semble bien, —
et à la même date, entre 1850 et 1860, — le terme des
réalisations de l'Art pour l'Art : ces sujets menus et
étroits, cette virtuosité, cette forme parfaite, c'était à
quoi devait aboutir l'effort de la génération de poètes
qui avaient voulu affranchir l'art de toutes les préoccupations contemporaines ; au delà, il n'y avait plus à
satisfaire que des manies de collectionneurs, des raffine-
ments d'artiste lettré. Le Parnasse prolongea alors l'Art
pour l'Art de la durée d'une longue génération, mais
il modifia singulièrement son esprit. Les jeunes poètes,
vers 1850, n'avaient plus à se défendre, comme leurs
aînés, contre les injonctions des *utilitaires* ; ils se laissèrent influencer, sans guère de résistance, par l'atmosphère intellectuelle où ils avaient été plongés pendant
leur jeunesse ; s'ils n'atténuèrent pas tous leurs déclarations d'intransigeante opposition au monde moderne,
ils furent, pour la plupart, atteints par la contagion de
l'esprit positiviste, dans la vigueur de sa force adulte,

et qui envahissait tous les domaines de l'esprit : la recherche historique et critique, la fiction romanesque, la philosophie, la spéculation politique. Alors s'imposèrent en poésie des thèmes nouveaux ; la forme parfaite qu'avaient réussi à ouvrer les aînés fut tout naturellement appliquée à les mettre en valeur.

A aucun moment, sous la Restauration, même quand la réaction *ultra* s'était faite la plus vive, l'esprit « philosophique » n'avait reculé devant les efforts combinés du spiritualisme et du romantisme. La diffusion des grandes œuvres philosophiques du XVIIIe siècle a été énorme alors, et elle a contribué, bien plus que tous les arguments de la polémique littéraire, à limiter les progrès du romantisme et à l'assagir. L'avance incessante de la recherche scientifique venait d'ailleurs directement en aide au vieil esprit d'analyse et de critique. La révolution de 1830, qui marque la fin réelle des grandes tentatives pour ramener la France vers son passé, donna aux « philosophes » les coudées franches. C'est à ce moment que s'élabore dans l'esprit d'un homme, dont l'influence allait être énorme, une doctrine puissante, qui dut son prestige à ce qu'elle fut la synthèse de toutes les grandes aspirations du temps : un reste de besoins mystiques, la passion d'organiser une société démocratique, et la foi absolue dans la science, sous toutes ses formes. Cette doctrine, Auguste Comte lui donna sa formule entre 1830 et 1845 ; elle ne commence à manifester son influence réelle qu'après 1850, mais les forces sourdes qui la créaient avaient agi déjà, de toutes parts, sur les contemporains.

La plupart des jeunes gens qui eurent vingt ans entre 1840 et 1850 furent pénétrés d'esprit positiviste, même quand ils combattirent Auguste Comte, même quand, s'attachant à des différences de détail dans les affirmations, ils crurent qu'ils ne devaient rien à sa pensée.

Un de ces adversaires est Renan ; et pourtant quel livre plus positiviste que l'*Avenir de la science, pensées de 1848* ! Quelle œuvre plus capable de nous révéler les enthousiasmes et les ambitions, à cette date, du nouvel esprit philosophique ! Elle enregistre le résultat des longues conversations de Renan et de Berthelot ; cette union des pensées d'un chimiste et d'un philologue, pour dégager les perspectives de l'avenir intellectuel, est singulièrement caractéristique de l'époque : l'homme de laboratoire et l'historien philologue s'offrent, à la place des « artistes », « prêtres de l'humanité », pour être les conducteurs de la société moderne.

Ce sont les philologues surtout qui agissent directement alors sur le monde des intellectuels ; leur besogne est voisine de celle des écrivains, tandis que les découvertes du savant ont besoin d'être vulgarisées d'abord, tamisées à travers d'incertaines et changeantes philosophies des sciences ; la poésie n'y trouve d'ailleurs matière qu'à quelques tableaux nouveaux de la vie de l'univers ou à des hymnes d'une foi plus ou moins bien informée. Nous aurons à signaler plus loin, dans ce chapitre, quelques échantillons de poésie « scientifique ». Mais ce sont surtout les progrès de la recherche critique et historique qui permirent aux poètes l'exploitation de thèmes nouveaux. L'histoire avait eu en France, vers 1820, un bel élan ; mais c'était un élan presque poétique, le désir de *voir* le passé plutôt que la volonté de le comprendre et de l'expliquer. Tout cela fut changé, dans les années qui suivirent, grâce à la vulgarisation des résultats que venait d'atteindre la philologie allemande. La Philologie, qui était jusque-là assez peu en honneur dans le public français, conquit très vite un prestige égal presque à celui de la science.

Cette philologie nouvelle était ambitieuse : elle voulait être, non pas la simple recherche érudite, mais bien,

selon l'expression de Renan, la « science des produits
de l'esprit humain » ; elle avait pour but d'expliquer
l'humanité, de retrouver ses origines, de prédire son
avenir, de donner enfin les raisons d'être et de vivre de
l'homme ; elle allait fonder la religion des temps futurs.
Le point de vue historique s'imposa alors : tous les
problèmes se muèrent en des problèmes d'origines.
« Le grand progrès de la réflexion moderne, écrit en
1848 Renan, a été de substituer la catégorie du *devenir*
à la catégorie de l'*être*, la conception du relatif à la
conception de l'absolu, le mouvement à l'immobilité.
Autrefois tout était considéré comme *étant* : on parlait
de droit, de religion, de politique d'une façon absolue.
Maintenant tout est considéré comme en voie de se
faire. » C'était là une grande vue philosophique d'origine
allemande ; mais ses conséquences seules nous intéressent ici. Les philologues, pour se rapprocher le plus
possible des vraies origines, pour mieux envisager
l'ensemble des évolutions, furent poussés à étudier les
langues les plus anciennes, les œuvres les plus primitives. Les littératures, modernes ou classiques, trop
chargées d'éléments divers, trop soumises aux influences
accumulées des siècles, les intéressent peu désormais ;
au contraire, les vieilles légendes germaniques et scandinaves, les vieux livres juifs, les vieilles épopées hindoues, les vieux chants homériques, les vieilles traditions chinoises…, tout cela est peu à peu mis en faveur :
là sont les documents les plus sûrs et les plus purs qu'on
puisse trouver sur le mécanisme de l'esprit humain.
Ce « primitivisme » devient une mode littéraire :
l'*Edda*, le *Ramayana*, le *Mahabharata*, Confucius sont
bientôt familiers aux poètes, parce que les philologues
les rendent assez accessibles, et parce que ces vieilles
œuvres, longtemps méprisées, paraissent maintenant
riches d'enseignements, dont la portée est infinie.

Plus encore que les littératures primitives, les religions anciennes, productions spontanées de l'esprit humain, hypnotisent les philologues et, après eux, les poètes. « La vraie histoire de la philosophie, affirme Renan, est l'histoire des religions. L'œuvre la plus urgente pour le progrès de l'humanité serait donc une théorie philosophique des religions. » Or une telle œuvre a été entreprise en Allemagne, il y a plus d'un demi-siècle, et elle se continue. Il suffit de se mettre à l'école des savants allemands. Ils ont commencé par les religions antiques. Creuzer a bouleversé les études mythologiques (*Symbolik und Mythologie der alten Vælker*, 1810-1812) ; il a, dit la *Revue encyclopédique* de décembre 1820, qui vient de recevoir quelque information sur sa doctrine, « il a créé pour la mythologie une ère nouvelle : ce n'est plus une série de fables ingénieuses, c'est un système complet de fictions utiles... ; c'est la philosophie elle-même rendue sensible par des images, parlant quelquefois un langage intelligible au vulgaire, mais conservant toujours sa majesté ». On est encore bien mal informé ! Mais Benjamin Constant commence à vulgariser les idées de Creuzer (*De la religion considérée dans sa source, ses formes et ses développements*, 1824-1831 ; *Du polythéisme romain*, 1833) ; Guigniaut traduit Creuzer en dix volumes, où il enrichit considérablement et refond l'œuvre primitive (*Les Religions de l'antiquité considérées principalement dans leurs formes symboliques et mythologiques*, 1825-1851). Alors on s'enthousiasme devant une doctrine qui voit dans tous les mythes une série d'images merveilleuses de la nature, telle que pouvaient la comprendre des esprits primitifs : tout est allégorie, tout est symbole, tout a un sens mystique et philosophique ; les légendes les plus banales reçoivent une signification profonde ; et, dans l'ensemble, la philosophie qui s'élève hors des symboles de la mythologie,

ainsi expliquée, est assez belle pour trouver des adeptes
en plein xixᵉ siècle. Louis Ménard et Leconte de Lisle
prétendront trouver dans la religion grecque, bien
comprise, la satisfaction de tous les besoins moraux et
politiques de la France moderne.

Les idées de Creuzer sont combattues en France et en
Allemagne ; on propose d'autres explications que les
siennes, mais voisines ; et la théorie du « mythe » et de
son interprétation symbolique triomphe vite. Un peu
partout, vers 1840, on trouve des marques de ce nouvel
état d'esprit : Lamennais, Quinet, entre bien d'autres,
étudient les religions anciennes pour y découvrir la
matière d'explications mythiques. De nouveaux ouvrages vulgarisent les résultats du travail de recherches
qui continue en Allemagne et qui a commencé en France:
Thalès Bernard traduit en 1846, sous le titre de *Dictionnaire mythologique universel*, le *Dictionnaire* de mythologie grecque et romaine de Jacobi (paru en 1830-1835) ;
il donne, en 1853, une *Étude sur les variations du polythéisme grec* ; en 1854, une *Histoire du polythéisme grec*.
A. Maury publie une *Histoire des religions de la Grèce
antique* (1857) ; on traduit en 1859 l'*Essai de mythologie
comparée* de Max Müller ; Louis Ménard vulgarise ses
idées dans le *Polythéisme hellénique* (1863)... Ce ne sont
là, bien entendu, que quelques titres d'œuvres importantes, pour marquer l'ampleur du mouvement.

Après les religions antiques, on passe aux autres
religions, aux religions du monde entier, et surtout à la
religion juive, à la religion chrétienne. Les Allemands
l'ont fait. Pourquoi n'aurait-on pas appliqué la méthode
« mythique » à la religion de Jésus ? Strauss l'a tenté
en écrivant une *Vie de Jésus* (1835), presque aussitôt
traduite en français (1839) ; ses adversaires lui reprochent de nier l'existence même de Jésus. Les savants de
France s'engagent sur cette voie : en 1848, Renan est

bien décidé à écrire une histoire des origines du christianisme, car il sait que cette histoire, « écrite d'une
manière scientifique et définitive, révolutionnerait la
pensée ». Quinze ans après, il publie sa *Vie de Jésus*
(1863), premier volume de son *Histoire des origines du
christianisme* : c'est un scandale énorme ; mais c'est
aussi une des grandes dates de l'histoire intellectuelle du
siècle. Pour une partie du public français, la négation
du surnaturel est un fait acquis, une conquête définitive
de l'esprit. La méthode d'explication critique et historique du fait religieux est désormais vulgarisée. Au
même moment, — et c'est un synchronisme bien
significatif, — Leconte de Lisle publie ses *Poèmes
barbares*, une revue imagée de quelques religions du
monde, y compris la chrétienne. Trente ans auparavant,
il lui aurait été bien difficile de concevoir même le
dessein de cette revue.

Leconte de Lisle n'était point du tout impartial ;
Renan croyait l'être. Mais la plupart des lecteurs qui
applaudissaient à son entreprise ne se contentaient pas
de la curiosité désintéressée du savant ; ils entendaient
bien que l'étude critique de l'humanité ancienne et de
ses croyances aboutît à des conclusions utilisables pour
les contemporains. Le positivisme était hostile à l'esprit
chrétien ; il se réjouissait de voir le catholicisme mis au
même rang que les plus grossières croyances, et expliqué,
comme elles, par les lois fondamentales de l'esprit
humain. Le positivisme était républicain, fidèle à la
tradition révolutionnaire, sympathique aux aspirations
socialistes du temps : il voulait créer la république
idéale, organiser scientifiquement et démocratiquement
l'humanité. La religion lui paraissait le grand obstacle à
vaincre. Ne se sentait-il pas et ne se disait-il pas une
vraie religion ? Aussi tout le travail contemporain de
recherche critique sur le passé était-il accueilli avec

passion, et comme un perpétuel encouragement aux désirs d'affranchissement. L'amour de Leconte de Lisle et de Louis Ménard pour le polythéisme grec tient en grande partie à ce que le polythéisme, selon eux, a permis l'existence de la république, et que la république grecque est à leurs yeux une image idéale, qui, en France, au lendemain de 1850, est un grand regret et un grand espoir.

Tableaux des religions et des civilisations mortes, hostilité au christianisme, enthousiasme républicain et haine des autocraties, espoir d'une prochaine régénération, foi absolue en la science... c'est le bilan du positivisme, ou plutôt de sa philosophie populaire ; ce sont aussi les thèmes favoris des Parnassiens, ceux que, entre 1850 et 1860, a magnifiés et vulgarisés Leconte de Lisle. Et c'est ainsi que se fondirent, fort curieusement, en une union étroite les anciennes aspirations de l'école de l'Art et les ambitions nouvelles du positivisme. En 1861, un an avant la publication en volume des *Poèmes barbares*, Baudelaire reconnaissait dans Leconte de Lisle deux influences : l'influence de Th. Gautier : « tous deux ils aiment à habiller leur pensée des modes variables que le temps éparpille dans l'éternité... Tous deux ils aiment l'Orient et le désert ; tous deux ils admirent le repos comme un principe de beauté. Tous deux ils inondent leur poésie d'une lumière passionnée » ; l'influence aussi de Renan : « dans le poète comme dans le philosophe je trouve cette ardente mais impartiale curiosité des religions et ce même esprit d'amour universel... pour ces différentes formes dont l'homme a, suivant les âges et les climats, revêtu la beauté et la vérité ». Constater l'union de ces deux influences, c'était reconnaître un grand fait de l'histoire intellectuelle : l'union de « la science et de l'art », de l'esprit « artiste » et de l'esprit positiviste.

2. La renaissance du goût pour la Grèce antique. La révélation de l'Inde et de la Chine. — Ce goût général d'érudition et de recherche historique attira alors l'attention du grand public et des écrivains sur des pays qui étaient inconnus ou comme oubliés : la Grèce ancienne, l'Inde, la Chine. De ces révélations savantes la poésie reçoit, vers 1850, des thèmes et des inspirations.

La Grèce ancienne n'avait point été. à l'époque romantique, dédaignée de parti-pris ; mais l'attention qu'on lui donnait fut considérablement réduite par la place qu'il fallut faire à toute sorte de curiosités nouvelles. Et puis, l'image qu'en offraient les tragédies et les livres d'histoire à la mode avait cessé d'être suggestive. Dès 1830, cette situation change et l'on note quantité de petites circonstances, dont l'ensemble permet d'affirmer une vraie « Renaissance de la Grèce ancienne ». Musset évoque parfois l'antiquité grecque à travers les beaux noms de ses villes ou de ses divinités ; Banville, débutant, lui demande presque tous ses thèmes poétiques ; Th. Gautier, après avoir pressenti, à l'époque de *Mlle de Maupin*, la pure beauté grecque, abandonne le culte romantique du moyen âge ; le Parthénon lui est bientôt une révélation ; il s'accusera d'avoir « connu trop tard la beauté véritable ». Renan, sur l'Acropole, médite et écrit une prière qui est un acte de foi envers la Beauté et la Sagesse antiques. Avant lui Leconte de Lisle et Louis Ménard avaient retrempé la pensée moderne aux sources grecques.

Ce sont là quelques-uns des faits qu'on aperçoit d'abord, mais on ne tarde pas à constater qu'une masse considérable d'œuvres littéraires et artistiques, à sujet antique, a été produite devant le public français entre 1840 et 1850. Derrière cela, — et expliquant le mouvement littéraire, — il y a un grand développement de la curiosité philologique, toute une série de découvertes

archéologiques, dont la connaissance fut très vite trans-
mise au public. L'origine de ce mouvement est à chercher, ici encore, en Allemagne ; mais la vulgarisation en
fut rapide et facile en France, car il ne s'agissait pas
d'un goût tout à fait nouveau ; on renouvelait simplement, grâce aux méthodes de la critique historique et
positiviste, un fond d'idées et de connaissances depuis
longtemps incorporées à l'héritage intellectuel français.
Il est inutile de dresser ici une liste, même sommaire,
des ouvrages de vulgarisation ou des œuvres « antiques »
de l'époque (1) ; constatons que, entre 1850 et 1860, on
parle couramment de « l'école païenne » en poésie.
« Impossible, écrit Baudelaire en 1852, de faire un pas,
de prononcer un mot sans buter contre un fait païen ! ; »
il s'indigne contre cette « comédie dangereuse », contre
« ce pastiche inutile et dégoûtant », qui heurte son
goût du modernisme ; Veuillot, quelques années après,
se moque grossement des « païens enragés », qui
« malsains…, cuirassés de flanelle…, dos voûté…,
jambes menues », ne savent qu'adorer Vénus et jurer
par Hercule ! Les *Poèmes antiques* de Leconte de Lisle
(1852) marquent assez exactement l'heure où réussit à
s'imposer cette mode nouvelle, et le commencement
d'une longue période où elle ne sera plus sérieusement
discutée.

La révélation de l'Inde fut d'un effet plus considérable
encore. Elle renouvela le goût de l'exotisme allumé,
trente ans auparavant, par le succès des *Orientales* ; elle
donna des aliments à la philosophie du siècle. Ce fut une
véritable révélation : un pays où tout est gigantesque,
la nature comme les mythes, la littérature comme la
philosophie ; des civilisations et des formes de pensée
que l'Europe avait peine à concevoir. Les études indien-

(1) Voir page 47 : Quelques œuvres « antiques » vers 1850.

nes avaient bien commencé en France dès le XVIIIᵉ siècle ; mais que la science d'un Anquetil-Duperron est pâle auprès de celle de Garcin de Tassy, de Burnouf ! Sous la Restauration, les études orientalistes se développent soudain avec vigueur ; la fondation de la Société Asiatique, en 1822, marque assez bien le commencement de ce mouvement. Purement érudit d'abord, il atteint bientôt le grand public : revues et journaux, surtout après 1830, s'empressent à vulgariser les découvertes de l'école allemande et des savants français.

A partir de 1840, des études d'histoire littéraire et des traductions font connaître en France la poésie épique et la poésie lyrique de l'Inde, et du même coup ses doctrines religieuses. Burnouf donne en 1845 sa célèbre *Introduction à l'histoire du bouddhisme*. On traduit d'abord les formidables épopées : *le Mahabharata* (trad. fragmentaire Pavie, 1844 ; Sadous, 1858 et Foucaux, 1862 ; trad. Fauche, 1863-1870, etc.) ; *le Ramayana* (trad. partielles de Burnouf, Loiseleur-Deslonchamps, etc. ; trad. Parisot, 1853 ; Fauche, 1854-1858). La traduction du *Bhagavad Gita* (Burnouf, 1861) initie les lecteurs aux spéculations de la théologie et de la métaphysique brahmaniques ; le *Bhagavata Purana* (premiers livres traduits par Burnouf entre 1840 et 1847) a déjà révélé les légendes religieuses de l'Inde ; le *Rig Véda* (trad. Langlois, 1849-1851) fait connaître sa poésie lyrique religieuse. D'autres livres hindous sont encore ouverts alors à la curiosité du public, et le mouvement continue dans les années qui suivent.

Une masse énorme de faits et d'œuvres est ainsi jetée, en moins de vingt ans, dans la circulation, et le « poème hindou » devient vite une mode aussi obligatoire que le « poème antique » ; Krishna, Vishnou, Baghavat, Çunaçépa sont, au bout de quelques années, des noms aussi familiers qu'Aphroditè, Apollôn ou Zeus ; la fleur de

lotus pousse en larges plates-bandes dans le jardin des
poètes. L'effet est très rapide : on en peut juger par
Leconte de Lisle ; il a commencé à écrire, dès 1845, avec
Hélène, ses poèmes « antiques » ; en 1847, on le voit qui
donne à la *Démocratie pacifique* un récit inspiré du *Bhagavata Purana* ; et les *Poèmes antiques* de 1852 se ter-
mineront sur un *Sourya* et un *Bhagavat* ; dans les
éditions ultérieures, ces poèmes, accompagnés de plusieurs autres sur les mêmes thèmes, prendront le pas sur
les poèmes proprement antiques, et ouvriront le recueil.

C'est que, aux yeux de Leconte de Lisle et de beaucoup de ses contemporains, la véritable « antiquité »,
riche d'enseignements et de symboles, est là, dans ces
mythes bouddhiques et brahmaniques, beaucoup plus
que dans les légendes trop simples, trop stylisées de la
Grèce, ou dans les théogonies confuses et grossières des
pays scandinaves. Ces poèmes indiens ne donnent pas
au lecteur moderne que des visions exotiques et de prodi-
gieuses sensations de dépaysement ; elles lui enseignent
une philosophie dont il peut se faire une nourriture
substantielle. La spéculation métaphysique hindoue
joue avec les idées d'être et de non-être ; elle donne des
affres aux clairs esprits latins ; mais, au terme, elle leur
révèle une théorie simple et profonde : la théorie de
l'Illusion. La grande erreur est de croire à l'existence de
la réalité ! et qui peut parvenir à se persuader que, en
lui et autour de lui, il n'y a qu'apparences chimériques
et néant réel, celui-là est sauvé. Le monde est un rêve,
un reflet. Cette conviction donne la plus absolue des
quiétudes possibles. Schopenhauer, grâce à la connaissance des livres hindous, révélés plus tôt en Allemagne
qu'en France, était parvenu jusqu'à cette philosophie
de l'Illusion ; mais sa doctrine n'était pas encore vulgarisée chez nous, en 1850 ; et c'est bien la révélation du
nirvâna hindou qui renouvelle alors en France l'expres-

sion du pessimisme moderne et du désenchantement romantique.

Auprès de cette grande influence, celle qu'a exercée la révélation de la Chine paraît médiocre ; mais elle existe, et on en trouve souvent la marque, au milieu et dans la seconde moitié du XIXe siècle. Cette révélation a commencé plus tôt : dès 1811, Abel Rémusat a publié son *Essai sur la langue et la littérature chinoises*. Avec St Julien, Bruguière de Sorsum, Th. Pavie, — auxquels viendront se joindre Hervey de St Denis et G. Pauthier, — il a fait connaître un certain nombre de poèmes et d'œuvres dramatiques chinoises, de livres de morale et de philosophie ; les revues et les journaux littéraires tiennent le public au courant de ce travail. Mais peu d'écrivains s'intéressent assez à ces publications pour s'en inspirer. Sous le nom de Judith Walter, la fille de Théophile Gautier, instruite par un Chinois auquel son père avait donné l'hospitalité, se fait, à partir de 1867, une spécialité de traductions et d'adaptations du chinois. Bouilhet s'adonne dix ans à l'étude du chinois, avec l'espérance de renouveler la forme de sa poésie. La Chine fournit ainsi un certain nombre de thèmes aux poètes en mal de curiosité exotique ; mais elle ne leur donne pas cette forte nourriture intellectuelle que l'on demande alors à la Grèce antique et à l'Inde ; et c'est pourquoi, sans doute, son influence reste secondaire.

3. Deux poètes érudits et philosophes : Louis Bouil- lhet et Louis Ménard. — La gloire de Louis Bouilhet (1) n'est pas grande, — et ce n'est pas une injustice, — mais l'amitié que Flaubert eut pour lui entraîne à pro- noncer souvent son nom ; et il est, par ailleurs, un fort bon exemple de la curiosité des poètes, vers 1850, pour

(1) Voir page 48 : Notes complémentaires.

l'érudition antique et orientale. Son livre de début,
Melœnis (1851), est un conte archéologique, écrit avec
le style dandy de Musset, mais extrêmement informé et
bourré d'intentions érudites. Flaubert, qui le lut en manuscrit et qui lui donna ses soins, chercha à atténuer ce
caractère trop technique ; il fit disparaître, en particulier, toutes les notes justificatives que Bouilhet avait
rassemblées. Aussi bien celui-ci avait-il voulu, en une
série de tableaux pittoresques, reconstituer la vie
romaine à l'époque de la décadence ; sa lecture antique
avait été considérable et il avait fait feu de toute l'ar-
chéologie du temps. C'est la méthode de *Salammbô* :
l'imagination de l'écrivain ne peut s'enflammer qu'après
un long échauffement au contact des textes et d'images
représentant les monuments de l'antiquité.

Les *Fossiles* (1854) sont une œuvre plus originale, car
ils sont, au XIXᵉ siècle, un des premiers poèmes inspirés
par des préoccupations scientifiques. Ce souci de créer
une « poésie scientifique » inquiéta alors quelques écrivains (1) ; et les purs adeptes de l'Art pour l'Art eurent
peur de ce goût soudain de modernisme. Bouilhet expose
dans les *Fossiles* ce qu'il a retenu des grandes synthèses
de la biologie moderne ; son poème est une brève histoire de la terre, conduite depuis les millénaires où la vie
n'y était point apparue jusqu'aux temps modernes,
jusqu'aux temps futurs où à nouveau l'humanité aura
disparu de l'univers. Le dessein a de la grandeur ; il y a
de belles descriptions de paysages primitifs ; et Bouilhet
a su trouver dans les livres de vulgarisation scientifique
des images pittoresques et la possibilité d'exprimer fortement quelques-unes des émotions de l'esprit moderne
devant les affirmations de la science.

Sa probité artistique fut extrême ; comme Flaubert,

(1) Voir page 48 : La poésie scientifique vers 1850.

il visait à la perfection absolue de la forme par le travail ;
il espérait que cette probité lui tiendrait lieu de génie.
On a vu qu'il apprit le chinois afin de recevoir des poètes
d'Extrême-Orient le secret de rythmes nouveaux et de
réalisations plus difficiles. Tout son effort a tendu comme
celui de Flaubert à augmenter la puissance d'expression
harmonieuse des mots.

Louis Ménard (1) eut l'ambition plus grande. Sa
culture érudite était immense et son intelligence étincela
souvent. Son influence fut considérable ; il a été le vrai
maître intellectuel de Leconte de Lisle, et, par lui, de
maint Parnassien. Personne n'a mieux vulgarisé, sous
une forme immédiatement assimilable à la poésie, tout
le travail des mythologues de France et d'Allemagne,
Dès 1844 il avait publié un *Prométhée délivré*, en vers,
où il donnait une explication, à sa manière, de ce grand
mythe, alors très en faveur. Peu après il se remettait à l'é-
tude du grec, s'y passionnait et entraînait à sa suite vers
ce nouveau goût ses amis, Leconte de Lisle et Thalès
Bernard (2). Lui aussi, il a écrit des « poèmes antiques »,
mais ils sont pâles auprès de ceux de Leconte de Lisle,
et c'est dans ses œuvres de critique et d'histoire — *La
morale avant les philosophes* ; *Le Polythéisme hellénique* ;
Rêveries d'un païen mystique — que l'on se donne l'idée
la plus juste de son talent et de son influence.

Il a toute une théorie de l'hellénisme, que l'on peut
retrouver, en fragments, dans les préfaces de Leconte
de Lisle. Le polythéisme hellénique, selon lui, est un
grand mythe, une prodigieuse association de mythes,
qui expliquent toute la civilisation, toute la société,
tout l'art grecs, et dont la valeur de suggestion reste
vivante, aujourd'hui. Son admiration est passionnée ;
elle lui fait mépriser tout ce qui, dans l'histoire de l'hu-

(1) Voir page 48 : Notes complémentaires.
(2) Voir page 49 : Notes complémentaires.

manité, a suivi les siècles radieux de l'hellénisme. Mais
aussi, que ne trouve-t-il pas dans l'hellénisme ? Tout
absolument, jusques et y compris la réalisation de ses
aspirations républicaines et socialistes, que la France,
apeurée, n'a pas osé satisfaire, au lendemain de 1848.

Le polythéisme grec, rénové par les explications des
mythographes, apparaît à Louis Ménard comme l'expression symbolique de l'ordre, de l'harmonie dans le multiple ; il signifie le concert des forces libres, qui, dans
tout l'univers, cherchent à réaliser un grand but. Dans
l'image de ses dieux, qu'il a créés, l'homme grec admire
et vénère son plus haut idéal de raison et de lumière.
Tout s'explique alors par le polythéisme : l'art n'eut
longtemps d'autre rôle que de traduire de manière plastique cette conception de la divinité et du Cosmos ; la tradition monothéiste, sémitique et chrétienne, a détruit,
au contraire, toutes les vraies traditions d'art. La république grecque est l'image et le produit du polythéisme ;
au monothéisme et au panthéisme correspondent les
gouvernements détestables de la monarchie et de l'aris-
tocratie. La république, c'est l'ordre dans la liberté, le
concert des dieux groupés autour de Zeus. Si l'on parvenait à restaurer cette foi morte, on rendrait faciles
immédiatement les plus belles manifestations républicaines ; la France, troublée et inquiète, oublierait ses
peurs et trouverait subitement la solution des plus
difficiles problèmes de politique et de philosophie.

On le voit : Louis Ménard était bien un « païen mystique », comme il s'en est donné le titre. Jamais cette
ardeur de foi ne diminua ; mais elle se fit assez large
pour accepter peu à peu toutes les formes de l'idée de
divinité et les fondre en une seule. Louis Ménard fit
même l'effort auquel Leconte de Lisle se refusa toujours,
et qui le conduisit à comprendre un peu de l'esprit du
christianisme. Sa passion d'interpréter les mythes le

poussa à ne pouvoir croire que les dieux, tous les dieux, symboles du divin sous ses diverses formes, pussent jamais mourir ; et il cherchait à reconstituer en lui un Panthéon intérieur où, sous la protection des sereines images de Zeus et d'Athéné, tous les efforts de l'âme humaine pour créer l'idéal divin eussent trouvé leur chapelle, avec un autel et de l'encens.

NOTES COMPLÉMENTAIRES

I. Quelques œuvres « antiques » vers 1850. — On ne peut pas ne pas rappeler Maurice de Guérin (1810-1839), qui se prit d'un grand amour pour la mythologie grecque et les explications « naturistes » qu'on commençait à en donner. Son *Centaure* (publié en 1840) et sa *Bacchante* évoquent, avec beaucoup de charme et de puissance, la vision de la terre aux premiers temps de la vie, et les êtres divins de l'antiquité, pures émanations des forces naturelles. Leconte de Lisle n'a point ignoré le *Centaure* (voir son *Khirôn*).

De 1840 à 1860 sont publiés, sans parler des traductions en vers, de nombreux recueils de poésie et des œuvres dramatiques à l'antique, notamment : E. Quinet, *Prométhée*, 1838 ; Ch. Coran, *Onyx*, 1840 ; A. Renée, *Heures de poésie*, 1841 ; La Rochefoucauld-Liancourt, *Agrippine*, 1842 ; *Achille à Troie*, 1848 ; Ponsard, *Lucrèce*, 1843 ; *Horace et Lydie*, 1850 ; *Études antiques*, 1852 ; É. Augier, *La Ciguë*, 1844 ; *Le Joueur de flûte*, 1845 ; Ph. d'Arbaud-Jouques, *Etnéennes*, 1845 ; *Idylles antiques*, 1846 ; *La Corinthienne*, 1850, etc. ; Mme de Girardin, *Cléopâtre*, 1847 ; J. Autran, *La Fille d'Eschyle*, 1848 ; A. Barthet, *Le moineau de Lesbie*, 1849 ; *Le chemin de Corinthe*, 1853 ; *Théâtre complet*, 1861 ; P. Deltuf, *Idylles antiques*, 1851 ; Louis Ménard, *Poèmes*, 1855 ; E. de Wailly, *La lyre antique*, 1855 ; J. Méry, *Les vierges de Lesbos*, 1858, etc. Le succès de la *Belle Hélène* de Meilhac et Halévy, qui est de 1865, s'explique par cette mode. Voir H. Peyre, *Bibliographie critique de l'hellénisme en France* (1843-1870), 1932.

Il faut signaler aussi une partie de l'œuvre de V. de La-prade (1812-1883) : *Psyché*, 1841 ; *Odes et poèmes*, 1844 ; *Idylles héroïques*, 1858 ; *Harmoïdius*, 1870 ; *Œuvres poétiques*, 1878-1881, 6 vol. Son inspiration est souvent puisée aux sources grecques. « J'appris », dit-il en 1853,

à marier dans Athènes ma mère
Le verbe de Platon et la lyre d'Homère...
Et, pressant les beaux fruits de la sagesse antique,
J'en ai fait, sous mes doigts, jaillir le vin mystique.

II. LOUIS BOUILHET. — Louis Bouilhet (1829-1869), après une tentative malheureuse pour vivre dans le milieu littéraire **parisien**, passa sa vie à Rouen, où la place de bibliothécaire de la ville le sauva de la misère. Ses œuvres poétiques. *Melœnis*, 1851 ; *Festons et astragales*, 1859, (qui contient les *Fossiles*, parus en 1854) ; *Dernières chansons* (recueil posthume publié par Flaubert], 1872, ont été réunies en 1 vol., 1880. Des poésies inédites ont été publiées en 1919 par L. Letellier comme appendice à son *Louis Bouilhet, sa vie et ses œuvres d'après des documents nouveaux* ; elles montrent de façon intéressante l'adhésion progressive de Bouilhet, sous l'influence de Flaubert, à la doctrine de l'Art pour l'Art. Bouilhet a fait jouer un certain nombre de drames en vers dans la tradition du théâtre romantique.

III. LA POÉSIE SCIENTIFIQUE VERS 1850. — Les progrès de l'industrie et l'approche de l'Exposition universelle de 1855 mirent en faveur la poésie scientifique et accessoirement la poésie d'intention sociale (faveur alors des « poètes-ouvriers »). Voir l'article de L. ULBACH, *La liquidation littéraire* (*Revue de Paris*, mars 1853) et surtout sa préface de *Suzanne Duchemin* (1855) ; les *Chants modernes* de Maxime DU CAMP (1855) et leur préface (parue d'abord dans la *Revue de Paris* du 1er octobre 1854) : l'auteur s'en prend à l'Art pour l'Art, parle de l'*imprescriptible progrès* et écrit des hymnes sur la vapeur et les chemins de fer. Il y eut d'ailleurs, sous le Second Empire, une grosse reprise de l'activité saint-simonienne, détournée vers des réalisations pratiques. La préface des *Poèmes et poésies* de LECONTE DE LISLE (1855) attaque ces tendances nouvelles.

IV. LOUIS MÉNARD. — Louis Ménard (1822-1901), après avoir passé par l'École normale (1842), publie un *Prométhée délivré* (1844), puis devient chimiste et découvre le collodion. Très lié aux groupes révolutionnaires, il est condamné au lendemain des journées de Juin, et passe trois ans à Londres. En 1852, revenu à Paris, il se consacre tout entier à l'étude du grec et des religions antiques commencée quelques années auparavant en compagnie de Leconte de Lisle. Il publie en 1855 ses *Poèmes* avec une préface significative, devient docteur ès lettres en 1860 avec une thèse sur *La morale avant les philosophes*, dont il vulgarise les conclusions dans le *Poly théisme hellénique*, 1863. Il s'adonne ensuite à la peinture, et publie plusieurs ouvrages d'érudition et de critique, parmi lesquels le plus significatif de ses livres, les *Rêveries d'un païen mystique*, 1876 (réimprimé plusieurs fois ; éd. augmentée en 1911) ; *Lettres inédites*, éd. H. Peyre, 1932. — Voir : H. PEYRE, *Louis Ménard*, 1932.

V. THALÈS BERNARD. — Thalès Bernard (1821-1872) est une figure curieuse et qui vaudrait d'être étudiée. D'abord adonné à vulgariser les études de mythologie comparée (traduction du *Dictionnaire mythologique* de Jacobi, 1846 ; *Étude sur les variations du polythéisme grec*, 1853 ; *Histoire du polythéisme grec*, 1854), il s'emploie ensuite à faire revivre la poésie lyrique populaire, idéaliste et religieuse (*Adorations*, 1855 ; *Mélodies pastorales*, 1856-1871 ; *Poésies nouvelles*, 1857 ; *Poésies mystiques*, 1858 ; *Lettre sur la poésie*, 1868). Mais il continuait à prendre comme modèles les chefs-d'œuvre de la littérature grecque, « sinon pour la doctrine, du moins pour la méthode, c.-à-d. pour la composition et le style ». Il exerça une certaine influence.

CHAPITRE III

LECONTE DE LISLE

1. **Les années de jeunesse.** — Le nom et l'œuvre de Leconte de Lisle (1) dominent toute l'époque parnassienne : ses deux plus beaux recueils de vers ont précédé le groupement des poètes qui, en 1866, furent dits des Parnassiens ; il a été leur plus haut modèle, leur maître le plus respecté ; quand il meurt, la réaction est si vive déjà que l'on peut considérer comme terminé le mouvement qu'il avait tant contribué à lancer. Si l'on regarde attentivement les faits, on s'aperçoit qu'une grande partie de ce pouvoir échut à Leconte de Lisle parce que, beaucoup plus que d'autres, il absorba en lui et sut exprimer, dans une œuvre admirablement réussie, les principales aspirations auxquelles pouvaient être sensibles les poètes, vers 1850. Écrire sa biographie intellectuelle, c'est retracer, en abrégé, l'histoire des grands courants intellectuels, entre 1840 et 1860.

Bien qu'il soit né « aux Iles », la plus grande partie de sa vie se passa en France ; il n'a habité la Réunion qu'une dizaine d'années ; il est vrai que son plus long séjour y fut à l'époque où l'on reçoit les influences les plus profondes, entre dix et dix-huit ans. Il assure que c'est la lecture des *Orientales* qui lui révéla la beauté de son pays ; mais, bien sûrement, elles ne lui donnèrent que

(1) Voir page 63 : Notes complémentaires.

le goût et le moyen de dessiner le paysage natal avec une
facture éclatante : les lignes et les couleurs de ce paysage,
les fortes sensations qu'il en avait reçues, tout cela
s'était peu à peu empreint dans son cerveau. Ces souvenirs enfouis remonteront en lui plus tard et ils s'épan-
dront avec une singulière magnificence d'expression.
L'idée abstraite de « la Nature », force toute-puissante,
bonne ou mauvaise indifféremment et suivant les
hasards, se concrétera presque toujours chez lui en un
paysage de l'île de la Réunion : vallée à la végétation
exubérante et fourmillante de vie, ou bien gigantesque
panorama nocturne de mer et de montagne. Il croyait
se souvenir que, tout enfant, devant cette « grâce » et
cette « beauté », il pleurait, « saisi de l'angoisse future,
épouvanté de vivre… et d'être né », et peut-être forçait-
il ainsi l'expression de son désespoir enfantin ; mais il
reste ce fond de tableau, trop luxuriant ou trop grand
pour ne pas inviter à de hautes pensées ; et ce tableau,
on le retrouve souvent dans ses vers, largement dessiné,
ou bien simplement entrevu, ou bien encore comme une
vague et confuse suggestion.

Les lectures d'adolescent du poète furent celles des
adolescents d'alors : V. Hugo, Lamartine, Walter Scott,
George Sand. Comment n'aurait-il pas été romantique ?
Ses amis de lycée étaient, comme lui, républicains et
anti-catholiques : on était au lendemain de 1830 ! D'ailleurs son père, très féru de philosophie encyclopédiste,
voyait sans déplaisir cette jeune exaltation. Elle s'exas-
péra dans le milieu provincial de Rennes, où le conduisit
la nécessité d'achever en France ses études. Auprès de
ses parents de France, bons bourgeois de province que
tourmentait l'appréhension d'un changement de régime,
il faisait figure d'un véritable anarchiste. La mystique
révolutionnaire, fort à la mode parmi la jeunesse d'alors,
ne tarda pas à le gagner : il se fait fouriériste et fourié-

riste militant, collaborateur des organes officiels du groupe, la *Phalange* et la *Démocratie pacifique*.

C'est là qu'il débute véritablement comme écrivain, en 1845. Il a bien, à vingt ans, pendant son séjour en Bretagne, donné des vers à une revue locale ; mais ces vers, quelquefois très spiritualistes, ne sont guère que des pastiches où l'influence la plus notable est celle de George Sand ; tout cela, qui est très superficiel, est vite effacé. Les articles et les poèmes que Leconte de Lisle donne à la *Phalange* et à la *Démocratie pacifique* sont au contraire très personnels ; quelques-uns de ces vers, conservés dans les *Poèmes antiques*, portent la marque d'une maîtrise bien assurée. A ce moment-là, — il a près de vingt-cinq ans, — Leconte de Lisle vit dans une vraie fièvre intellectuelle : il croit à la révolution prochaine, à la République universelle, à la grande destinée de son groupe, qui doit organiser « sociétairement » l'humanité. Et, en même temps, avec Louis Ménard il s'enthousiasme pour la Grèce ; avec lui il apprend le grec ; avec lui il trouve une clef pour l'explication des mythes helléniques : ces mythes ne sont pas autre chose que des symboles républicains, socialistes au besoin ! Un poète qui les fera revivre et les commentera écrira un bel Évangile moderne. Mais la Révolution échoue, et très vite ; la misère menace le poète : il faut vivre, il faut attendre. Il se résigne à n'être que poète, à écrire des vers simplement grecs, et non plus gréco-fouriéristes. « Les grandes œuvres d'art, écrit-il en 1849, — pour se défendre et pour se consoler, — pèsent dans la balance d'un autre poids que cinq cents millions d'almanachs démocratiques et sociaux. L'œuvre d'Homère comptera un peu plus dans la somme des efforts moraux de l'humanité que celle de Blanqui. » A demi désabusé, il glisse vers l'Art pour l'Art ; il retouche ses vers grecs ; il en écrit d'autres ; il publie les *Poèmes antiques*.

2. Les « poèmes antiques ». — La plupart des « poèmes antiques » — une quarantaine dans l'édition définitive des *Poèmes antiques* et une quinzaine environ dans les autres recueils — ont été écrits par Leconte de Lisle au temps de sa plus grande ferveur pour l'étude du grec, pendant les années où il pensait, comme son ami Louis Ménard, que rien n'égalait les formes de la Pensée et de la Beauté grecques. En même temps, il s'adonnait à un travail de traduction : il a publié, à partir de 1861, une dizaine de volumes qui prétendirent faire apparaître les grandes œuvres grecques sous un aspect plus « grec » qu'on n'avait coutume de le faire ; il mit à la mode une nouvelle orthographe des noms de dieux et de héros, pour mieux les transcrire dans leur vraie forme, avec, presque, leur sonorité originelle. La première de ces traductions a paru en 1861, mais le travail du poète est bien antérieur : la traduction de l'*Iliade* est des environs de 1850, et, en 1855, Leconte de Lisle annonçait la publication prochaine d'une série de traductions comme une œuvre commune de lui et de Louis Ménard.

Un certain nombre de « poèmes antiques » ne sont d'ailleurs que des traductions en vers : du Théocrite, du vrai et du faux Anacréon. Le poète se borne à regrouper plus harmonieusement les traits du modèle, il silhouette, au besoin, un décor. Puis ce sont des pastiches, des petits *quadri* à la manière d'André Chénier, où reluit une marqueterie de textes anciens. Ailleurs Leconte de Lisle se livre à un travail d'adaptation plus savant : en même temps qu'il dessine la scène ou conte la légende antique, il suggère l'explication mythique, il souligne la philosophie naturaliste enclose dans cette vision mythologique. Jamais il ne s'éloigne beaucoup du livre ancien qu'il a ouvert sur sa table à écrire.

Les larges poèmes sont beaucoup plus indépendants à l'égard des « sources » ; Leconte de Lisle tente et réussit

des synthèses où il rassemble les traits caractéristiques
des grandes époques de la civilisation hellénique : la
Grèce préhistorique dans *Niobé* et *Khirôn,* la Grèce
homérique dans *Hélène.* Il utilise non seulement les
textes littéraires, mais les découvertes récentes de l'ar-
chéologie ; il ne veut pas — il reproche à Vigny et à
Hugo de l'avoir fait — emprunter à l'histoire et à la
légende des cadres bons seulement pour enfermer l'expression stylisée de grands sentiments contemporains ;
il prétend que ses peintures aient une valeur historique :
il décrit les demeures, les armes, les vêtements, les
sacrifices, les fêtes, les rites des funérailles. L'image qu'il
donne de la Grèce est drue, savante et pittoresque.

Le paysage, il ne le connaît point : il l'imagine à travers les œuvres pastorales, celles de Théocrite surtout :
le paysage méditerranéen, l'étroite vallée qui, parmi les
arbustes parfumés, s'ouvre sur la mer très bleue, les
pasteurs et les troupeaux au repos,… une grande pureté
et une grande simplicité de lignes. Le génie grec, tel que
le poète le comprend, est fils de ce ciel clément, de ce
soleil radieux ; il est juste, doux, humain, modéré, épris
de raison et de beauté, point ardent au plaisir, volontiers
chaste. Aphrodite, la plus grande de ses divinités, n'est
pas la Cypris de Banville, escortée d'amours roses et
rieurs, elle est la « Vénus de Milo », symbole d'ordre et
d'harmonie universelle.

Cette harmonie, Leconte de Lisle l'avait aimée d'abord
comme un symbole de l'« harmonie » fouriériste : Hélène
et Vénus lui étaient apparues comme de clairs et sévères
symboles phalanstériens. Il remania ses poèmes et atté-
nua leur signification symbolique, trop précise ; il enfer-
ma en eux d'autres symboles, plus larges, pour dire,
comme avaient fait les Grecs, « ce qui sera éternellement donné à l'esprit humain de sentir et de rendre ».
Niobé n'est pas seulement chez lui un tableau de la vie

primitive, ou l'histoire du conflit de deux traditions
religieuses, c'est le symbole de la raison humaine, longtemps comprimée par la religion, mais qui sait que son
jour viendra. Les *Plaintes du Cyclope* symbolisent la
poésie, seul remède à la douleur de l'homme. La chimère
« Ekhidna » dévore tous les amants de l'idéal, tous ceux
qui, philosophes, artistes, veulent être plus que des
hommes, etc. De pareils symboles, Leconte de Lisle en
trouve surtout dans les légendes les plus anciennes ; et
c'est pourquoi il aime, de préférence, non pas, comme
Louis Ménard, l'Athènes républicaine du ve siècle, mais
la Grèce toute primitive, celle des géants, des centaures
et des faunes, où les dieux, les héros et les hommes
n'étaient encore que des émanations des grandes forces
naturelles ; avec Zeus et ses dieux sujets, une grande
contrainte a commencé à peser sur l'humanité. Mais
ce ne sont que des nuances dans son admiration de
l'antiquité. Au total, le paganisme, surtout quand il
l'affronte aux autres religions, lui apparaît comme une
religion de beauté et de science ; les autres religions, la
chrétienne surtout, sont des religions de laideur et d'ignorance. Deux fois, pour le dire, Leconte de Lisle revient à
évoquer l'histoire d'Hypatie et de Cyrille et la vision
de la belle païenne meurtrie et tuée par la foule des
chrétiens barbares.

3. « Poèmes barbares ». — Déjà, dans la première
édition des *Poèmes antiques*, deux poèmes « hindous »
annonçaient l'élargissement de la curiosité du poète
et indiquaient, suivant les mots de la préface, « une
voie nouvelle » : Leconte de Lisle commençait, par
l'Inde, une revue des principales formes religieuses de
la pensée humaine. A cette revue est employée la plus
grande partie des *Poèmes barbares*. Leconte de Lisle
estime « barbare », au sens antique, tout ce qui n'est

point grec, tout ce qui est en dehors de la tradition
du polythéisme grec. Il évoque successivement les légendes religieuses hindoues, juives, égyptiennes, musul-
manes, scandinaves, finnoises, celtiques, polynésien-
nes, écloses dans l'esprit des hommes sous l'influence
du paysage et du climat qui les enveloppent. Toutes,
après un temps, elles disparaissent et vont s'enclore
dans ce Panthéon des dieux morts que le poète fera
sortir des brumes funéraires dans sa *Paix des dieux*.
La religion chrétienne est vivante encore, mais il es-
compte sa mort inévitable : il lui fait une place particulièrement grande.

Cette curiosité d'amateur mythologue permet que
surgisse du passé tout un monde d'évocations pittoresques : l'Inde des ascètes avec la philosophie de l'Illusion, le Dieu jaloux de la Bible et ses prophètes mena-
çants, l'Égypte des momies et des tombeaux, les étranges
légendes cosmogoniques du Nord et les civilisations
farouches qui les ont rêvées, la conquête musulmane
et les croisades espagnoles, les barbares imaginations
des sauvages du Pacifique, les « siècles maudits » du
catholicisme médiéval, l'immense entreprise de la Pa-
pauté appuyée sur l'Inquisition.

Une bien noire vision de l'humanité ! car, hormis
les croyances de l'Inde, toutes ces théogonies paraissent
à Leconte de l'Isle fort grossières, et elles ont permis
d'épouvantables crimes. Depuis que le polythéisme
a disparu, la puissance que l'homme a de créer ses dieux
a déchaîné sur le monde l'esprit de haine et de massacre.
Le mot « barbare », qui était d'abord un simple mot
de classification géographique, a maintenant, dans la
pensée du poète, le sens d'un dur jugement moral :
l'histoire du monde, telle que son imagination la res-
suscite en des tableaux précis et pittoresques, est un
vrai cauchemar.

On a cherché et trouvé, on cherche et l'on trouve
encore les « sources » de Leconte de Lisle. Il n'a pu
écrire ses poèmes, quelquefois fort abstrus et d'un pittoresque déconcertant, qu'après une recherche qui suppose une lecture assez considérable. Presque toujours
il s'est adressé aux textes originaux eux-mêmes, ou
bien à des livres de première main dont les érudits du
temps affirmaient la valeur documentaire. L'usage
qu'il en fait n'est pas, du point de vue de l'histoire et
de la critique, toujours irréprochable ; et Leconte de
Lisle est beaucoup plus un « amateur », passionné
d'histoire, que lui-même et ses disciples ne l'ont pensé ;
il altère assez facilement les textes, pour donner de
l'intérêt au récit ou pour rendre le tableau plus pittoresque. Mais, au total, il comprend assez sûrement tous
ces vieux textes, selon les interprétations qui étaient
à la mode alors dans le monde des savants. Ce n'est
que dans les poèmes « chrétiens » que ce souci du docu-
ment se trouble : la passion antichrétienne de Leconte
de Lisle était grande et elle n'a fait que s'accroître avec
l'âge. En 1871, il publiera une *Histoire populaire du
christianisme*, qui est une violente philippique contre
l'Église ; cette lecture éclaire bien les noirs poèmes où
le poète a évoqué l'enfer chrétien, les papes ambitieux
et dominateurs, les moines farouches et sanguinaires,
le triomphe brutal des pires superstitions. Il dessine
l'image de Jésus avec un certain respect (*Le Nazaréen*) ;
mais c'est que, dans sa pensée, il le tient pour mort
et qu'il lui fait place auprès des beaux dieux antiques
descendus au séjour des ombres ; ou bien, il l'évoque
au Jardin des Oliviers, voyant en rêve « la bête écar-
late » qui dévore le monde, et épouvanté devant « cette
géhenne effroyable, ces flots de sang et cette haine, ces
siècles de douleur, ces peuples abêtis ». Ces visions hallucinées plaisent à sa passion, qui ne pardonne point.

4. Idées esthétiques et philosophiques. — « Barbares »
ou « antiques », ces poèmes et ceux qui les accompagnent sont conçus et écrits d'après une esthétique très
« réfléchie ». Leconte de Lisle a plusieurs fois formulé
ses idées : en 1852 et 1855, dans des préfaces, mises
ensuite de côté, et qu'a recueillies un livre posthume ;
en 1864, dans une série d'articles sur les poètes contemporains ; en 1887 enfin, dans son discours de réception
à l'Académie française. Pendant ces trente années sa
doctrine n'a point varié ; elle ne fut pas un programme
de rencontre, et provisoire : elle répondait aux besoins
les plus forts de l'intelligence du poète.

Ses formules sont hautaines et dédaigneuses. Il
condamne durement le sentimentalisme romantique,
la poésie de propagande sociale, les hymnes scientifiques, tout ce qui est marqué de l'empreinte trop immédiate des soucis modernes ; sa propre pensée, il l'enveloppe dans des formules hiératiques qui ont quelquefois paru obscures, parce qu'elles sont très pleines de
sens. Mais on reconnaît bien vite trois couches d'idées
assez différentes, qui correspondent à des développements successifs de la pensée du poète ; les plus anciennes ont été recouvertes, mais des affleurements très
caractéristiques les signalent. Il y a d'abord l'idée que
le poète est un « instituteur du genre humain », qu'il
a un « apostolat », une mission à remplir dans la société
moderne. Cette idée apparaît surtout dans la préface
de 1852, écrite à une époque où Leconte de Lisle vibre
encore au souvenir de ses rêves fouriéristes. Mais il
renvoie à plus tard, à un moment perdu dans le lointain
des temps, cette union souhaitée de « l'action et du rêve » ;
elle se réalisera le jour où l'humanité, délivrée des autocraties, sera redevenue maîtresse de ses destinées ; en
attendant le poète se réfugiera « dans la vie contem-
plative et savante », en un « sanctuaire de repos et de

purification ». Cela ne l'empêchera pas d'ailleurs de
« rentrer dans la voie intelligente de l'époque » et de
concourir à l'« élaboration des temps nouveaux » ; il
peut aider à la recherche positiviste des « titres de l'intelligence humaine ». Il y a là une seconde couche de
pensées, très profonde, qui correspond à l'influence
des doctrines historiques et critiques d'« une génération
savante ». En étudiant le passé, en évoquant les dieux
morts, le poète renouvellera « le fonds pensant » de
l'humanité. L'archaïsme n'est tel qu'à l'apparence :
« Les œuvres qui nous retracent les origines historiques,
qui s'inspirent des traditions anciennes, qui nous repor-
tent au temps où l'homme et la terre étaient jeunes
et dans toute l'éclosion de leur force et de leur beauté,
exciteront toujours un intérêt plus profond et plus durable que le tableau daguerréotypé des mœurs et des
faits contemporains ». Des siècles d'histoire sont à
rayer pour que l'humanité soit heureuse. L'avenir est
dans le passé, dans un passé si lointain que l'homme
ne le comprend plus. C'est la tâche du savant et du
poète de le faire comprendre et d'en faire aimer
l'image.

Et enfin, — couche la plus récente de convictions,
et la plus épaisse, — Leconte de Lisle donne une adhésion entière à la doctrine de l'Art pour l'Art. L'art est
un « luxe intellectuel » ; « le monde du Beau est un
infini sans contact possible avec toute autre conception... Le Beau n'est pas le serviteur du Vrai ». La
contradiction avec les prémisses n'est qu'apparente,
car aussitôt Leconte de Lisle définit le poète un « créateur d'idées, *c'est-à-dire* de formes visibles ou invisibles,
d'images vivantes ou conçues », qui « doit réaliser le
Beau dans la mesure de ses forces et de sa vision interne
par la combinaison complexe, savante, harmonique,
des lignes, des couleurs et des sons, non moins que par

toutes les ressources de la passion, de la réflexion, de
la science et de la fantaisie ».

La « beauté sensible » est nécessaire à l'œuvre d'art;
mais l'œuvre d'art doit être en même temps, et avant
tout, une création intellectuelle. C'est ainsi qu'elle attein-
dra cet idéal difficile qui permet d'unir « la science et
l'art ». Dès lors on ne saurait comprendre que le poète
soit impassible. La forme dans laquelle Leconte de
Lisle fixe ses pensées est hiératique, pure, froide;
mais il est passionné, et son œuvre est emportée tout
entière par un grand élan de passion ; il est vrai que c'est
une passion intellectuelle, et point de l'émotion sentimentale : la description des ivresses de l'amour ou
de ses désespoirs n'est pas l'aliment dont l'humanité
moderne a besoin. Comment s'étonner de ce que, avec
ces théories, presque tous les poèmes de Leconte de
Lisle, et ses paysages et ses descriptions d'animaux
comme ses évocations historiques, soient avant tout
des confidences intellectuelles ? « Toute vraie et haute
poésie contient, dit-il, une philosophie, quelle qu'elle
soit, aspiration, espérance, foi, certitude ou renoncement réfléchi et définitif au sentiment de notre identité
survivant à l'existence terrestre ». Sa philosophie a
passé par toutes ces étapes ; et ses poèmes traduisent
les émois successifs de son intelligence, le découragement
progressif de sa pensée devant la vision de l'univers
que donnait la science moderne.

Il avait « recherché Dieu » et il ne l'avait point trouvé;
il avait eu une foi sociale et il l'avait jugée inefficace
et insuffisante ; il avait aimé la nature, puissante et
bonne, il avait fini par comprendre son indifférence
qui est comme une vraie méchanceté. Autrefois, sur
les montagnes de l'île natale, il entendait passer dans
le vent de la tempête les désirs de sa jeunesse, l'adora-
tion de la beauté des choses ; maintenant, ce même vent

ne lui apporte que « des sanglots sauvages..., le roulement sourd des ondes furieuses ». Aussi souhaite-t-il alors l'anéantissement, le sien, celui de l'humanité, celui de la terre ; avec joie il figure « la dernière vision » : « la nuit aveugle..., la grande ombre », le Néant. Les livres hindous, qu'il a tant aimés, lui ont appris une philosophie qu'il voudrait faire sienne : la théorie de l'Illusion, le renoncement, l'idéal de l'ascète indien, qui parvient à éteindre en lui-même, avec le goût de la vie, le don et la souffrance de penser. Aux heures où il était tenté par ces idées, Leconte de Lisle se sentait bien loin de son enthousiasme confiant dans la pensée et la beauté grecques ; mais ce n'étaient que des heures ; et, même alors, en ces pires moments de désespoir positiviste, il se rattachait, comme à la seule joie possible, à son idéal d'art.

5. La maîtrise de Leconte de Lisle. — En 1865, au moment où se forme le groupement du « Parnasse contemporain », Leconte de Lisle avait écrit la plus belle partie de son œuvre : les *Poèmes antiques* et les *Poèmes barbares* ; sa doctrine d'art était arrêtée en de nettes formules. Son prestige fut considérable dans la génération des jeunes poètes, et il fut très vite traité comme un maître infiniment respecté, exigeant d'ailleurs et jaloux de son autorité, qu'il exerçait parfois durement. Aucune œuvre alors, pas même celle de V. Hugo, ne paraissait aussi forte, aussi pleine de pensée, aussi pénétrée des préoccupations les plus nobles de la pensée contemporaine : de fait, elle semble bien, à distance, résumer très exactement les joies d'esprit et les angoisses d'une bonne partie de l'élite intellectuelle française dans la seconde partie du XIXe siècle.

Mais c'est surtout au prestige de sa facture impeccable qu'il dut cette maîtrise et l'espèce de royauté

qu'il exerça pendant plus de vingt ans dans le monde
des poètes. « Personne ne fera les vers mieux que nous »,
affirmera-t-il à son disciple préféré, J.-M. de Heredia ;
ce n'était pas un vain orgueil, car on en était unanime-
ment persuadé, autour de lui, et d'ailleurs il savait le
travail et l'effort qu'exigeaient ces parfaites réalisations. « Si le poète, disait-il, est avant tout une nature
riche de dons extraordinaires, il est aussi une volonté
intelligente qui doit exercer une domination absolue
et constante sur l'expression des idées et des sentiments,
ne rien laisser au hasard, se posséder soi-même, dans
la mesure de ses forces. C'est à ce prix qu'on sauvegarde
la dignité de l'art et la sienne propre. » Théophile Gautier et toute l'École de l'Art avaient eu cette ambition,
mais jamais encore les scrupules de l'ouvrier en poésie
n'avaient été si grands : il semblait, à chaque poème,
que Leconte de Lisle se chargeât de parfaire un chef-
d'œuvre unique de maîtrise.

Son vocabulaire n'a point la richesse cherchée que
désirait Th. Gautier. Ce qui le caractérise surtout, c'est
« l'expression propre, précise, unique », le moyen le
plus parfait, selon le poète, pour atteindre l'idéal « à
travers la beauté visible ». La composition de ses poèmes
est très rigoureuse, d'une symétrie où les proportions
s'accusent, pour mieux faire sentir l'harmonie du tout.
Qu'il s'agisse d'étager les époques d'une grande synthèse d'histoire, de distribuer les plans d'un paysage
ou d'emmêler étroitement dans le symbole l'idée et
l'image, l'architecture du poème a toujours des lignes
massives et admirablement simples. Le poète ne craint
pas, pour assurer la liaison des différentes parties, de
faire les « joints » si solides qu'ils sont visibles ; il use
des lourdes conjonctions dont les poètes, généralement,
ont peur ; il allonge ses phrases ; cette construction
solide donne l'impression, souvent, de l'immobilité

et de la raideur. Vite, cette manière devint une mode
chez les disciples ; et, par réaction, elle sera fort criti-
quée à l'époque symboliste : la phrase cherchera à être
aussi souple et fluide qu'elle fut, chez le maître, finalement renié, immobile et comme figée.

Les soucis rythmiques de Leconte de Lisle sont ceux
de l'École de l'Art ; mais son goût et sa conception de
l'art ne le portaient pas vers la virtuosité. Ses rimes
sont riches, pour l'ordinaire, très somptueuses quelquefois, surtout quand s'inscrivent à la fin du vers les beaux
noms de dieux grecs ou les noms barbares, tout hérissés
de consonnes et d'accents. Le vers alexandrin domine ;
et le poète combine les coupes classiques avec les coupes
romantiques. L'allitération est fréquente, mais point
recherchée de parti-pris, comme un jeu. Les formes de
strophes sont assez variées ; leur mouvement, lent ou
rapide, se plie sur celui de la pensée. De temps en temps,
le maître s'amuse à des tours de force de rimes et de
strophes, à la manière de Banville ; mais ils sont rares ;
il laisse ces jeux à ses disciples. Il veut que le vers puisse
tout exprimer, par le moyen des sons : « la puissance,
la passion, la grâce, la fantaisie, le sentiment de la nature
et la compréhension métaphysique et historique » ;
mais, plus que la grâce ou la fantaisie, il s'attache à
exprimer la puissance, la passion, la compréhension
philosophique : la virtuosité musicale n'est point nécessaire. Les symbolistes, qui firent grâce à Banville,
furent impitoyables pour l'harmonie du vers selon le
mode de Leconte de Lisle ; ils n'y virent que le rythme
d'une prose oratoire et rimée, et point du tout une expression musicale de la pensée poétique.

NOTES COMPLÉMENTAIRES

Leconte de Lisle est né à la Réunion, le 22 octobre 1818,
d'une famille bretonne établie « aux îles » ; il quitta son pays
trois ans, y revint à dix ans, y acheva ses études, et vint,

à dix-huit ans, faire son droit à Rennes. Il collabore alors à des revues locales et écrit des vers ; quelques lettres et des poésies de cette époque ont été publiées sous le titre de *Premières poésies et lettres intimes*, 1902. Il séjourne à la Réunion de 1843 à 1845. En 1845, il revient à Paris et collabore assidûment aux journaux fouriéristes, la *Phalange* et la *Démocratie pacifique* ; il y publie des articles d'actualité politique, des « poèmes antiques » et des nouvelles ; ces dernières ont été éditées sous le titre : *Contes en prose. Impressions de jeunesse*, 1911. Leconte de Lisle essaie, en 1848, de jouer un rôle politique. Après 1851, il se consacre tout entier à la poésie.

En 1852 il publie les *Poèmes antiques* (31 poèmes et une préface, ultérieurement reproduite dans *Derniers poèmes* ; l'édition définitive (1872) contient 56 poèmes) ; — en 1855, *Poèmes et poésies* (28 pièces, dont 24 reproduites dans les *Poèmes barbares* et dans les éditions ultérieures des *Poèmes antiques* ; une préface reproduite dans *Derniers poèmes* ; une deuxième édition (1857) est augmentée de la *Passion*, reproduite également dans *Derniers poèmes*) ; — en 1858, *Poésies complètes* ; — en 1862, *Poèmes barbares* (36 poèmes, publiés, pour la plupart, dans la *Revue contemporaine* ; édition définitive, 1878 : 81 poèmes). A partir de 1861, Leconte de Lisle publie une série de traductions : *Odes anacréontiques*, 1861 ; l'*Iliade*, 1866 ; l'*Odyssée*, 1867 ; *Hésiode*, 1869 ; *Eschyle*, 1872 ; *Horace*, 1873 ; *Sophocle*, 1877 ; *Euripide*, 1885. Il accepte, en 1864, une pension impériale ; on la lui reprochera vivement, après 1870.

Son *Histoire populaire du christianisme*, son *Histoire populaire de la Révolution française*, 1871, son *Catéchisme populaire républicain*, de ton assez vif, provoquent un incident au Sénat (6 juin 1872). A partir de 1872, une sinécure, celle de bibliothécaire au Sénat, lui permet de vivre honorablement. Le 6 janvier 1873, il fait jouer une adaptation de l'*Orestie* : les *Érinnyes* (publiée dans les *Poèmes tragiques*) : en 1884, il publie les *Poèmes tragiques*, et, en 1888, l'*Apollonide* (recueillie dans *Derniers poèmes*). Il est élu à l'Académie française le 11 février 1886 (réception le 31 mars 1887). Il meurt à Louveciennes, près de Versailles, le 18 juillet 1894. Les *Derniers poèmes*, recueil posthume (1895), contiennent des poésies inédites ou non recueillies, des préfaces anciennes et des articles de critique son discours de réception à l'Académie ; une éd. des *Poésies complètes* (1927 et s.) contient des inédits et des variantes.

A consulter : J. VIANEY, *Les sources de Leconte de Lisle*, 1908 ; — EDM. ESTÈVE, *Leconte de Lisle*, 1922 ; — P. FLOTTES *Le poète Leconte de Lisle*, 1929 ; — J. VIANEY, *Les Poèmes barbares*, 1933.

CHAPITRE IV

LE « PARNASSE CONTEMPORAIN »

1. Revues et cénacles préparnassiens. — C'est entre 1860 et 1866 que se forme le groupement des poètes parnassiens. Il serait peut-être plus exact de parler d'une troisième génération des poètes de l'Art pour l'Art — la première génération étant représentée par Th. Gautier, qui, en 1865, a près de soixante ans, et la seconde par Leconte de Lisle et Th. de Banville, qui ont alors dépassé la quarantaine. Les débutants, Catulle Mendès, Sully Prudhomme, Heredia, Verlaine, ont de vingt à vingt-cinq ans. Leur groupement s'est réalisé comme se produisent toujours, du moins au XIXᵉ siècle, ces sortes de groupements. Il y faut deux ou trois salons ou des « cafés » qui permettent les rencontres fréquentes, des réceptions chez quelques maîtres choisis et bienveillants, des revues « jeunes » de tendances diverses, dont les rédactions se mêlent ; un ou deux animateurs enfin, qui ont la passion d'organiser des réunions, de fonder des revues et de trouver des imprimeurs. En peu d'années, ou en peu de mois, suivant les cas, il se fait un choix parmi les tendances et les goûts ainsi affrontés ; quelques-uns sont mis provisoirement au rancart ; d'autres, sur lesquels l'accord est à peu près unanime, sont poussés au premier plan. Quand ce

mouvement de concentration est terminé, on rédige
les manifestes, on publie les recueils collectifs, on se
donne ou bien on accepte une étiquette ; chacun publie,
en profitant du bruit créé, le petit volume de vers qu'il
venait d'écrire. Et déjà la dispersion commence : chacun
retourne à ses goûts et s'affranchit du programme qui
avait permis la concentration. Le public et la critique,
au moment où ils entendent parler de « l'école nouvelle »,
sont surtout frappés par les divergences de ceux qui
la composent, par la contradiction des œuvres et des
théories. L'école n'a existé, au vrai sens du mot, qu'un
court moment ; elle avait été une volonté d'union, elle
devient un principe de dispersion.

Le premier « animateur » du groupe parnassien fut
Catulle Mendès, et la première revue la *Revue fantaisiste* (15 février-15 novembre 1861). C'est une revue
sans tendances très caractérisées, une revue de jeunes,
qui croient à l'indépendance de l'art, aux droits de la
fantaisie poétique. « Mes collaborateurs, dit le directeur, jouissent des plus grandes libertés ; ils ont le droit
de se passer toute sorte de fantaisies, même celle d'être
réalistes — à condition cependant que cette dernière
ne leur vienne pas trop souvent. » De fait, Champfleury
et Gozlan écrivent dans la *Revue fantaisiste* à côté de
Mendès, de Th. Gautier, de Banville, de Baudelaire et
de Louis Bouilhet ; Glatigny, Léon Cladel, Villiers de
l'Isle Adam figurent parmi les collaborateurs. Le directeur, Catulle Mendès (il a dix-huit ans), est, à cause de
son *Roman d'une nuit*, condamné à un mois de prison
et 500 francs d'amende, pour « outrage à la morale
publique et religieuse ».

Deux ans après, paraît le second « animateur » ;
son rôle, quoiqu'il soit bien oublié aujourd'hui, fut fort
efficace. L.-X. de Ricard (1843-1911) fonde, à vingt
ans, la *Revue du progrès moral, littéraire, scientifique*

et artistique (mars 1863-mars 1864) ; cette revue est de tendances à peu près exactement contraires à celles de la *Revue fantaisiste*, car elle veut être politique et maltraite fort les poètes qui ne se soucient que de l'Art ; on n'y aime point Th. Gautier, ni Flaubert, ni Vigny ; on y exalte la poésie scientifique et le génie poétique de Népomucène Lemercier ! Mais les articles de littérature semblent être là surtout pour servir de paravent aux articles politiques. Au bout d'un an d'ailleurs, la *Revue du progrès* est saisie pour « outrage à la morale religieuse » et pour avoir parlé, sans autorisation préalable, d'économie politique et sociale. Le nouveau groupement est dissous : il satisfaisait surtout les « politiques » parmi les jeunes ; Verlaine, qui était d'opinions fort avancées, apporta sa collaboration : quelques vers. Mais il était évident que la passion politique et philosophique était impuissante à concentrer les aspirations des jeunes.

Le salon où recevait Mme de Ricard était plus littéraire que la revue fondée par son fils : on y rencontrait Verlaine, Catulle Mendès, Coppée, Sully Prudhomme, Villiers de l'Isle Adam, tout l'état-major du jeune Parnasse qui allait naître. Ces jeunes gens se réunissent aussi chez Nina de Callias, un salon littéraire pittoresque et bruyant. Ils vont chez Th. de Banville, chez Leconte de Lisle. C'est l'année (1864) où ce dernier publie une série d'articles au *Nain Jaune*, avec l'exposé d'une esthétique qui semble nouvelle. Il apparaît à ces jeunes gens enthousiastes comme « le grand moteur du mouvement poétique » : il faut vulgariser ses idées et rénover la poésie. L.-X. de Ricard se fait une seconde fois directeur de journal ; il abandonne l'art social et vient à l'Art pour l'Art. Il est vrai que la doctrine bien comprise de Leconte de Lisle permet de sauver quelque chose de la foi politique et du désir d'action sociale. Le nouveau

périodique, un journal hebdomadaire, se donne pour
titre *L'Art* (2 novembre 1865-6 janvier 1866); il est
édité par un petit libraire accueillant : « Lemerre, 47,
passage Choiseul ». Les rédactions de la *Revue fantaisiste* et de la *Revue du progrès* se fondent : Verlaine
est un collaborateur assidu ; Leconte de Lisle envoie
des vers ; Coppée et Dierx figurent plusieurs fois au
sommaire de la revue. On y encense à la fois Quinet,
Michelet, — côté *Revue du progrès*, — Leconte de
Lisle, Flaubert, Th. Gautier, Baudelaire, Banville —
côté « Art ». On attaque Musset et Lamartine.
Surtout on paraphrase les préfaces et les articles
de Leconte de Lisle : art et science…, philosophie
hindoue…, l'idée et la forme…, facture impeccable.

La nouvelle génération poétique, y affirme-t-on, bien convaincue que la rêverie et les négligences de forme sont les
signes caractéristiques de l'enfance dans l'art, se distingue surtout par un culte sévère de cette forme tant dédaignée et par
la précision mathématique de ses idées. Le nom de *Puritains*
que lui donna un jour M. Sainte-Beuve lui conviendrait sans
l'interprétation religieuse à laquelle il pourrait donner lieu,
car elle ne reconnaît d'autre religion que celle de l'art.

Le poète idéal n'est point ce *vates* épileptique que l'on nous
peint échevelé, les yeux hagards, émettant indéfiniment et
d'un seul jet, sous l'*inspiration* de je ne sais quelle muse ba-
varde, des vers faciles et incohérents, mais un penseur sérieux,
qui conçoit fortement et qui entoure ses conceptions d'images
hardies et longuement ciselées.

C'est bien une marqueterie d'expressions de Leconte
de Lisle. La lumière émanée du maître illumine le
Parnasse naissant.

2. Le « Parnasse contemporain » (1866-1876). — Le

groupement était, au début de 1866, vraiment réalisé.
Point de dissidences graves, de l'enthousiasme !…
Presque tout le personnel parnassien — auteurs et
imprimeur — était rassemblé. Malheureusement l'ar-

gent manqua, et l'*Art* mourut ; mais l'élan était donné ;
d'une façon ou d'une autre, il fallait que le jeune groupe
manifestât son existence : il était devenu batailleur
et avait vivement « donné » pour venir au secours de
« l'Art », lors des représentations tumultueuses d'*Hen-
riette Maréchal*. En place d'un organe périodique, trop
lourd à soutenir, on décide de faire paraître, à des intervalles plus ou moins éloignés, un « recueil de vers
nouveaux ». On dispute longtemps sur le titre : c'est
une grande affaire qu'un titre pour une école nouvelle !...
« Formistes »,... « Stylistes »..., « Impassibles »...,
ce sont les injures qu'on leur a déjà jetées, et cela pourrait servir ; mais le programme est trop haut, trop large,
et ces mots, équivoques et étriqués. Alors un humaniste — Marty-Laveaux, sans doute — proposa d'appeler le nouveau recueil... *Recueil* tout simplement, ou,
comme l'on disait au XVIIᵉ siècle, *Parnasse*. On se résigne
à ce titre un peu vieillot, qu'on est d'ailleurs obligé
d'expliquer par une glose : *le Parnasse contemporain,
recueil de vers nouveaux* (1866). Le volume paraît en
livraisons, de mars à juin ; et le libraire Lemerre es-
tampille la feuille de titre d'une belle vignette : un paysan, très chaudement habillé, qui bêche sous la devise
Fac et spera. Plus tard, on complètera le symbole en y
joignant un soleil levant et en dévêtant le paysan, à
l'antique. Ainsi l'image symbolique de la nouvelle école
est complète : travail, lumière glorieuse, beauté de
l'antique.

Le *Parnasse contemporain* de 1866 n'est pas un bien
gros volume : moins de trois cents pages. Les premiers
vers qui y paraissent sont des vers de Th. Gautier, de
Banville et de Leconte de Lisle, les maîtres. A leur trinité
on joint Heredia, qui est célèbre déjà, quoiqu'il n'ait
rien publié encore ; mais les revues et les lectures de
cénacle ont fait connaître ses sonnets. Baudelaire vient

ensuite avec Louis Ménard, Fr. Coppée, C. Mendès,
L. Dierx, Sully Prudhomme. Après eux, L.-X. de Ricard, Verlaine et Mallarmé voisinent... Moins de qua-
rante poètes en tout, dont la plupart ont déjà fait
leurs preuves et qui appartiennent à la tradition de
l'Art pour l'Art. Le volume se termine par une belle
jonchée de sonnets.

Le *Parnasse contemporain* a du succès. Son apparition
provoque une polémique assez bruyante. Barbey d'Aurevilly, notamment, que Verlaine avait assez malmené
dans l'*Art*, lui reprochant sa malveillance à l'égard des
nouveaux poètes, riposte de vive façon ; il publie, à la
fin de l'année, une série de *Médaillonets* qui sont des
caricatures passionnées. Quelques jours après, une plaquette anonyme (composée par un groupe de jeunes
écrivains, dont Alphonse Daudet et P. Arène) paraît,
qui s'intitule le *Parnassiculet contemporain, recueil de
vers nouveaux* : il rassemble un certain nombre de pastiches de la nouvelle manière. Tout ce bruit est une bonne
réclame, et Lemerre en profite pour lancer, à peu d'in-
tervalle, les *Épreuves* de Sully Prudhomme, le *Reliquaire* de Fr. Coppée, les *Poèmes saturniens* de Verlaine.
L'époque parnassienne a commencé.

Le deuxième *Parnasse contemporain* — un volume de
quatre cents pages — porte la date de 1869 ; mais il
n'a paru qu'après la guerre, en 1871. Le succès l'a
grossi : près de soixante collaborateurs ; aux « aînés »
sont venus se joindre V. de Laprade, A. Glatigny,
Anatole France, A. Mérat, L. Valade, G. Lafenestre,
F. Plessis, Ch. Cros, Claudius Popelin, etc... Tous sont
des Parnassiens convaincus ; mais d'autres sont admis
dans le recueil, un peu bien par complaisance, car ils
n'ont pas cette religion intransigeante de l'Art qui avait
permis le concile poétique de 1866. Un dernier recueil
paraît en 1876 : il n'a plus guère de caractère ; le volume

est comme un grand hall où l'on appose aux murs,
ainsi que dans un Salon, les productions poétiques de
l'année. On n'y voit plus figurer Verlaine, que sa vie
malheureuse a jeté loin de Paris, ni Mallarmé, qui a
fait peur. La troupe est encore plus mêlée qu'en 1871.
Maintenant, le *Parnasse contemporain* mérite véritablement son titre incolore ; il n'est plus qu'une
anthologie, et non pas, comme d'abord, un manifeste.

3. Les tendances parnassiennes. — Ce changement de
caractère du recueil est significatif. La doctrine parnassienne a été bien vite, en dépit des belles déclarations de 1865-1866, très incertaine ; les grosses influences
qui dirigèrent le mouvement, à son début, se sont rapidement atténuées. Vingt ans après, pour se défendre
contre les jeunes symbolistes qui les imaginent comme
un bloc étroitement uni et malfaisant, quelques Parnassiens diront avec bonne foi que le Parnasse n'a
jamais été une école, qu'il fut simplement une amitié ;
et c'est très vrai, puisque les amitiés se relâchent.

Existe-t-il, entre 1870 et 1890, une doctrine parnassienne ? Il vaut mieux parler de « tendances ». Les
poètes du Parnasse sont assez unanimes pour affirmer ce
que la poésie ne doit pas être ; ils n'aiment point Lamartine et Musset, ou plutôt leur manière, le romantisme
sentimental et confidentiel. Ils donnent parfois l'impression, tant leurs critiques sont vives, qu'ils sont les
adversaires du romantisme ; et cette impression, hâti-
vement acceptée, a bien souvent créé une fausse vue
sur le Parnasse. La mauvaise volonté est très grande
surtout à l'égard de Musset, parce qu'il est le poète
dont, vers 1870, le succès s'est le plus vulgarisé : lui et
Béranger, ils sont devenus les poètes de la bourgeoisie
impériale. On trouve partout alors, dans les revues de

jeunes et dans les recueils de vers des débutants, une
philippique contre Musset ; elle est comme une formule
première d'initiation à la poésie nouvelle. Inspiration...,
spontanéité..., facilité..., égoïsme..., pleurs d'amours...,
incuriosité d'esprit..., mépris des grands espoirs de
l'humanité... C'est une laide défroque que l'initié doit
laisser à la porte de la chambre baptismale.

Dans son *Rapport sur le mouvement poétique français*
(1902), qui fut comme un manifeste d'outre-tombe du
Parnasse, Catulle Mendès a consacré plusieurs pages à
affirmer que « le jeune Parnasse se rapprocha... de la
grande Foule universelle... Nous allions, dit-il, vers le
peuple ». Sans doute, il écrit ces mots en 1900, et une
ambiance favorable, toute contemporaine, le détermine
à enfler les aspirations sociales du Parnasse. Mais nous
avons vu que, dans les années au moins où s'élabora la
doctrine, des préoccupations de cette sorte inquiétaient
en effet les jeunes poètes ; ils déploraient que, par suite
de la méchanceté des destinées de la France et du
monde, l'Action eût cessé d'être la sœur du Rêve ;
Verlaine, dans ses *Poèmes saturniens*, évoque, en 1866,
avec un regret qu'on peut croire plein de conviction,
le temps où le poète était chef d'État, chef de bataille !
Mais c'est là, plus encore que la philippique contre
Musset, une clause de style ; on satisfait ainsi à bon
compte l'esprit d'hostilité contre l'Empire, qui est très
répandu dans le monde des poètes ; au besoin, comme
Anatole France, on écrira des poèmes antiques, qui
soient des satires antinapoléoniennes. Ces tendances
du Parnasse à l'action morale et sociale sont fort vagues ;
il ne s'agit jamais que d'influences très lointaines, de foi
dans la puissance de la beauté et des pures idées. Mais
si, plus tard, quelques-uns de ces jeunes décident
d'écrire des poèmes de propagande scientifique ou de
composer des vers populaires et d'action sociale, ils

pourront se persuader qu'ils ne manquent point à
l'idéal parnassien.

Les adversaires du Parnasse, dès le premier jour, lui
reprochent son impassibilité : c'est la grande accusa-
tion ! Les Parnassiens s'en sont toujours défendus, et
dès le premier jour. Il est bien question d'*Impassibles*
dans le journal l'*Art*; mais c'est dans un article où l'on
se moque durement des manies d'une petite chapelle
littéraire qui exclut la passion des ouvrages d'art et de
poésie, et où l'on ne croit qu'au rythme, à l'érudition
pittoresque, à l'exactitude plastique. « La manie de
cette école, y est-il dit, est de peindre ce qu'elle n'a
jamais vu. » Tous les poètes parnassiens ont protesté
contre le reproche d'insensibilité : le calme, affirment-ils,
n'est point l'impassibilité ; les images sereines, les
phrases équilibrées peuvent être employées à exprimer
de grandes douleurs ou de fortes pensées philosophiques ;
et la philosophie, telle qu'ils la conçoivent, est trop
mêlée à la vie pour pouvoir jamais être indifférente.
Quelle puissance d'expression et de sentiment moderne
le poète peut enfermer dans une évocation de la Vénus
de Milo ou de Niobé !

Mais que « la forme » doive être impassible, sculp-
turale, et très pure dans ses lignes, c'est un point sur
lequel tous les Parnassiens, bien après 1870, sont et
restent d'accord. Le goût pour l'exotisme, où l'on a cru
voir quelquefois une tendance commune, n'a été, chez
tous, qu'une tendance très momentanée et ne les a
conduits qu'à exécuter quelques pastiches hindous ou
chinois, ou grecs, selon les modèles des maîtres. La
haine de « l'incohérence de l'idée » et celle de « l'incor-
rection du verbe » — avec leurs conséquences qui sont
grandes — restèrent jusqu'au bout le seul sentiment
fort et commun de tous les poètes qui trouvèrent plaisir
à être appelés Parnassiens. C'est cette idée, ou plutôt

cette volonté qui constitue toute l'armature du *Petit traité de poésie française* de Th. de Banville (1872) ; et ce court volume, sans théories d'art, sans vues ambitieuses d'esthétique, fait uniquement de conseils et de recettes, est vraiment le manuel du Parnasse, après 1870. Cette esthétique est bien pauvre, et les symbolistes ne seront point embarrassés pour la railler : elle ramène tout à des tintements de rimes, à des rencontres de voyelles, à des questions de coupe ; elle paraît ne point se soucier des visions différentes que la poésie peut avoir de l'univers ou des destinées de l'homme. Elle n'a plus de philosophie ; celle que Leconte de Lisle avait insufflée dans la doctrine de l'Art pour l'Art s'alanguit ; les disciples qui l'avaient adoptée s'en lassent. Le jour où les symbolistes attaqueront en elle toutes les croyances de l'école positiviste, on ne songera point à la défendre, car on n'y croit plus. On avait convié les poètes du Parnasse à être de bons ouvriers en vers, pour se préparer à une grande tâche obscure ; ils sont devenus de bons ouvriers et se satisfont à essayer leur habileté sur tous les sujets que leur fantaisie ou bien les circonstances jettent entre leurs mains.

CHAPITRE V

QUELQUES POÈTES PARNASSIENS (1860-1895) DE GLATIGNY A HEREDIA

———

1. Albert Glatigny. — Glatigny (1) fut un des parnassiens de la toute première heure : son livre de début, *Vignes folles*, date de 1857. La grâce poétique lui fut donnée à dix-sept ans, le jour où dans une petite ville de province, au cours d'une tournée, — il était un assez misérable comédien ambulant, — il lut les *Odes funambulesques* de Th. de Banville, qui venaient de paraître. Sa vocation lui apparut : il serait un bon disciple ; il apprendrait à réaliser ces acrobaties du vers ; lui aussi, il s'avancerait sur la corde raide en jonglant avec des rimes lourdes de richesse... Et, quelques semaines après, il publia ses *Vignes folles*, qu'il dédia à Th. de Banville. Il se faisait gloire de l'avoir « copié d'une façon servile », d'avoir « perdu l'haleine à souffler dans son cor ». « Son culte pour Th. de Banville, raconte Bergerat, confinait à la pure idolâtrie. Il ne tolérait point la restriction la plus minime sur quoi que ce fût, vers, prose ou parole qui émanait de ce génie, et il fallait rompre tout de suite sur ce sujet, si l'on ne voulait point que les choses tournassent au pire. »

(1) Voir page 88 : Notes complémentaires.

On s'en aperçoit bien à la lecture des vers de Glatigny : ce sont les mêmes caprices, les mêmes fantaisies, la même richesse de rimes poussée jusqu'au calembour, des hymnes à la beauté, des évocations de belles statues grecques, etc. Les sujets comptent bien peu.

> Voilà tout ce que je fais :
> J'accouple des mots, jaunes, bleus ou roses,
> Où je crois trouver de jolis effets.

La virtuosité de Glatigny était grande naturellement ; l'exercice l'exagéra ; il en fit métier : bientôt il donna des séances d'improvisation : on lui jetait un sujet, des rimes ; il les attrapait « au vol » et les rendait aussitôt très convenablement fichées, en aigrette, au bout des vers qu'on lui avait demandés.

Il essaya de se hausser jusqu'aux grands thèmes parnassiens et de « faire du Leconte de Lisle » comme il avait « fait du Banville ». Les *Flèches d'or* sont dédiées à l'auteur des *Poèmes antiques* ; elles contiennent des tableaux mythologiques, des pièces d'inspiration panthéiste, des hymnes à la divine Poésie... Mais sur ces sévères monuments antiques grimpent aussitôt les « vignes folles » de sa poésie, couvrant le tout d'un enjolivement capricieux, mais uniforme. Quelques tableaux d'un assez solide réalisme descriptif attirent un moment le regard, et déjà on a fini le léger volume.

Heureusement la légende s'est emparée de Glatigny : sa vie fut pleine d'aventures pittoresques. Il devint l'enfant chéri du Parnasse, et un enfant gâté : un poète naturel et spontané, à qui les fées avaient donné de ne pouvoir écrire que des mots fleuris et joyeux. La légende a sauvé son nom.

2. Léon Dierx. — Léon Dierx (1) tint une bien autre place dans le Parnasse. Catulle Mendès, en 1900,

(1) Voir page 88 : Notes complémentaires.

le saluait comme « le plus pur poète, l'âme la plus irréprochable de toute une génération... un des saints, non
le moins méritoire, de la religion poétique ». A la mort
de Mallarmé, il fut élu « prince des poètes » : c'était
l'hommage de deux générations, la parnassienne et la
symboliste, réunies, un moment, dans un grand sentiment d'amitié et de respect.

Nul ne fut plus parnassien ; on a l'impression, parfois,
qu'il est plus parnassien que Leconte de Lisle lui-même :
c'est à force de lui ressembler, parfaitement et continument. Les principaux poèmes de Léon Dierx ont l'air
d'avoir appartenu à une édition très complète de Leconte de Lisle, dont on les aurait retranchés avant
l'impression, pour éviter le retour trop fréquent de
certains thèmes et de quelques effets. Il se faisait gloire
d'ailleurs de cette ressemblance ; et ses *Poèmes et poésies*
sont dédiés à son « cher et vénéré maître Leconte de
Lisle ». Ce sont des visions bibliques, égyptiennes, celtiques, des aventures tragiques et compliquées, qui
montrent l'histoire de l'humanité comme une succession
de crimes abominables, et qui concluent à la vanité du
catholicisme, au désespoir philosophique, à l'effroyable
inutilité de la vie. Lazare sort de son tombeau pour se
lamenter de sa résurrection ; il souhaite de mourir ; il
emplit ses yeux d'une vision radieuse, celle de la destruction de toute vie sur la terre. La dernière pièce des
Lèvres closes évoque aussi l'image de cette catastrophe
cosmique, de ce néant, si souvent rêvés par Leconte de
Lisle.

Et ces poèmes sont composés et écrits comme ceux
du maître : solennels, froids, solides dans leur architecture, avec une expression uniformément martelée et
ferme. Dierx, il est vrai, ne s'est pas toujours obligé à
porter ces vêtements somptueux, encore qu'il les préférât évidemment, pour faire avec plus de dignité cortège

à son maître. Abandonnant le vers hautain et la musique solennelle dont on usait dans les offices quotidiens du Parnasse, il s'est parfois plu à essayer des rythmes nouveaux, à jouer un peu de musique avec le vers ; et c'est pourquoi les symbolistes lui ont fait si bon visage, passant condamnation, j'imagine, sur le reste de son œuvre. Quelques poèmes montrent le poète qui cherche des réalisations difficiles : il veut, avec des effets très simples, des refrains, des allitérations, des retours de mots, créer dans la sensibilité de celui qui lit des correspondances de couleurs, de sentiments et de sons. L'influence de Baudelaire a agi. — *Un soir d'automne…* un paysage triste et brumeux, des tintements de cloche qui se répètent… Peu à peu la tristesse du poète, la tristesse du paysage, la tristesse des sons de cloche se fondent en une sensation unique : la cloche sonne à la fois tristement dans la plaine et dans le cœur. — Ou bien ce sont deux sensations de blancheur animée, distribuées des deux côtés d'une « croisée ouverte » : les touches d'un piano sur lesquelles courent des mains de jeune fille, un vol de pigeons sur le pré voisin ; ces deux mouvements accordent leur rythme, et puis se fondent en une même sensation. Ces « réussites » étaient bien dans la tradition de l'Art pour l'Art, et le Parnasse ne les avait certes point condamnées ; mais, trop préoccupé de philosophie et d'antiquité, il avait tendu, de plus en plus, à se les interdire.

3. Sully Prudhomme. — Sully Prudhomme (1) a été, sinon un des plus populaires, du moins un des plus connus parmi les Parnassiens. Dès 1865, Sainte-Beuve citait avec complaisance son *Vase brisé* et, depuis, les anthologies et les récitations scolaires ont vulgarisé ces vers plus qu'à souhait. Vers 1880, les milieux

---

(1) Voir page 88 : Notes complémentaires.

d' « intellectuels » aimaient fort Sully Prudhomme ; on l'imitait. Après cette gloire vinrent de durs mépris ; les symbolistes, contre lesquels il défendit avec une sérieuse bonne volonté l'art poétique de sa génération, furent ironiques ou dédaigneux ; on parla de son « incolore pipi philosophique » ! Il n'est plus guère lu, je crois, aujourd'hui ; du moins le nombre de ceux qui aiment cette forme de poésie a singulièrement diminué ; il est vrai que, parmi eux, il y a des dévots très fervents et qui parlent de leur auteur favori, ou en écrivent, avec un respect attendri.

Ses premiers recueils de vers (1865 à 1869) sont fort sympathiques ; ils font entendre, au moment où prélude le concert parnassien, une note originale. Ils révèlent une sensibilité tourmentée, un esprit qui analyse longuement de menues sensations, qui cherche vainement des explications aux énigmes de l'humanité et de l'univers, qui se désole de n'en point trouver, qui semble jouir de cette impuissance, et qui, finalement, reçoit de toute cette agitation de pensées une sereine tristesse. Deux thèmes principaux : des confidences sentimentales et des émois intellectuels. Ce sont les poèmes sentimentaux qui sont, d'abord, les plus nombreux : le poète y peint avec tendresse « des affections obscures et ténues de l'âme », une volonté d'aimer, qui, toujours, semble lassée avant de se satisfaire, des curiosités d'amour qui commencent et s'arrêtent, des vers émus à une jeune fille, un moment désirée et qui a épousé un autre, ou bien pour une jeune fille à qui il sait que jamais il ne dira : je t'aime. Beaucoup de ces pièces sont charmantes : elles avaient de quoi plaire au grand public, et même à quelques connaisseurs, dont la sensibilité était aussi aisément vibrante et aussi peu quémandeuse.

Alors Sully Prudhomme, encouragé par le succès, fréquenta les cénacles parnassiens ; il s'imprégna des

idées ambiantes ; on l'entendit qui évoquait en vers
l'éternelle Beauté figurée dans une belle statue grecque,
qui affirmait avec assez de violence son détachement
de la religion, ou qui disait son fait à Musset... Il faut
bien que jeunesse parnassienne se passe ! Surtout le
poète s'appliquait à lutter contre sa facilité naturelle ;
il cherchait le mot juste, la rime solide, le vers bien
fait, la pièce bien construite. La matière de ses confidences sentimentales était sans doute épuisée : il se
jeta vers l'expression de ses angoisses intellectuelles et
tenta de mettre en vers ses méditations sur la science
et la philosophie : c'était aller vers le plus haut idéal du
Parnasse. Mais il ne se soucia point, pour traduire ses
pensées, de recourir aux mythes antiques, il décida de
s'exprimer directement. Un travail qu'il entreprit de
bonne heure, la traduction en vers de Lucrèce, le poussa
vers la poésie purement didactique ; il ne dirait pas ses
émotions devant les découvertes de la science, il expo-
serait, comme Lucrèce, les découvertes elles-mêmes.
« Je dois, écrivait-il en 1879, à mon éducation scientifique et à ma passion pour la philosophie un ardent
désir de faire entrer dans le domaine de la poésie les
merveilleuses conquêtes de la science et les hautes
synthèses de la spéculation moderne. »

L'entreprise était haute ; mais elle avait de terribles
exigences. La poésie devait céder le pas à la versification : Sully Prudhomme le savait, et il acceptait que
le vers n'eût plus qu'une valeur mnémonique ; il demandait pardon à la poésie :

> Oh ! ne dédaigne pas le service à me rendre !
> Si tu n'es plus l'épouse, au moins reste la sœur !
> L'ordre même est un rythme, et pour le bien comprendr
> Un bercement sublime est utile au penseur.
> . . . . . Mais adieu ta chanson !
> Que l'archet seulement me batte la mesure,
> Si le luth à ma voix refuse l'unisson.

Dès lors, en vertu de ce principe, et sans remords de ce renoncement, Sully Prudhomme se lança dans de grandes compositions philosophiques, où il versifia plus ou moins adroitement les traités de philosophie, les livres de science : c'est du Delille moderne et, quelquefois, si difficile à interpréter que le poète doit introduire en note des gloses explicatives. Pour quelques heureuses formules, combien de vers gauches et incapables d'enserrer les très grandes choses que le poète voudrait formuler ! Il semble que Sully Prudhomme s'en soit avisé lui-même ; il paraît s'être découragé d'une tentative qui, commencée avec l'intention de donner au vers des pouvoirs nouveaux, aboutissait à n'en faire qu'une prose, trop souvent inexacte. Leconte de Lisle avait prévu, en 1855, ce fâcheux avenir de la poésie « scientifique ». « Toutes ces périphrases didactiques, disait-il, n'ayant rien de commun avec l'art, me démontreraient plutôt que les poètes deviennent d'heure en heure plus inutiles aux sociétés modernes. »

4. **François Coppée**. — François Coppée (1) fut, avec Verlaine, parmi les premiers Parnassiens, un de ceux qui semblaient le plus attachés à la bonne doctrine. Catulle Mendès fut son premier maître : il lui fit brûler le paquet de ses premiers vers et l'invita à se conformer à la loi nouvelle ; jusqu'au bout, Coppée tint à honneur de se dire parnassien. Il avait si bien commencé ! Ouvrons son premier livre, *Le Reliquaire* : voici la dédicace à Leconte de Lisle, l'apostrophe à Musset, l'éloge de la forme impassible, la méditation philosophique ; voici les rimes riches. Tous ces ornements servaient à envelopper d'aimables vers d'amour et des histoires de grisette. Mais peu importait le sujet ; il suffisait que la

(1) Voir page 89 : Notes complémentaires.

mise en œuvre fût impeccable : elle l'était, et le jeune
poète ne manquait pas de se donner à lui-même le suprême éloge du jour, en se comparant à un jongleur !
Sa phrase poétique, qui semble d'abord un peu flasque
et comme déhanchée, est en réalité adroite, et, dès
que le sujet s'y prête tant soit peu, très harmonieusement rythmée. Cet instrument mélodieux, au son un
peu grêle, il le fit vibrer aussi sur des thèmes philosophiques, plus tard dans des contes épiques ; mais sa
philosophie est bien mièvre, son épopée est bien gen-
tille !

La vraie manière de Coppée, et la plus heureuse,
c'est celle que manifestent les *Intimités* : il y traduit,
prestement et délicatement, les sensations d'un Parisien
tendre et lettré, qui jouit doucement des rues de sa
ville et des jolis spectacles qu'elles lui offrent, des
femmes qu'il rencontre, de la « mignonne » qui l'attend
chez lui... Dès ces premiers vers, d'ailleurs, la senti-
mentalité de ce « pâle enfant de Paris » se montre
quelquefois simple et bien grosse.

Ses vrais goûts étaient là ; et, dans ses *Poèmes modernes* (1869), on le voit qui s'attache à des histoires
populaires et sentimentales : le petit soldat et la petite
bonne, le petit épicier de Montrouge... Ces pièces sont
célèbres ; on les a si souvent caricaturées que, lorsqu'on
en appelle le souvenir à soi, on n'est pas bien sûr de ne
pas évoquer d'abord la caricature plutôt que le modèle.
Coppée devint très vite un poète populaire ; l'Académie
lui fit fête ; mais la jeune génération de poètes l'ignora :
il s'était mis hors la poésie. Il ne s'occupait plus guère
d'ailleurs que d'action sociale ou politique. Pourquoi
continuait-il à écrire en vers ? Plus rien, en tout cas, ne
le rattachait au Parnasse ou à la doctrine de l'Art pour
l'Art : il semblait s'être mis au rang des plus humbles
conteurs naturalistes.

5. Mme Ackermann. — Mme Ackermann (1) avait
dépassé la cinquantaine, lorsque parut le premier *Parnasse contemporain* ; elle n'y collabora point, mais on
reçut de ses vers dans les deux qui suivirent. Ses premières poésies dataient de 1830, et elle en avait fait
imprimer dès 1855, mais elle n'eut un peu de gloire qu'en
1874, à cause de quelques « poèmes philosophiques »
qu'elle publia cette année-là, et qui étaient de pure
inspiration parnassienne : ils traduisaient, avec de
belles images symboliques, des émois intellectuels, les
réflexions, devant le spectacle de l'univers, d'une positiviste convaincue.

C'est une grande souffrance — la mort d'un mari
aimé — qui persuada Mme Ackermann qu'elle était
vraiment poète. Elle était déjà préparée par sa culture,
très philosophique, point du tout idéaliste, à penser
que la vie était mauvaise ; ce deuil lui donna définitivement le goût du néant. Elle se jeta passionnément
dans la lecture des livres qui pouvaient consoler cette
sereine désespérance : Pascal, qui lui fut un maître de
scepticisme, Hegel, Spinoza, Kant, Schopenhauer, Berthelot, Littré, etc. Tantôt elle inclinait au panthéisme,
tantôt elle était une pure positiviste ; elle s'exaltait
contre le christianisme. Les grands remous que provoquèrent en elle ses lectures et ses méditations, elle
essaya, à de longs intervalles, de les fixer en de brefs
poèmes. « Ce que j'ai écrit, avouait-elle, n'est ni très
personnel, ni très neuf. Bien d'autres ont déjà pensé tout
cela, sinon exprimé. Mon seul mérite est d'avoir extrêmement soigné la forme que j'ai donnée à des idées qui
courent vaguement dans les esprits cultivés. » Le sérieux et l'énergie, quelquefois, avec lesquels elle a
exprimé ces pensées profondes sont très attachants :

---

(1) Voir page 89 : Notes complémentaires.

on n'oublie pas quelques-uns de ses vers, martelés en de
dures formules.

On trouve chez elle les plaintes de Vigny et de Leconte de Lisle sur l'indifférence de la nature, la
constatation schopenhauerienne de l'illusion de l'amour
et de la grande tromperie de la vie ; mais sa note la
plus reconnaissable est la violence dans la négation
de Dieu, un certain plaisir à blasphémer. Elle fait parler,
avec complaisance, les grands révoltés, Satan, Prométhée ; elle se réjouit que l'humanité ait pu concevoir
cette révolte orgueilleuse, et que l'homme, écrasé sous
un épouvantable destin, puisse se sentir assez fort pour
mépriser les images de terreur créées par les hallucinations anciennes ; l'homme, parce qu'il est conscient,
est plus grand que la nature inconsciente. Mais cette
énergie du poète n'est que passagère, peut-être un peu
factice ; et la dernière des *Pensées d'une solitaire* semble
correspondre plus exactement à sa vraie inquiétude :
« Quand je me représente que j'ai apparu fortuitement
sur un globe emporté lui-même dans l'espace, au hasard
des catastrophes célestes, quand je me vois entourée
d'êtres aussi éphémères et aussi incompréhensibles que
moi, lesquels s'agitent et courent après des chimères,
j'éprouve l'étrange sensation du rêve. Je ne puis croire
à la réalité de ce qui m'environne. Il me semble que j'ai
aimé, souffert, et que je vais mourir bientôt en songe.
Mon dernier mot sera : J'ai rêvé. »

6. José-Maria de Heredia. — *Les Trophées* de
J.-M. de Heredia (1), bien que connus presque en entier
depuis longtemps et déjà célèbres, n'ont paru qu'en
1893. On était alors en pleine bataille symboliste et
« la désespérance du Parnasse » était clamée tous les
jours dans les cafés et dans les revues. Le succès des

(1) Voir page 89 : Notes complémentaires.

Trophées fut unanime ; ils furent, a dit assez exactement H. de Régnier, « entre les symbolistes et les Parnassiens, ce que furent à peu près les *Bucoliques* d'André Chénier entre les classiques et les romantiques, le lien entre deux poésies ». Les plus ardents parmi les symbolistes osèrent tout au plus dire que ce volume était une fête de funérailles ; mais ils avouaient que ces funérailles étaient somptueuses.

Et pourtant J.-M. de Heredia a été, et il reste le poète le plus représentatif du Parnasse, le seul vrai disciple de Leconte de Lisle. Il ne fit point comme tous les autres Parnassiens, qui, après s'être plongés dans l'eau lustrale, allèrent vers toutes les curiosités, et quelquefois vers les souillures des mauvaises ambitions poétiques, sans plus se préoccuper des promesses qu'ils avaient faites au jour de leur baptême d'art. Il a été un vrai desservant du temple, jalousement attaché aux pratiques du culte, presque toujours officiant dans la plus sainte des chapelles, celle du sonnet. Grâce à cette forme étroite, que son travail, pendant un tiers de siècle, chercha à pousser jusqu'à la perfection, il a réussi à enfermer dans les *Trophées* la quintessence même de la doctrine parnassienne.

Une étude détaillée de ce livre devrait être surtout une étude des procédés verbaux et rythmiques de Heredia : éclat et sonorité des mots, somptuosité de la rime, groupements de sons, ligne harmonieuse du poème… C'est de quoi s'avise aisément tout lecteur un peu cultivé. Il vaut mieux tâcher de déterminer les intentions du poète et délimiter l'horizon de sa vision. Le plus commode est de procéder par des éliminations successives. La poésie de Heredia n'est point du tout symbolique : sur cent vingt sonnets, trois — et ce sont les premiers en date — affectent la forme d'un symbole ; les corrections du poète ont même cherché à atténuer

cette intention. Bien que ces sonnets des *Trophées* soient
fréquemment écrits sur des sujets mythologiques, on
ne saurait parler des intentions mythographiques du
poète ; même quand il souligne le sens d'une légende ou
bien suggère le mythe solaire enclos dans une aventure
d'Héraklès, on voit très bien qu'il ne se soucie, dans la
légende et le mythe, que des images ; l'explication
mythique et philosophique l'inquiète fort peu.

Point de vraies préoccupations historiques non plus :
on a voulu voir dans les *Trophées* une « légende des
siècles » en miniature, un raccourci d'histoire de la
civilisation : c'est prendre une table des matières pour
un livre et juger l'œuvre de Heredia sur les intentions de
Leconte de Lisle. Il suffit de feuilleter le recueil avec un
peu d'attention : toutes les légendes fondamentales de la
Grèce antique ou préhistorique sont absentes : il ne
reste que les surprenantes ou les gracieuses. La vie
antique n'est guère vue qu'à travers les mignardises de
l'*Anthologie* ; ce ne sont que petits paysages, petits
dieux, petits héros. Le moyen âge s'enferme dans un
étroit vitrail ; pour la Renaissance, il suffit du dos d'une
reliure. En réalité, ce que J.-M. de Heredia a écrit, ce
sont des « En marge des vieux livres » ; pas plus que
Jules Lemaître, il n'a prétendu faire de l'histoire, ni
de la psychologie rétrospective ; il a fixé les impressions,
délicieuses ou fortes, que lui donnaient ses lectures.
Ajoutons que ces sonnets ne sont point philosophiques,
qu'ils n'ont point, à eux tous, un grand dessein, qu'ils
ne cachent pas les différentes formules d'une théorie
de l'illusion ou du renoncement, qu'ils ne sont pas du
tout désespérés. Et constatons, pour finir, que le poète
n'a pas le moindre désir d'être ou de paraître original ;
que, comme André Chénier, son plaisir est de traduire,
d'adapter, de se souvenir, de piquer là une belle image
de l'*Anthologie*, et ici une réminiscence voulue de

Leconte de Lisle, de Th. Gautier, de Banville, de Hugo, quelquefois leurs rimes mêmes et leurs épithètes... Tous ces renoncements nous avertissent que l'ambition de Heredia fut restreinte et son effort très spécialisé.

Son recueil a pour titre *Les Trophées* ; il dut s'appeler *Fleurs de feu*. L'un comme l'autre de ces titres est significatif, et précise l'intention vraie et essentielle de l'auteur ; tous deux ils suggèrent l'idée de quelque chose d'éclatant et de triomphal. Les sonnets de Heredia sont des *quadri*, au sens que Chénier donnait à ce mot : de tout petits tableaux, inspirés par une ou deux lignes dans un texte ancien, par un menu fait d'histoire, et qu'orne la sensibilité voluptueuse d'un amateur d'art. Heredia avait le goût exubérant. « Tout qualificatif qui n'est pas un superlatif, écrivait Mendès en 1869, lui paraît incapable d'exprimer même la centième partie de sa pensée ». Il comprimait le plus qu'il pouvait les manifestations de ce goût ; mais il n'aimait les sensations que vives et intenses.

Le sonnet, avec son obligation de résumer, est une forme parfaite pour satisfaire ce goût. Des contrastes, des mouvements, des couleurs, des moments, un effet de lumière, une surprise de l'ombre..., c'est à quoi Heredia est surtout sensible dans les belles histoires d'autrefois qu'il appelle devant ses yeux ; le dernier vers du sonnet, qui fixe ce contraste, cette attitude, cette nuance, prend une importance extrême : il souligne le geste, il met un contour à la couleur. Ce sont là procédés d'amateur, de collectionneur, qui cherche la pièce rare et belle, non point significative ou instructive, et qui, l'ayant trouvée, la dispose, même si elle est de peu d'authenticité, sur un beau socle ou dans la vitrine, à la place qui la fait valoir. Avec un peu d'adresse, et grâce à la beauté de toute la collection environnante, il saura donner de la valeur même à des trouvailles un peu humbles.

L'unanimité du succès qu'on fit aux *Trophées* s'explique parfaitement. Amis et adversaires virent dans ce livre la réalisation la plus complète de l'idéal parnassien ; la forme et le travail de l'ouvrier étaient supérieurs à l'idée et à la matière ; mais cette forme et ce travail étaient d'une telle qualité que, vraiment, on ne pouvait qu'admirer (1).

NOTES COMPLÉMENTAIRES

I. ALBERT GLATIGNY. — Glatigny est né à Lillebonne (Seine-Inférieure) en 1839, et mort à Sèvres en 1873. Fils d'un charpentier, qui devint gendarme (Hélas ! je ne suis rien que le fils d'un gendarme, Et je rime des vers !), il se fit comédien. Il a publié les *Vignes folles*,1857 ; *Les Flèches d'or*, 1864 ; *Gilles et pasquins* (satires), 1871 ; trois recueils de vers, réunis en un vol. : *Œuvres*, 1879, avec une préface d'Anatole France ; il a écrit aussi quelques comédies en vers. On a publié récemment les *Lettres d'Albert Glatigny à Th. de Banville*, 1923.

II. LÉON DIERX. — Dierx est né à l'île de la Réunion en 1838 et mort à Paris en 1912. Venu très jeune à Paris, il publie en 1858 des *Aspirations*, non recueillies dans ses œuvres complètes ; en 1864, des *Poèmes et poésies* (remaniées plus tard) ; en 1867, les *Lèvres closes* ; en 1871, les *Paroles d'un vaincu* ; en 1879, *Les Amants* ; puis il se tut, se contentant de rééditer ses recueils de poésie : *Œuvres complètes*, 2 vol., 1888 (réédités de 1894 à 1896). Au lendemain de sa mort, on a publié des *Poésies posthumes*, 1912, qui ont été jointes aussitôt à une réédition des *Œuvres*. Voir E. NOULET, *Léon Dierx*, 1925.

III. SULLY PRUDHOMME. — Sully Prudhomme est né à Paris en 1839 et mort à Châtenay en 1907. Il allait être ingénieur, quand il vint aux lettres. Il publie successivement les *Stances*, 1865 ; les *Épreuves*, 1866 ; les *Solitudes*, 1869 ; *Impressions de la guerre, Les Destins*, 1872 ; *La France*, 1874; les *Vaines tendresses*, 1875 ; la *Justice*, 1878 ; le *Prisme*, 1886; le *Bonheur*, 1888. On a publié, après sa mort, les *Épaves*, 1909. Sully Prudhomme a traduit en vers le *Premier livre de Lucrèce*,

---

(1) Voir page 90 : Quelques autres poètes du **Parnasse.**

1866, et écrit quelques ouvrages de philosophie et de critique, notamment : *L'expression dans les beaux-arts*, 1890 ; *Réflexions sur l'art des vers*, 1892 ; *Testament poétique*, 1900 (dans ces deux derniers livres il polémique avec les symbolistes). Ses *Œuvres* (1883-1908) comprennent 8 vol. (Poésie, 4 vol. ; Prose, 4 vol.). *Choix de poésies* (1928) ; *Lettres à une amie* (*1865-1880*) 1911 ; *Journal intime* (1922). Il devint membre de l'Académie française en 1881, et reçut en 1901 le prix Nobel qu'il employa à fonder un prix de poésie destiné aux débutants.

A consulter : C. HÉMON, *La philosophie de Sully Prudhomme* (avec une préface du poète) ; Edm. ESTÈVE, *Sully Prudhomme*, 1925 ; P. FLOTTES, *Sully Prudhomme et sa pensée*, 1930.

IV. FRANÇOIS COPPÉE. — Coppée est né à Paris en 1842 ; il y mourut en 1908 ; il devint membre de l'Académie française en 1884. Ses recueils de vers sont *Le Reliquaire*, 1866 ; *Les Intimités*, 1868 ; les *Poèmes modernes*, 1869 ; *Les Humbles*, 1872 ; le *Cahier rouge*, 1874 ; *Olivier*, 1875 ; *L'Exilée*, 1877 ; *Récits et élégies*, 1878 ; *Contes en vers*, 1881 ; *L'Arrière-saison*, 1887 ; *Les Paroles sincères*, 1890 ; *Sonnets intimes et poèmes inédits* (1869-1908), 1911 (posthume). C'est une petite pièce de théâtre, *Le Passant* (1869), qui commença sa gloire ; et il a écrit une quinzaine de pièces de théâtre, dont quelques-unes furent de grands succès. Il a écrit aussi de nombreux ouvrages en prose. *Œuvres* (très incomplètes), 10 vol. (1885-1893) ; *Lettres intimes de François Coppée à sa mère et à sa sœur*, 1914. — Voir LE MEUR, *La vie et l'œuvre de Fr. Coppée*, 1932.

V. Mme ACKERMANN. — Mme Ackermann (Louise-Victorine Choquet) est née à Paris en 1813 et morte à Nice en 1890. Elle ne reçut, dans son enfance, aucune éducation religieuse, et lut, très jeune, les livres des philosophes du XVIIIe siècle. En 1843 elle épouse M. Ackermann, un érudit philologue ; veuve peu de temps après (1846), elle s'établit à Nice. Elle publie des contes en vers : *Contes*, 1855 ; *Contes et poésies*, 1863 ; des *Poésies philosophiques*, 1871. En 1874 elle publie, sous le titre *Premières poésies*. — *Poésies philosophiques*, un choix de ses premières poésies et des poèmes philosophiques, écrits depuis 1862 et déjà publiés presque tous (à Nice) en 1871. Un article de Caro la rend célèbre. Elle publie ensuite ses *Pensées d'une solitaire*, 1882 (extrait de son Journal).

A consulter : A. CITOLEUX, *La poésie philosophique au* XIXe *siècle. Mme Ackermann*, 1906.

VI. J.-M. DE HEREDIA. — José-Maria de Heredia est né à Cuba le 22 novembre 1842 ; il vient en France en 1851, fait ses études dans un collège religieux à Senlis ; retourne à Cuba (1859-1861), où il écrit ses premiers vers sous l'influence de Leconte de Lisle, qui lui est une « révélation ». A Paris, il suit les cours de l'École de droit et de l'École des Chartes, et fréquente les cénacles parnassiens. Il devient le disciple et l'ami de Leconte de Lisle. De cette époque datent les premiers sonnets des *Trophées*, qui ne seront publiés en volume qu'en 1893, mais dont la majorité avait été publiée dans les revues ou dans les trois *Parnasse contemporain*. Au lendemain de la publication des *Trophées*, Heredia est élu à l'Académie française (22 février 1894). Il est nommé en 1901 administrateur de la Bibliothèque de l'Arsenal. Il meurt à Condé-sur-Vègre (Seine-et-Oise) le 2 octobre 1905. Il a publié aussi deux traductions de l'espagnol : *Véridique histoire de la conquête de la Nouvelle Espagne* de B. Diaz del Castillo, 4 vol. 1877-1887 ; *La Nonne Alferez*, 1894 ; et édité les *Bucoliques* d'André Chénier, 1905.

A consulter : MIODRAG IBROVAC, *José-Maria de Heredia*, 1923.

VII. QUELQUES AUTRES POÈTES DU PARNASSE. — ANDRÉ LEMOYNE (1822-1907), dont le premier recueil paraît en 1860, et en qui la génération parnassienne admira un « très fin ouvrier du style » (*Poésies* (1855-1870), 1885 ; (1871-1883), 1883 ; (1884-1890), 1890 ; (1890-1896), 1896). — CATULLE MENDÈS (1842-1909), qui joua, on l'a vu, un grand rôle dans le Parnasse naissant ; il débuta en 1863 (*Philomela*) ; il pasticha alors beaucoup Leconte de Lisle. La plupart de ses recueils de vers ont été reproduits dans *Poésies*, 1892 et *Poésies nouvelles*,1893 ; *Choix de poésies*, 1925. Il a publié près de cent cinquante volumes : poésie, roman, théâtre, critique.— GEORGES LAFENESTRE (1837-1919),auteur de *Les Espérances*,1863 ; *Idylles et Chansons*, 1873 ; *Images fuyantes*, 1902 ; *Poésies* (1864-1874), 1889. — ALBERT MÉRAT (1840-1909) et LÉON VALADE (1841-1884), qui publièrent en collaboration (1863) *Avril, mai, juin*. Un recueil des premiers vers de Mérat (1866-1873) a paru en 1898 ; les poésies de L. Valade ont été recueillies dans *Poésies*, 1886 et *Poésies posthumes*, 1890. — HENRI CAZALIS (1840-1909), dont une partie de l'œuvre a paru sous le pseudonyme de Jean Lahor ; il s'intéressa particulièrement aux littératures orientales et donna fort dans la philosophie du nirvâna : *L'Illusion*, 1875 (nouv. éd. 1888, 1893, 1897), renferme l'essentiel de son œuvre poétique ; il est un représentant très caractéristique des ambitions philosophiques du Parnasse (*Œuvres choisies*, 1909). — ARMAND SILVESTRE

(1837-1901), qui fut, à son heure, « hindou, grec, alexandrin », mais dont la verve ordinaire était de la grosse, de la très grosse jovialité (principaux recueils : *Poésies* (1866-1872), 1892 ; *Poésies nouvelles, la Chanson des heures* (1872-1878), 1878 ; *Les Ailes d'or, poésies nouvelles* (1878-1880) 1880 ; *Le Pays des roses* (1880-1882), 1882 ; *Le Chemin des étoiles* (1882-1885), 1885, etc.). — ANATOLE FRANCE (1844-1924) ; ses *Poésies* contiennent les *Poèmes dorés* (1873) et les *Noces corinthiennes* (1876), évocation du conflit des religions grecque et païenne ; on le comptait, il y a un demi-siècle, comme un des meilleurs poètes du Parnasse. — FRÉDÉRIC PLESSIS (né en 1851) : ses *Poésies complètes* (1873-1903), 1904, le montrent comme un poète humaniste ; Mendès le classe parmi les meilleurs Parnassiens. — JULES LEMAÎTRE (1853-1914) fut très sensible à l'influence de Sully Prudhomme et un habile ouvrier de vers (*Poésies complètes*, 1896). — Le VICOMTE DE GUERNE (né en 1853) que Leconte de Lisle estimait (1891) « un vrai grand poète, le plus remarquable sans contredit depuis la génération parnassienne » ; aussi bien a-t-il surtout écrit des poèmes d'histoire et de religion à la manière de l'auteur des *Poèmes barbares* : les *Siècles morts* : I. *L'Orient antique*, 1890 ; II. *L'Orient grec*, 1893 ; III. *L'Orient chrétien*, 1897 ; *Le Bois sacré*, 1900. — Voir E. SFILLIÈRE, *A. de Guerne*, 1930.

On trouvera, énumérés dans le rapport de CATULLE MENDÈS sur le mouvement poétique français (1902, p. 146 à 149) quelques autres noms de poètes qui se rattachent à la tradition parnassienne.

CHAPITRE VI

BAUDELAIRE

---

1. Les influences et les premières œuvres. — Avec un plan strictement chronologique, il eût fallu déjà faire paraître Baudelaire (1) dans cette histoire du mouvement poétique français au XIXᵉ siècle. Il était du même âge que Leconte de Lisle, et les *Fleurs du mal* ont paru dix ans avant le *Parnasse contemporain*. Mais l'influence de Baudelaire ne fut pas immédiate comme celle de l'auteur des *Poèmes antiques* : il avait beaucoup moins que lui subi l'influence des grands courants intellectuels du temps ; son génie fut plus original et sa formation plus spontanée. Son influence a agi souvent, il est vrai, dans le même sens que celle de Banville, de Th. Gautier et de Leconte de Lisle ; mais il n'a jamais fait partie vraiment des cénacles parnassiens ou préparnassiens. Il s'est donné pour le disciple de Banville et de Th. Gautier, à qui il a dédié les *Fleurs du mal* ; il fut leur ami ; mais c'était un ami souvent ironique et un disciple douteux.

L'Art pour l'Art et le Parnasse sont allés d'un grand élan vers l'antiquité grecque : on ne lit dans l'œuvre de Baudelaire que de très rares vers inspirés par le souci de la beauté « grecque » ; il a raillé durement, dans l'année

---

(1) **Voir page 107 : Notes complémentaires.**

où parurent les *Poèmes antiques*, « l'école païenne » ;
c'était l'école de ses meilleurs amis. Il a condamné en
termes formels l'ambition de l'Art pour l'Art. Sa conception de la poésie était tout autre, en effet : il avait, lui
aussi, le culte de la Beauté, il croyait nécessaires les
stylisations de l'art ; mais sa « Beauté » était étrangement personnelle et moderne, ses stylisations tout à
fait originales. Les thèmes de poésie qu'il apporta sont
profondément nouveaux ; il ne les demanda point au
positivisme ambiant ; et c'est pourquoi son action ne
devint toute puissante qu'à l'époque de la décadence
du positivisme dans les milieux de gens de lettres. Sur
le moment, elle ne s'exerça que chez ceux — et ils
étaient rares — qui se fatiguaient très vite de la foi
positiviste et du dogme parnassien.

L'idéal de beauté de Baudelaire est si original qu'il
faudrait, pour le bien comprendre et l'expliquer, définir
d'abord la nature du poète, j'entends sa nature physio-
logique. Mais qui oserait, malgré les éléments que l'on
possède, donner comme de véritables explications ses
tares héréditaires, les tourments de sa santé, le mal qui
pesa longtemps sur lui et finit par le terrasser ? Il faut
se contenter à moins de frais : ses troubles de santé se
traduisirent en des tourments d'esprit. « Tout enfant,
écrit-il dans un de ses journaux intimes, j'ai senti dans
mon cœur deux sentiments contradictoires : l'horreur
de la vie et l'extase de la vie. C'est bien le fait d'un
paresseux nerveux. » Cette horreur et cette extase,
mêlées, ou alternées, le firent très tôt victime de
« l'Ennui » : une sorte d'ennui intime, un ennui des
sens, des nerfs. Il passa son existence à tenter les curiosités et les expériences qui pourraient rompre ce grand
« Spleen ». Sa sensibilité, sans cesse bouleversée et
remuée à fond, s'est développée dans une atmosphère
d'orage.

Le milieu où il vécut, dès vingt ans, contribua en outre à lui donner une vision spéciale de l'humanité. Sauf pendant quelques années, au début, où il fut riche, il dut vivre très misérablement, et ses relations, son expérience de la vie furent presque toutes enfermées dans le milieu de « la Bohème », celle de Courbet, de Champfleury, de Murger, de Nadar. La silhouette du poète passe deux ou trois fois dans les *Aventures de Mlle Mariette* (1853), de Champfleury, qui sont l'histoire vraie de ce petit monde de gens de lettres et d'artistes. Or, la Bohème avait ses thèmes, bien à elle, qui peu à peu gagnèrent le roman à la mode ; Baudelaire, après les avoir sublimisés, en introduisit quelques-uns en poésie. On vivait parmi des « excentriques » et des déclassés ; on avait pour amies des filles faciles et qui ne se prêtaient pas à être chantées sur le mode lamartinien. On se persuada que l'écrivain devait peindre ces « bas-fonds », ces « mondes spéciaux », le « demi-monde », faire le portrait des plus étranges parmi tous ces excentriques, conter des histoires étranges et macabres. Champfleury était bien persuadé que Baudelaire « partageait ses idées en art », avait « un tempérament parallèle au sien » ! « Nous nous entendions, dit-il, sur le comique et le grotesque ». E. Feydeau, qui a consacré une amusante pochade (*Sylvie*, 1861) à peindre quelques bizarreries de l'existence de Baudelaire, l'a représenté sous les traits d'un « Jeune France » exaspéré. L'explication, à elle seule, serait ridiculement insuffisante ; mais il y eut, au départ, quelque chose de cela.

En tout cas, dès ses premières œuvres, on voit bien que Baudelaire, comme ses amis de la Bohème, n'envisage l'art que comme une expression directe de la « vie moderne », sous sa forme la plus aiguë, celle d'un petit monde parisien de gens de lettres et d'ar

tistes énervés et fiévreux, en qui la recherche du nouveau, du bizarre est devenue un besoin. Ses parangons
d'art sont d'abord Delacroix et Balzac, Delacroix surtout, encore qu'il dise préférer Balzac à Homère :

L'héroïsme *de la vie moderne*, écrit-il, en 1845, nous entoure
et nous presse. — Nos sentiments vrais nous étouffent assez
pour que nous les connaissions... Celui-là sera le *peintre*, le
vrai peintre, qui saura arracher à la vie actuelle son côté
épique, et nous faire voir et comprendre, avec de la couleur
et du dessin, combien nous sommes grands et poétiques dans
nos cravates et nos bottes vernies.

Il répète ses affirmations en 1846 :

L'élément particulier de chaque beauté vient des passions
et comme nous avons nos passions particulières, nous avons
notre beauté... La vie parisienne est féconde en sujets merveilleux. Son merveilleux nous enveloppe et nous abreuve
comme l'atmosphère ; mais nous ne le voyons pas.

Ce sont là les principes, très suggestifs, qui dirigent
Baudelaire dans la revue qu'il fait des œuvres d'art
de l'année, en 1845, 1846, 1855, 1859. Il se réclame volontiers de Stendhal qui a légitimé le beau moderne.
Son « beau moderne » à lui, il le retrouve dans Delacroix : « une mélancolie singulière et opiniâtre qui
s'exhale de toutes ses œuvres..., la douleur humaine...
On dirait qu'on assiste à la célébration de quelque
mystère douloureux ». Dans les *Femmes d'Alger*, il
croit sentir « je ne sais quel haut parfum de mauvais
lieu qui nous guide assez vite vers les limbes insondés
de la tristesse ». Ne dirait-on pas qu'il parle d'une série
de gravures noires à encarter dans les *Fleurs du mal* ?

On retrouverait ces goûts et ces sentiments dans
l'admiration profonde de Baudelaire pour Poe : il a
tant aimé son étrangeté, tant goûté sa tristesse intime
que, souvent, il semble s'identifier avec lui. On pourrait
citer aussi quelques passages d'une nouvelle, la *Fan-
farlo*, publiée dès 1847, où paraît un jeune poète fait à

sa propre image, Samuel Cramer, qui écrit des *Orfraies*, des poèmes bizarres et tourmentés, et qui donne comme but à la poésie la peinture du vice, du malheur et des bizarreries de sa vie. Mais il est inutile d'insister sur cette esquisse, un peu caricaturale. Déjà, à cette époque, Baudelaire a écrit la plus grande partie de ses *Fleurs du mal* ; il sait bien qu'il a réalisé en poésie le miracle des tableaux de Delacroix, et qu'il est, lui aussi, « le peintre de la vie moderne ».

2. Les « Fleurs du mal ». Les thèmes baudelairiens. — Les *Fleurs du mal* causèrent, au moment de leur apparition, en juillet 1857, un profond étonnement ; la réaction, surtout, fut vive ; et le procès qui aboutit à une condamnation de l'auteur, pour avoir publié six poésies qu'on se plut à considérer comme plus outrancières que les autres, n'en est que la forme officielle. Le gouvernement impérial, qui n'avait pas alors renoncé à son droit de regard et de contrôle sur la littérature, condamnait cette tentative d'art, comme il donnait, dans le même temps, un blâme au réalisme, à l'occasion de *Mme Bovary*. Ce procès et la condamnation des *Fleurs du mal* déterminèrent tout un mouvement de protestations ; pour mieux défendre Baudelaire, on chercha à le bien comprendre et à l'expliquer ; les *Fleurs du mal* furent, dès alors, présentées au public avec la vraie lumière qui leur convenait. Victor Hugo, résumant en un mot ce que beaucoup pensaient, déclara magnifiquement que l'auteur venait de révéler un « frisson nouveau ».

Ce « frisson », c'était celui que Baudelaire ressentait en lui depuis quelque quinze ans. Pas de livre plus personnel que le sien.

Dans ce livre atroce, écrira-t-il plus tard, j'ai mis toute ma pensée, tout mon cœur, toute ma religion (travestie), toute ma haine. Il est vrai que j'écrirai le contraire, que je jurerai mes grands dieux que c'est un livre d'art pur, de singerie, de jonglerie ; et je mentirai comme un arracheur de dents.

Les thèmes des *Fleurs du mal*, c'est en réalité les diverses attitudes intellectuelles du poète devant les spectacles que lui offre sa vie et devant les angoisses de sa pensée. Toute son expérience du monde, un peu étroit et particulier, mais original et vivant, dont il fait partie, toute sa sensibilité maladive et exaspérée s'y sont traduites et réalisées en des images qui, au bout d'un certain nombre d'années, apparaîtront comme un nouveau canon de beauté, et aideront à modifier la sensibilité de plusieurs générations d'intellectuels.

La plus grande partie des poèmes des *Fleurs du mal* sont rassemblés sous le titre général de *Spleen et Idéal*. Ce titre dit clairement le conflit de l'Ennui, — l'Ennui baudelairien, le plus « laid, plus méchant, plus immonde » de tous les vices,

> (Quoiqu'il ne pousse ni grands gestes ni grands cris,
> Il ferait volontiers de la terre un débris
> Et dans un bâillement avalerait le monde),

le conflit de cet ennui avec tous les efforts, toutes les jouissances qui, nous élevant au-dessus de nous-mêmes, permettent qu'on lui échappe. L'Idéal, ce sont les aspirations, plus ou moins vagues, de l'âme vers l'au delà, le goût de la religion, soit qu'elle laisse entrevoir, au loin, une porte de salut, soit plutôt qu'elle donne au vice le ragoût d'être un péché ; — c'est le charme des visions exotiques, « l'invitation au voyage » qui fait rêver d'un port, de navires tout gréés et balancés par la houle, de pays de lumière, « là-bas », où l'amour est plus voluptueux, où les désirs, si grands qu'ils soient, peuvent être assouvis. L'Idéal, c'est aussi l'amour, quelque chose de puissant et de terrible, « un cheval enragé qui dévore son maître,... un démon aux yeux

cernés par la débauche et l'insomnie, traînant comme
un spectre ou un galérien des chaînes bruyantes à ses
chevilles, et secouant d'une main une fiole de poison,
et de l'autre le poignard sanglant du crime » ; l'amour,
surtout celui du « débauché pauvre » pour « l'antique
catin », triomphe du Spleen, car il apporte des sensations âcres et brutales, mais il consume l'amant, il
le tue.

L'Idéal, c'est encore le goût de la mort, l'attrait des
« paradis artificiels », le vin, l'opium, qui exaltent
l'individu et lui donnent l'illusoire joie de vivre ou bien
celle de s'anéantir ; c'est aussi, par moments, la révolte :
révolte contre la société, anathème contre la religion,
une espèce de « satanisme » qui va jusqu'à donner
envie de tenter le crime, pour « broder de plaisants
dessins le canevas banal de nos piteux destins » ; c'est
un esprit de « perversité », qui fait aimer et rechercher
la souffrance en soi et chez les autres. L'Idéal, c'est enfin
et surtout le « vice » ; « les vices de l'homme, si pleins
d'horreur qu'on les suppose, contiennent la preuve de
son goût de l'infini ; seulement c'est un goût qui se
trompe souvent de route » ; sur ces mauvaises routes
seulement on peut cueillir les belles « fleurs du mal »,
dont le parfum est l'antidote le plus sûr du Spleen ;
mais ce parfum est vénéneux et il empoisonne.

Dès 1846, Baudelaire rêvait d'un « musée de l'amour »
où tout aurait sa place, depuis la tendresse inappliquée de
sainte Thérèse jusqu'aux débauches sérieuses des siècles en-
nuyés... Le génie sanctifie toutes ces choses et si ces sujets
étaient traités avec le soin et le recueillement nécessaires, ils
ne seraient point souillés par cette obscénité révoltante, qui
est plutôt une fanfaronnade qu'une vérité.

Lesbos, Les Femmes damnées, Une martyre, A celle
qui est trop gaie, d'autres pièces encore sont des tableaux
de ce musée de l'amour ; ils disent les égarements des

sens et de l'esprit, qui sont pour l'homme « moderne »
une perpétuelle tentation, car il pense que peut-être
ils vont lui apporter le calme, peut-être ils apaiseront
ce « goût d'infini » dont le Spleen n'est que le symp-
tôme extérieur.

A côté de ces images, que Baudelaire fait quelquefois très pittoresques, — mais point du tout, comme le
croyait Champfleury, par goût vrai de réalisme, —
sont appendus des « tableaux parisiens », des visions
de la rue et de la ville :

> Le cœur content, je suis monté sur la montagne
> D'où l'on peut contempler la ville en son ampleur,
> Hôpital, lupanars, purgatoire, enfer, bagne,
>
> Où toute énormité fleurit comme une fleur.
> . . . .
> Je voulais m'enivrer de l'énorme catin
> Dont le charme infernal me rajeunit sans cesse.
>
> Que tu dormes encor dans les draps du matin,
> Lourde, obscure, enrhumée, ou que tu te pavanes
> Dans les voiles du soir, passementés d'or fin,
>
> Je t'aime, ô capitale infâme ! Courtisanes
> Et bandits, tels souvent vous offrez des plaisirs
> Que ne comprennent pas les vulgaires profanes.

C'est sa vision intérieure, son angoisse et ses espérances de bonheur que le poète projette sur la ville ;
il y cherche le malheur et la souffrance, le crime et le
vice, tout ce qui est analogue à son Spleen, et tout ce
qui peut lui permettre de lutter contre lui. Il ne connaît
que le Paris des faubourgs, des brouillards et des pluies,
des hôpitaux et des maisons closes ; il voit passer les fous,
les mendiants, les aveugles, les « petites vieilles », toutes les images grotesques ou douloureuses du malheur,
toutes les silhouettes amusantes ou excitantes du crime
et du vice. Les *Petits poèmes en prose* viennent ici com-

pléter les *Fleurs du mal*, comme un cahier d'ébauches
écrites en une prose très rythmée, mais beaucoup
moins stylisées, et restées loin encore de la transfigu-
ration poétique.

Ames « modernes », inquiètes et passionnées ; vices
« modernes », aigus et raffinés ; villes « modernes »,
agitées et douloureuses,... tout cela constitue bien
« l'héroïsme de la vie moderne », tel que Baudelaire
l'avait si vivement senti et compris depuis longtemps
dans Balzac et dans Delacroix. Son grand souci est de
traduire ces spectacles, comme il les a vus ou vécus,
profondément, nerveusement, avec des sens exacerbés,
un regard qui fouille dans les yeux, une exaltation du
cerveau qui rend toutes les sensations « plus retentis-
santes,... où les sons tintent musicalement, où les couleurs parlent, où les parfums racontent des mondes
d'idées ». « L'idée », en effet, n'est jamais absente des
Fleurs du mal ; il n'y a guère de livres qui soient plus
philosophiquement pensés, au sens large du mot ; mais
l'idée ne cherche que bien rarement à s'abstraire ; elle
arrive portée par la sensation, et encore enveloppée
en elle. C'est bien là le « frisson » dont parlait Victor
Hugo ; il est tantôt voluptueux et tantôt douloureux,
mais si fort toujours qu'il se communique aisément,
et recrée chez le lecteur les images, les sensations et les
pensées qui l'ont provoqué chez l'auteur. La puissance
de la poésie de Baudelaire est, au vrai sens du mot,
une force de suggestion.

3. L'esthétique baudelairienne. — Rien de commun
entre les thèmes baudelairiens et ceux que préférait
le Parnasse : une expression de la réalité extérieure ou
intime qui semble directe, du moins point d'obligatoire
stylisation à l'antique ou à l'hindoue, point d'attitude
hautaine, ni de visage de penseur qui connaît sa force

et la ménage ; une pensée trouble, inquiète, une sensibilité, ou plutôt, car ce mot prête à l'équivoque, une
« sensualité » sans cesse frémissante, qui ne cherche
dans les somptuosités de l'expression que des motifs
complémentaires de jouissance... On était bien loin
de l'esprit du Parnasse ; mais, en s'en tenant à la lettre
de la doctrine, on ne voyait plus cette grande contradiction, et, de fait, il y eut souvent toutes les apparences
d'une entente. Sur quelques points, d'ailleurs, Baudelaire était d'accord avec ses amis ; il méprisait la sensibilité romantique et tenait les « élégiaques » pour des
« canailles » ; il détestait « le progrès », les affirmations
de l'éthique officielle, il ignorait la politique, il disait
l'indépendance absolue à l'égard de la morale. Le
Parnasse, lui, reconnaissait les droits de la fantaisie
du poète. Bien qu'il préférât certains thèmes et certains
sujets, il n'en faisait point une obligation ; toute matière,
revêtue de la beauté de la Forme qui lui était propre,
devenait une Idée, un symbole et recevait la dignité
d'art nécessaire. Quelques lecteurs, vers 1860, eurent
l'impression que les *Fleurs du mal* étaient une des manifestations les plus typiques de l'École de l'Art.

Baudelaire, d'ailleurs, au lendemain de leur publication, chercha, pour répondre aux critiques qui
s'étaient élevées contre lui, à bien définir sa propre
esthétique ; et, soit qu'il fût influencé par les mots et
les idées à la mode, soit que ce fût là sa pensée intime
il parla tout de suite de « Beauté » et d'« Art pur » :

Je sais, écrivait-il en vue d'une deuxième édition des *Fleurs
du mal*, que l'amant passionné du beau style s'expose à la
haine des multitudes ; mais aucun respect humain, aucune
fausse pudeur, aucune coalition, aucun suffrage universel ne
me contraindront à parler le patois incomparable de ce siècle
ni à confondre l'encre avec la vertu.

Des poètes illustres s'étaient partagé depuis longtemps les
provinces les plus fleuries du domaine poétique. Il m'a paru

plaisant et d'autant plus agréable que la tâche était plus difficile, d'extraire la *beauté* du *mal*. Ce livre, essentiellement inutile
et absolument innocent n'a pas été fait dans un autre but que
de me divertir et d'exercer mon goût passionné de l'obstacle.

Quelques-uns m'ont dit que ces poésies pouvaient faire du
mal ; je ne m'en suis pas réjoui. D'autres, de bonnes âmes,
qu'elles pouvaient faire du bien ; et cela ne m'a pas affligé.
La crainte des uns et l'espérance des autres m'ont également
étonné, et m'ont servi à me prouver une fois de plus que ce
siècle avait désappris toutes les notions classiques relatives
à la littérature.

Th. Gautier et Th. de Banville eussent pu signer ces
déclarations, mais c'est justement ce qui doit nous les
faire tenir pour un peu suspectes. Ces propos sentent
l'apologie : Baudelaire, pour se blanchir aux yeux du
grand public, fait appel à des sentiments et à des idées
sur l'art qui commençaient à avoir cours. Mais sa vraie
pensée n'est point là ; il ne se croit point si « innocent » ;
il ne se juge pas un « pur artiste », heureux de triompher de la difficulté ; il sait qu'il y a, dans l'« art moderne » et dans son art à lui, une tendance « essentiellement démoniaque » : le goût de la révolte et de la
« perversité », jaillies hors d'un désespoir que rien n'a
pu calmer. C'est dans ses journaux intimes qu'il faut
chercher la véritable esthétique baudelairienne. A
nouveau, nous nous trouvons très loin du Parnasse
et de l'École de l'Art.

J'ai trouvé la définition du Beau, de mon Beau.

C'est quelque chose d'ardent et de triste... Une tête séduisante et belle, une tête de femme, veux-je dire, c'est une tête
qui fait rêver à la fois, mais d'une manière confuse, de volupté
et de tristesse ; qui comporte une idée de mélancolie, de lassitude, même de satiété, — soit une idée contraire, c'est-à-dire
une ardeur, un désir de vivre, associés avec une amertume
refluante, comme venant de privation ou de désespérance.
Le mystère, le regret sont aussi des caractères du Beau.

Une belle tête d'homme... contiendra aussi quelque chose
d'ardent et de triste, des besoins spirituels, des ambitions téné-
breusement refoulées, l'idée d'une puissance grondante et sans

emploi, quelquefois l'idée d'une insensibilité vengeresse... le mystère, et enfin (pour que j'aie le courage d'avouer jusqu'à quel point je me sens moderne en esthétique), *le malheur*. Je ne prétends pas que la Joie ne puisse pas s'associer avec la Beauté, mais je dis que la Joie est un des ornements les plus vulgaires, tandis que la Mélancolie en est, pour ainsi dire, l'illustre compagne, à ce point que je ne conçois guère (mon cerveau serait-il un miroir ensorcelé ?) un type de Beauté où il n'y ait du *Malheur*. Appuyé sur — d'autres diraient : obsédé par — ces idées, on conçoit qu'il me serait difficile de ne pas conclure que le plus parfait type de Beauté virile est Satan — à la manière de Milton.

Toutes les complications de la rêverie baudelairienne et des imaginations du poète sont là, parfaitement définies, avec l'explication de leur pouvoir d'évoquer. Jamais encore on n'avait apporté dans des poèmes de tels complexes de sensations et d'idées ! L'esthétique de Th. Gautier se préoccupait surtout de plaire aux yeux; celle de Leconte de Lisle, plus ambitieuse, voulait satisfaire à la fois un idéal de beauté plastique et de pensée philosophique ; celle de Baudelaire dédaigne tous les efforts de l'homme pour se plaire à autre chose qu'à lui-même, et pour sculpter des images ou des idées en statues assez belles pour qu'on les adore ; elle invite, au contraire, à remuer le tréfonds de l'âme humaine, l'âme de l'homme d'aujourd'hui, l'homme civilisé des grandes capitales, et à en faire surgir tout ce que l'on tenait caché, par pudeur ou par peur. Il y a dans ce tréfonds une telle force de passions, de désir et de tristesse, une telle volonté de l'homme d'« être toujours ivre..., de vin, de poésie ou de vertu..., pour ne pas sentir l'horrible fardeau du temps », qu'il est vraiment assez oiseux de se demander si sa révélation apporte une nouvelle forme de la Beauté.

4. L'art et l'influence de Baudelaire. — Dix ans après les *Fleurs du mal*, Baudelaire commença à être connu

et à exercer une certaine influence. Leconte de Lisle,
en 1864, parla de son œuvre avec une déférence qui ne
lui était point habituelle. En 1865, dans une belle étude
donnée au journal *L'Art*, Verlaine, qui comprenait
mieux cette œuvre parce qu'il la *sentait*, en définit le
caractère moderne et fiévreux. Sainte-Beuve, qui venait
de lire cet article, écrivit (janvier 1866) à Baudelaire,
qui était alors en Belgique : « Si vous étiez ici, vous
deviendriez, bon gré mal gré, une autorité, un oracle,
un poète-consultant. » Il était tout cela déjà, mais pour
un très petit nombre de poètes. Aux environs de 1870,
son exemple commence à créer un mouvement de déri-
vation dans le Parnasse. Ce courant, peu à peu, s'en-
flera, et, quinze ans après, il se trouvera tout naturellement mêlé au courant du symbolisme, qu'il a d'ailleurs
alimenté par une incessante et souterraine infiltration.

Tout s'est passé comme si cette influence s'était
avancée en deux étapes. On fut d'abord plus sensible
aux procédés d'art de Baudelaire ; ensuite on comprit
mieux son génie intime, l'âme même de sa poésie.

La métrique et la prosodie baudelairiennes ont été
tout de suite très admirées. Son vers,

> poli, treillis d'un pur métal,
> Savamment constellé de rimes de cristal,

a eu de bonne heure des imitateurs. « Le vers de Baudelaire, écrit Th. Gautier, — et il le décrit fort bien, —
qui accepte les principales améliorations ou réformes
romantiques, telles que la rime riche, la mobilité facul-
tative de la césure, le rejet, l'enjambement, l'emploi
du mot propre ou technique, le rythme ferme et plein
la coulée d'un seul jet du grand alexandrin, tout le savant mécanisme de prosodie et de coupe dans la stanc
et la strophe, a cependant son architectonique parti
culière, ses formules individuelles, ses secrets de métier
son tour de main, si l'on peut s'exprimer ainsi. » Th

Gautier signale comme caractéristiques les plus notables le goût des rimes entrecroisées, la fréquence des sonnets « libertins », les stances « aux bruissements monotones » avec des « ritournelles », l'usage fréquent des « mots polysyllabiques ».

C'est sur les effets musicaux qu'il faudrait surtout insister, car le vers de Baudelaire est souvent de facture classique, la phrase parfois assez prosaïque ; la langue a des incertitudes ; la composition, très simple, très claire, donne, par moments, une impression de majesté un peu lourde. Le rythme de la stance, au contraire, la musique secrète des mots permettent au poète des effets très savants. Il avait d'ailleurs de grandes ambitions rythmiques.

La poésie, écrivait-il, touche à la musique par une prosodie... mystérieuse et inconnue... Tout poète qui ne sait pas au juste combien chaque mot comporte de rimes est incapable d'exprimer une idée quelconque. La phrase poétique peut imiter (et par là elle touche à l'art musical...) la ligne horizontale et la ligne droite ascendante, la ligne droite descendante... (Elle peut) exprimer toute sensation de suavité ou d'amertume, de béatitude ou d'horreur, par l'accouplement de tel substantif avec tel adjectif, analogue ou contraire.

Baudelaire allait jusqu'à rêver quelquefois, avec Poe, de pièces où ce serait l'obsession d'une musique intérieure répétant un ou deux sons, qui aurait créé les mots harmoniques, puis les idées, puis le thème du poème, faisant naître, au sens exact du mot, l'idée de la « forme ». Ses vers, et aussi ses « petits poèmes en prose », rythmés pour s'accommoder aux « ondulations de la rêverie », sont tout pleins de ces soucis musicaux. Ni l'École de l'Art, ni le Parnasse n'avaient poussé aussi loin leur désir de donner au vers la puissance d'expression de tous les arts voisins.

Cette musique et l'ingénieux agencement des strophes et des rimes ont sans doute beaucoup contribué à donner

au vers de Baudelaire son pouvoir de suggestion ; mais
les comparaisons qu'aime le poète sont d'un effet plus
immédiat encore. Ce ne sont pas seulement des images
plastiques, somptueuses et qui amusent un moment le
regard ; elles ne sont pas figées et immobiles dans leur
beauté. Lumineuses, mais indécises et flottantes, elles
ouvrent la porte du rêve et jettent dans la sensibilité
du lecteur une impression qui peut aller s'élargissant
en de grandes ondes :

> — Ma jeunesse ne fut qu'un ténébreux orage
> Traversé çà et là par de brillants soleils...

> — J'ai longtemps habité sous de vastes portiques
> Que les soleils marins teintaient de mille feux...

> — Quand tu vas, balayant l'air de ta jupe large,
> Tu fais l'effet d'un beau vaisseau qui prend le large...

> — Mon cœur est un palais flétri par la cohue...

> — Je suis un cimetière abhorré de la lune...

> — Je suis comme le roi d'un pays pluvieux...

> — O mort, vieux capitaine, il est temps ! levons l'ancre !

> — La nature est un temple où de vivants piliers
> Laissent parfois sortir de confuses paroles...

Ces mots, ces images, qui apparaissent si souvent et
si soudainement, agissent comme « une espèce de sorcellerie évocatoire ». Ils créent — et c'est le pouvoir
suprême que Baudelaire voulait conférer à l'art « suivant la conception moderne » — « une magie suggestive contenant à la fois l'objet et le sujet, le monde extérieur à l'artiste et l'artiste lui-même ». « Rythme, parfum, lueur », tout concourt, en ces instants de parfaite
évocation, à l'apparition de la Beauté ; le poète perçoit

les infinies « correspondances » de la Nature, ses symboles, où « se répondent les parfums, les couleurs et les sons », et ses images créent un moment l'illusion que ces symboles puissent devenir familiers et clairs.

Vers 1880, on devint sensible, non plus seulement à l'art de Baudelaire, mais aussi à sa pensée : le pouvoir de suggestion de son œuvre s'accrut encore (1). Huysmans donna à des Esseintes (*A rebours*, 1884) « une admiration sans bornes » pour Baudelaire, qui lui paraît avoir fixé les « états morbides les plus fuyants, les plus tremblés, des esprits épuisés et des âmes tristes ». Dans le même temps, Bourget (*Essais de psychologie*, 1883) retrouvait dans Baudelaire l'expression la plus parfaite des angoisses métaphysiques contemporaines. Alors les *Fleurs du mal* apparurent comme le livre de choix des « décadents » ; on les préféra à tous les livres du Parnasse, comme étant l'expression des révoltes de la pensée et du sentiment qui lançaient la jeune génération contre les croyances et les images de la génération qui l'avait précédée. Le prestige de Baudelaire devint si grand qu'il tendit à effacer celui de tous les autres poètes du XIXᵉ siècle ; même après le déclin du symbolisme, sa gloire ne décrut point ; aujourd'hui son nom, dans quelques milieux de gens de lettres, est tenu comme sacré ; on n'y admet pas sans colère la moindre réserve sur son génie ; on proteste violemment même contre les expressions d'une insuffisante admiration.

NOTES COMPLÉMENTAIRES

I. BAUDELAIRE. — Charles Baudelaire est né à Paris le 9 avril 1821 ; son père avait alors soixante et un ans. Sa mère, devenue veuve, en 1827, épousa, en 1828, le colonel Aupick ; l'enfant le détesta, et ces sentiments de haine et de contrainte

(1) Voir page 109 : Quelques poètes d'inspiration baudelairienne.

ont fortement agi sur lui pendant sa période de formation. Il fait ses études au collège de Lyon (1832-1836), puis au lycée Louis-le-Grand (1836-1839). Il veut se faire homme de lettres ; sa famille s'y oppose ; le dissentiment ancien éclate, plus grave que jamais ; on embarque le jeune homme pour un voyage forcé, qui doit le mener aux Indes ; il ne va pas plus loin que l'île Maurice et l'île de la Réunion, et revient à Paris (mai 1841-février 1842). Ce voyage laisse à Baudelaire le goût des visions exotiques. Pendant les premières années qui suivent sa majorité, il mange un petit capital et peut se croire riche ; mais, très vite, et jusqu'à la fin de sa vie, il se trouve sans grandes ressources, quelquefois vraiment dans la misère. Il fréquente les milieux de la bohème littéraire et artistique de l'époque.

A partir de 1841, il écrit peu à peu les poèmes qui composeront les *Fleurs du mal*. Il publie le *Salon de 1845* (éd. A. Ferran, 1934) et le *Salon de 1846*, qu'il signe Baudelaire-Dufays (Dufays était le nom de sa mère). En 1848, il s'enthousiasme, assez bizarrement, pour la Révolution ; et, pendant quelques semaines, il est un journaliste fort violent. De 1858 à 1865, il publie une traduction des *Contes fantastiques* de Poe, qu'il avait découverts quelques années auparavant.

Le 11 juillet 1857, paraissent les *Fleurs du mal* (101 pièces). Baudelaire, poursuivi pour outrage à la morale publique, est condamné le 20 août 1857 à 300 francs d'amende, réduits, par la suite, à 50 francs, grâce à une démarche de l'Impératrice (Un pourvoi en revision a été introduit en 1929). Six pièces, condamnées, furent enlevées à coups de ciseaux dans les exemplaires restant en magasin, et ne figurèrent pas dans les éditions ultérieures (en 1861 : 127 pièces, 32 nouvelles ; en 1868 : 152 pièces, dont 25 ajoutées assez arbitrairement). Les pièces condamnées parurent, en 1866, dans les *Épaves*. Le texte intégral des *Fleurs du mal* a été donné en 1911 (les *Maîtres du livre*), en 1917 (éd. Van Bever, J. Madeleine, etc.) et plusieurs fois depuis.

Baudelaire publie, en 1860, ses *Paradis artificiels* ; en 1861, *Richard Wagner et Tannhäuser* ; il fait paraître dans plusieurs revues ses *Petits poèmes en prose*. A la fin de 1861, il esquisse une candidature à l'Académie française. D'avril 1864 à juillet 1866, il habite à Bruxelles, où il tombe gravement malade ; on le ramène à Paris, aphasique et paralytique. Il y meurt le 31 août 1867.

Les *Œuvres complètes* (1868-1870) comprennent 7 vol. : I. Les *Fleurs du mal* ; — II. *Curiosités esthétiques* ; — III *L'Art romantique* (les vol. II et III contiennent les ouvrages et les articles de critique d'art et de critique littéraire) ; — IV. *Petits poèmes en prose* ; *Paradis artificiels* ; — V-VII. *Traduction de Poe.* On a publié ses *Lettres* (1841-1866), 1907 ; des *Lettres inédites à sa mère*, 1918 (n. éd. 1932) ; *Lettres autographes* (1850-1865) en fac-similé, 1922 ; un *Carnet*, 1911 ; des *Journaux intimes* (*Mon cœur mis à nu*) en 1920 et 1923. La *Nouvelle Revue française* a entrepris en 1918 une nouvelle édition des *Œuvres complètes.* Un *Baudelaire choisi* en deux vol. a paru en 1919 ; un autre choix a été offert dans les *Classiques pour tous* (librairie Hatier), 1922.

M. J. Mouquet a publié en 1929, sous le titre *Vers retrouvés*, des vers d'amis de Baudelaire (E. Prarond, Privat d'Anglemont) dans lesquels il prétend, sans preuves valables, retrouver des vers de Baudelaire. Dans le même genre : *Œuvres en collaboration*, 1932.

A consulter : E. et J. Crépet, *Charles Baudelaire, étude biographique*, 1907 ; P. Flottes, *Baudelaire, l'homme et le poète*, 1922 ; A. Cassagne, *Versification et métrique de Baudelaire*, 1906 ; J. Pommier, *La mystique de Baudelaire*, 1932 ; A. Ferran, *L'esthétique de Baudelaire*, 1934 ; W. T. Bandy, *Baudelaire judged by his contemporaries*, 1933.

II. Quelques poètes d'inspiration baudelairienne. — Parmi les écrivains qui ont été particulièrement sensibles à l'influence de Baudelaire, on peut nommer Léon Cladel (1835-1892), dont Baudelaire préfaça les *Martyrs ridicules* (1862), une étude de bohèmes et d'excentriques ; — Maurice Rollinat (1853-1903), auteur de quelques recueils de vers (*Choix de poésies*, 1926) ; les *Névroses* (1883) firent du bruit dans les milieux « décadents » : c'était un livre « plus baudelairien que Baudelaire », effroyablement macabre, plein de squelettes et de cadavres, de vivants enterrés, de charognes pourrissantes, de crimes et de supplices ; — Paul Bourget (né en 1852), qui commença par publier des recueils de vers : *Au bord de la mer*, 1872 ; la *Vie inquiète*, 1875 ; *Edel*, 1878 ; les *Aveux*, 1882, dont la tristesse et l'inquiétude, les efforts de suggestion musicale plurent, vers 1885, à la jeunesse « décadente ». Jules Laforgue lui dédia ses *Complaintes* (1885).

CHAPITRE VII

DU PARNASSE AU SYMBOLISME (1870-1885).
LA TRADITION DE BAUDELAIRE :
VERLAINE, MALLARMÉ, RIMBAUD.

———

1. Verlaine et le Parnasse (1865-1871). — Bien peu de
Parnassiens sont restés, jusqu'au bout et en tout, fidèles
au Credo exigeant du jeune Parnasse. Mais il y eut, en
outre, des défaillances très graves. Quelques-uns des
poètes jeunes ne se tinrent pas pour persuadés que,
comme on le leur disait, la poésie française possédât,
avec le vers parnassien, un instrument parfait. Conduits
obscurément par cette tendance très forte, qui, depuis la
révolution romantique, poussait les poètes à augmenter
les possibilités d'expression du vers, ils doutèrent bientôt
de la rime riche et dédaignèrent la forme pure. Et puis
ils se lassèrent aussi des croyances d'art et des opinions
philosophiques ou politiques qui avaient donné une si
grande quiétude à la génération positiviste de 1860.

Ils furent d'abord très isolés. Rien, après 1870, ne paraissait vraiment changé dans l'atmosphère intellectuelle
de la France : Leconte de Lisle, Heredia, Taine, Flaubert, G. Sand, Alex. Dumas. É. Augier écrivaient des
livres, des poèmes ou des drames aussi semblables que
possible à ceux qui, dix ou quinze ans auparavant,
avaient assuré leur maîtrise. Les tristesses de la défaite

n'eurent point d'influence immédiate sur tous ceux dont les habitudes de pensée et de travail étaient solidement installées. Elles agissaient, à vrai dire, mais sourdement, et sur les enfants ou les jeunes gens, sur ceux qui allaient avoir vingt ans entre 1875 et 1885. Des influences nouvelles, sourdes elles aussi, créaient peu à peu une ambiance différente : Baudelaire, l'art impressionniste, la musique de Wagner... Au bout de quinze ans, ces forces, suffisamment accrues, permirent une révolte générale des jeunes ; ils renièrent les maîtres de leurs aînés, ils raillèrent leurs aînés ; mais, comme ils cherchaient de nouveaux « patrons », ils s'aperçurent que quelques-uns de ces aînés avaient pensé comme eux ; ils découvrirent, après Baudelaire, Verlaine, Mallarmé, et Rimbaud.

Verlaine (1), surtout, incarna alors cette volonté de révolte contre l'idéal parnassien. Et pourtant, qui avait été plus parnassien que lui ? On l'avait vu s'agiter, comme un joyeux initié, dans les cénacles de la première heure ; il s'était fait connaître dans le premier *Parnasse contemporain* ; à vingt-deux ans, il avait publié un petit volume de vers, les *Poèmes saturniens* (1866), écrits sur des thèmes parnassiens, avec des procédés purement parnassiens. Il avait immolé les « Inspirés » aux pieds de la Vénus de Milo, symbole nouveau du Travail et de la Volonté ; tout pénétré de Leconte de Lisle, il avait écrit une poésie hindoue, tracé de grands tableaux d'histoire, dit sa haine pour l'Inquisition ! Mais son livre avait aussi des pages très baudelairiennes. Le titre même était emprunté à Baudelaire, qui avait appelé ses *Fleurs du mal* un livre « *saturnien*, orgiaque et mélancolique ». Plus d'une poésie, dans le recueil, révélait cette influence, intime, très assimilée : il y avait des tableautins de Paris, gris et pittoresques ; des paysages tristes ; des spectacles laids ; des visions mélancoliques ; l'expression d'une

(1) Voir page 135 : Notes complémentaires.

sensibilité très demandeuse et lassée ; et aussi une volonté
de transformer le vers en une mélodie musicale, de ligne
assez incertaine. Barbey d'Aurevilly appela alors, assez
heureusement, Verlaine un « Baudelaire *puritain* » —
il voulait dire, en se servant d'une épithète qui fut un
moment à la mode, un Baudelaire parnassien.

Si parnassiens qu'ils soient, les *Poèmes saturniens* an-
noncent les curiosités poétiques qui vont tenter bientôt
Verlaine. Le jeune poète transpose les thèmes baudelairiens, somptueux et « grand style », en des thèmes menus,
simples, délicats, gracieux, tristes. Sa tristesse « satur-
nienne » n'a pas l'âcreté de celle de Baudelaire : c'est
une sorte de léger énervement qui lui permet de goûter
dans les spectacles les plus habituels des sensations
cachées et rares. Et, pour traduire ces sensations très
floues, associées quelquefois en grand désordre, il use
d'une phrase sinueuse, pleine d'incidentes, aussi éloignée
que possible de la robuste phrase parnassienne ; les mots
rebondissent sur les mots, les images sur les images ;
c'est un appel direct à la sensation. Deux ou trois pièces
sont même symbolistes avant la lettre, avec leur paysage
« mystique », indécis, leur dessin brumeux, qui suggère
des émotions vagues plutôt qu'il ne sert à tracer un beau
fond de tableau.

Les *Fêtes Galantes* (1869) pouvaient passer, elles aussi
pour un recueil parnassien. C'était un thème assez nouveau : des évocations de l'art du XVIIIᵉ siècle, des rêveries sur quelques toiles de Watteau, dont l'œuvre, longtemps méprisée, peu à peu réhabilitée dans les milieux
d'artistes, venait d'être louée et admirablement inter-
prétée par les Goncourt. Ils avaient décrit la féerie
shakespearienne de ces toiles, leur « paradis galant
d'amour », leur charme complexe : tendresse, volupté
« tristesse musicale » ; « l'amour poétique, l'amour
qui songe et qui pense, l'amour moderne avec ses aspira-

tions et sa couronne de mélancolie ». Watteau, ainsi
compris, était en passe de devenir baudelairien ; et c'est
pourquoi il fut si aisément « rêvé » par Verlaine. Avec
ses vers le jeune poète dessina tout un album de l'œuvre
de Watteau, où, presque à chaque feuillet, il faisait
s'unir ces deux tons contrastés de gaieté et de mélancolie
que les Goncourt avaient donnés comme le secret de la
puissance du peintre. Sa sensibilité s'émouvait devant
ces visions d'un passé qu'il était si facile de moder-
niser.

Ce fut le dernier livre parnassien de Verlaine, car on
ne saurait faire grand cas des vers que lui inspirèrent ses
fiançailles (la *Bonne chanson*). Verlaine sut être un fiancé
très convenablement lyrique ; mais il ne pouvait être un
mari bourgeois. Déjà le goût de l'alcool et de la bohème
le menait ; il ne pouvait espérer rester bien longtemps
respectueux des traditions, ni comme homme ni comme
poète.

2. Poétique nouvelle et nouvelles inspirations. —
L'influence de Rimbaud, puis les malheurs soudains de
sa vie libérèrent Verlaine en l'affranchissant des cénacles ; ils précipitèrent une évolution qu'intimement le
poète souhaitait, mais que sa nonchalance naturelle eût
peut-être fait durer longtemps encore. Verlaine, faible,
incertain dans la conduite de sa vie et dans ses ambitions
d'art, subit alors étrangement l'influence d'un ami qui
voulait être pour lui un « Époux infernal », l'élever
jusqu'à un incroyable idéal, créer dans son imagination
un monde de visions nouvelles, exalter son intelligence
et sa sensibilité jusqu'à faire de lui un surhomme, qui
n'eût plus eu d'attaches avec sa vie ancienne ni avec les
préoccupations ordinaires de ses contemporains.

Verlaine n'était pas un créateur d'images comme
Rimbaud ; mais il accusa alors son goût pour le rêve,

pour la griserie des sens qui déforme les images réelles et
bouscule les sensations les unes sur les autres. Il s'en-
traîna à aimer des thèmes très simples, sans tenter la
moindre stylisation pour les embellir ; il essaya de rani-
mer les rythmes élémentaires des chansons anciennes,
gauches, naïfs, mais musicaux et pleins de fortes suggestions ; il frôla alors le vers libre auquel Rimbaud
s'essayait ; mais il se satisfit vite : quelques libertés
métriques et des fantaisies de rimes et de coupes. C'était
peu de chose, en réalité, mais il en tira de grands effets ;
et, dans l'ignorance où l'on resta longtemps de l'œuvre
de Rimbaud, il put paraître un novateur bien plus audacieux qu'il ne l'était en réalité.

C'est à cette époque (1871-1873) qu'il conçut et écrivit
son fameux *Art poétique*, qui ne fut révélé qu'en 1884,
et illumina d'une joyeuse lumière les premières heures de
la journée symboliste. Il y mettait au point ses idées récentes, des idées très simples. Le vers doit être, avant
tout, de la musique, une harmonie de sons qui font rêver.
La rime, musique insuffisante et pénible contrainte, doit
s'atténuer ; on pourra la réduire à l'assonance des
chansons populaires, qui suffit à donner un rythme. Les
vers impairs, qui sont une musique nouvelle, sont plus
propres que les autres pour les thèmes nouveaux. L'architecture solide du poème, l'éloquence et l'ordre,
romantiques ou parnassiens, deviennent inutiles pour
traduire l'imprécis, la nuance, les suggestions, les menues
sensations, les inquiétudes, les malaises, les rêves,... tout
ce qui est la matière de la vraie poésie moderne. Avec un
plan incertain, des mots vagues, des groupements de
sons inattendus et évocateurs, on pourra éveiller la sensibilité du lecteur et transfuser en elle une partie de la
sensibilité du poète.

Les *Romances sans paroles* (1874) sont la première
application de cette poétique nouvelle; elles offraient de

pièces très intimes, mais allusives, indirectes ; des paysages tristes, que teintaient les reflets de la sensibilité, alors bouleversée, du poète ; des paysages pittoresques, belges et anglais, belges surtout, fort « impressionnistes », où des sensations rares, aiguës, se heurtaient les unes aux autres ; parfois des transpositions et des brouillements de sensations et d'idées. Mais la principale originalité du recueil était dans les nouveautés rythmiques : les *Romances sans paroles* — un titre bien significatif pour un volume fait uniquement de mots — étaient un vrai album de spécimens de rythmes poétiques, un cahier d'exercices sur des airs nouveaux : aucune pièce n'est semblable à ses voisines. Verlaine se sert tantôt de la rime, tantôt de l'assonance ; quelquefois il néglige même de rimer ou d'assonancer ; il multiplie les formes de stances, les longueurs de vers. C'était commencer à libérer le vers français des contraintes anciennes que le Romantisme et le Parnasse avaient, en réalité, presque toutes respectées ; plus tard, il serait facile d'opposer l'art poétique verlainien à celui du Parnasse.

La prison — à la suite du drame de Bruxelles — sépara Verlaine de Rimbaud ; mais l'influence avait été trop forte : elle dura. Verlaine écrivit un petit recueil, *Cellulairement,* où la plupart des poèmes sont composés selon le système des *Romances sans paroles* : de brèves notes, qui fixent de menues sensations et des émotions indécises. D'autres pièces sont inspirées par la « conversion » de Verlaine, par l'ardeur de foi qui le jeta alors vers le catholicisme. C'était encore ses sensations qu'il traduisait là, simplement, comme il les sentait, musicalement, avec le rythme qu'elles avaient pour chanter en lui. *Cellulairement* resta inédit. Les vers chrétiens qu'il contenait parurent quelques années après dans *Sagesse* (1881) ; les autres, un peu plus tard, dans *Jadis et naguère* (1884) et dans *Parallèlement* (1889).

Sagesse fut comme une sorte de « redébut ès-littéra-ture française », un début qui ne fit point du tout de bruit, d'ailleurs. L'inspiration des *Romances sans paroles* s'y mélange, comme dans *Cellulairement,*avec la nouvelle inspiration chrétienne. C'est celle-ci qui apparaît au premier plan : la foi de Verlaine se traduit ce qu'elle est, « très humble, très douce », sans effort vers le dogme, sans appel d'images, sans apprêts de style. Verlaine médite sur la lutte que se livrent en lui le bien et le mal ; il adresse de touchantes prières à la Vierge. Il s'essaie, pour représenter ses sentiments nouveaux et leur lutte avec les passions anciennes, à des allégories médiévales : leur naïveté, analogue à celle des chansons populaires, le séduisait ; il trouvait en elles de nouvelles manières de dire, roides et gauches à l'apparence, nuancées et délicates en réalité, par l'usage qu'il en faisait. Il continuait aussi à tenter des innovations rythmiques.

3. La légende et l'influence de Verlaine. — Son ardeur catholique diminua peu à peu. Il vint à Paris ; la misère le saisit ; l'alcool et les taudis l'usèrent. Le vieil homme réapparut dans le chrétien, avec des sens exacerbés, des besoins plus brutaux, un goût plus grand de l'alcool. De temps en temps, des poussées courtes de foi et d'émoi religieux lui redonnaient le goût d'écrire des poèmes pieux. Son œuvre — c'est lui-même qui le constate —

se tranche, à partir de 1880, en deux portions bien distinctes : ... des livres où le catholicisme déploie sa logique et ses illécébrances, ses blandices et ses terreurs ; et d'autres, purement mondains, sensuels, avec une affligeante belle humeur et pleins de l'orgueil de la vie.

C'est cette dernière inspiration qui correspondait aux passions les plus fortes du poète, et pour lesquelles sa vie de bohème, de « lamentable épave, éparse à tous les flots

du vice », lui fournissait matière intarissablement ; elle
l'emporte visiblement. Sur treize recueils de vers, qui se
suivent à partir d'*Amour* (1888), on peut en compter
trois qui sont d'intentions à peu près catholiques, et une
dizaine tout donnés à l'exaltation de la chair. Les vers
pieux de Verlaine, dans ses dernières années, n'offrent
que rarement l'occasion d'assister aux beaux envols de
foi de *Sagesse* : ce sont des exercices appliqués, d'humbles cantiques, d'incessantes confessions. Et les deux
inspirations, la païenne et la pieuse, se mélangent de
façon à créer souvent une bien singulière atmosphère.

Les œuvres de cette dernière partie de la vie de Verlaine sont bien moins intéressantes que sa vie et que sa
légende. Vers 1885, les « jeunes » découvrirent Verlaine ;
et ils l'aimèrent, moins pour ses vers que pour l'étrangeté
de son existence, pour le cynisme et le débraillé de ses
manières, où ils voyaient une volonté de révolte contre
la société actuelle. Il fut, non pas le chaste « Porte-lyre »,
selon l'image parnassienne, mais le Poète « pur »,
symbole de toutes les protestations et de tous les affran-
chissements. On vit en lui, non point l'auteur de *Sagesse*
ou des *Romances sans paroles*, qu'on commençait à peine
à lire, mais, en une image bien vite devenue convention-
nelle, le Poète ingénu et primitif abandonné au vice, à
cause du trop de richesse et de simplicité de sa nature,
mais qui conservait, au plus fort du péché, toute la pureté de son cœur ; sensuel et chaste, mystique et païen, il
lâchait tantôt des mots d'argot très cru, tantôt de divines
paroles musicales. Il était tous les contraires ensemble :
un pilier d'estaminet et d'hôpital, un client de louches
hôtels garnis, l'amant de laides prostituées, et en même
temps une manière d'apôtre, prêt à régénérer le monde
et l'Église par l'exercice des vertus d'humilité et de
pauvreté.

Grâce à sa légende, l'influence de Verlaine, qui avait

été presque nulle jusque-là, commença à s'exercer. Évidemment on ne pouvait guère imiter et reproduire les expressions de sa sensibilité, trop personnelle. La tristesse « verlainienne » est une note unique dans toute notre littérature. En s'affirmant, dès ses premiers vers, comme un « saturnien », le poète signalait son imagination « inquiète et débile », son goût compliqué de la mélancolie, son obéissance à des forces sourdes qui sans cesse l'invitaient à détruire son propre bonheur. Il aimait rêver, il aimait les paysages qui permettent le rêve : des paysages sans lumière, où les lignes s'estompent, qui, dans la brume, sont à demi fantomatiques, et peuvent facilement le paraître tout à fait. La réalité, le rêve se brouillent en lui ; il a le pouvoir de transformer les spectacles, de déplacer les perspectives et de modifier les rapports des choses. Cette façon trouble de voir le monde des apparences avait de quoi plaire à l'époque symboliste ; mais elle était difficilement imitable.

Il était plus facile de saisir des procédés d'expression rythmique, et Verlaine a eu plus d'influence comme métricien que comme poète. Encore ne faut-il pas exagérer ; il eut le goût d'affranchir le vers : les symbolistes se réclamèrent de lui ; mais, après le vers libéré, le sien, il les vit qui, très logiquement, tentaient le vers libre, celui de Rimbaud ; ses oreilles étaient habituées à d'anciennes combinaisons rythmiques ; il était fatigué, il ne se sentait ni le pouvoir, ni le désir de se renouveler encore. Il se contentait d'avoir multiplié les formes rythmiques, d'avoir fait exécuter des cabrioles au sonnet parnassien, d'avoir démoli, en multipliant les coupes, le rythme intérieur de l'alexandrin, d'avoir lancé les grands vers impairs, d'avoir joué des tours à la rime, tantôt en la rognant et tantôt en la dissimulant ; mais jamais il ne s'éloigna beaucoup des cadences romantiques et parnassiennes ; jamais il ne manqua sérieusement et continument à l'obligation de rimer. Les plus ambitieux des symbolistes finirent par s'aviser que sa pratique était moins audacieuse que la théorie de son *Art poétique* ; ils lui adressèrent le grand reproche de l'heure : il n'était qu'un Parnassien ! Très vite, d'ailleurs, il se tint à l'écart de la querelle ; il condamna ou railla les outrances théoriques d'un Moréas ou d'un Ghil. Après avoir cru, pour des raisons plutôt extérieures qu'intimes, qu'il était l'âme même de la poésie moderne, on s'aperçut qu'il appartenait en réalité à une autre génération ; son influence sur l'époque symboliste fut moindre qu'on n'est tenté de le croire d'abord **(1).**

4. Mallarmé. Les poèmes de l'époque parnassienne.

— L'œuvre poétique de Mallarmé (2) est très peu considérable ; elle s'enferme tout entière, hormis quelques vers de circonstance, en un mince volume qui contient un peu moins de soixante poèmes, généralement très courts. Les premiers de ces poèmes ont été écrits à partir de 1860 et publiés dans l'*Artiste* et les deux premiers *Parnasse contemporain*. On y reconnaît, évidemment, l'influence des cénacles parnassiens, mais point du tout celle de Leconte de Lisle, qui, pourtant, dominait alors : pas de contes épiques, de poèmes hindous ou de grands desseins philosophiques. Mallarmé subit alors deux influences contradictoires : l'influence de Th. de Banville, qui lui enseigne la joie de la santé, le bonheur de vivre et de créer de brillantes chimères, les sensualités simples et gaies ; et l'influence de Baudelaire, qui lui révèle la maladie, la souffrance, les thèmes tristes ou désespérés, la beauté du malheur, l'attrait d'une sensualité exigeante et compliquée. Il est vrai que le jeune poète ne demande à Banville que des patrons de vers et

(1) Voir page 136 : Tristan Corbière.
(2) Voir page 136 : Notes complémentaires.

des sonorités de rimes ; mais il s'entraîne, grâce à cette
admiration, à une fidélité envers l'alexandrin traditionnel, qui n'aura presque jamais de défaillance ; jamais il
ne sera tenté par le vers libre.

L'influence de Baudelaire est plus grande. Presque
toutes les premières pièces de Mallarmé sont sur des
thèmes baudelairiens, directement inspirées, quelquefois,
par un « poème en prose » ou par une « fleur du mal » :
le poète maudit — l' « élévation » vers un idéal impossible — la prostituée, qui est une fille de tristesse,
non de joie, chargée des péchés du monde, le parfum
évocateur d'une chevelure, le « guignon », l'appel à
Satan... Une tradition, souvent rapportée, assure que
Baudelaire, si dédaigneux des autres, s'inquiéta devant les premiers vers de Mallarmé, en qui il aurait vu
un rival.

Et pourtant, dès ces premières pièces, Mallarmé
s'écarte assez nettement du chemin de Baudelaire. Son
inspiration est plus chaste, plus idéaliste, plus intellectuelle ; il n'a trouvé et aimé dans les *Fleurs du mal* qu'une
imagerie nouvelle, des secrets de suggestion ; mais il
n'use point des images comme Baudelaire ; il ne les
domine pas, il ne les ordonne pas ; il ne se soucie point
de composer rigoureusement ; sans transition bien visible, il passe d'une image à une autre, puis à une autre : le
voilà en plein symbole ; il paraît avoir oublié l'image
réelle qui lui servit de point de départ. C'est que son
appétit de symboles est extrême ; il en trouve partout :
dans l'image générale du poème, dans les images acces-
soires ; il en accroche, au passage, à de simples mots. Ce
n'est pas là un procédé poétique, mais bien une façon de
voir, une manière de penser. Mallarmé pousse jusqu'à
l'extrême l'idée des « correspondances » baudelairiennes ; chez lui, ces correspondances sont intellectuelles,
point sensorielles. Il croit que toutes les images de la

nature ont une signification en idée, qu'elles permettent d'entrevoir à travers elles autre chose que ce qu'elles sont. Ces préoccupations devinrent vite une manière d'obsession dont ses amis s'inquiétèrent ; lui-même, en 1868, parle, un moment, d'une « triste insanité » ; mais il sentait, le plus souvent, l'orgueil d'avoir vu « le Rêve dans sa nudité idéale », et il tâchait, avec des mots auxquels il conférait un pouvoir mystérieux, de rendre visible ce rêve intellectuel qui découvre un nouveau sens à l'univers.

Quelques-uns des plus anciens poèmes, légèrement obscurs, au premier contact, répondent à ces préoccupations d'extrême symbolisation : les abréviations, les ellipses, les incidentes participiales, l'omission des verbes, quelques raccourcis singuliers d'expression aident à dissimuler le chemin que suit la pensée imagée et symbolique du poète. Les fragments d'*Hérodiade*, donnés au second *Parnasse contemporain*, sont bien caractéristiques de cette nouvelle manière. Pas un moment, dans ce sujet très parnassien, Mallarmé n'a le souci d'évoquer vraiment le passé ; une image et une pensée dominent : la jeunesse, la beauté dangereuse, la pureté orgueilleuse ; et toute une armature d'images-symboles se dresse autour de ces concepts de froideur et de danger. La densité métaphorique est extrême : tous les objets qui entourent Hérodiade ou la touchent, son miroir, ses pierreries, tous ses gestes, ont un sens profond et nouveau, que le poète indique ou suggère. Déjà l'on voit bien qu'il y a, au fond de l'esthétique de Mallarmé, une aperception spéciale de l'univers. Il commence, en suivant la mode du temps, par certains spectacles « modernes » et par des visions antiques ou mythiques ; mais bientôt tous les sujets, somptueux ou insignifiants, seront bons pour lui permettre d'ouvrir ses yeux sur l'Inconnu.

5. Mallarmé. Les poèmes de la seconde manière.

— Dès lors, l'œuvre de Mallarmé devient d'une lecture plus difficile : c'est que son ambition métaphysique augmente. En 1875, il écrit l'*Après-midi d'un faune*, qui est probablement la plus belle de ses réalisations, du moins la plus accessible parmi ses belles réalisations. Telle quelle, elle effara les éditeurs du troisième *Parnasse contemporain*, qui n'osèrent l'insérer.

Ce fut Banville qui poussa Mallarmé à écrire ce poème et qui lui en donna le thème. Il avait publié, en 1863, une jolie piécette, *Diane au bois*, où l'on voyait le dieu Amour déguisé en Endymion et cherchant à émouvoir la froideur de Diane ; un personnage épisodique, le satyre Gryphon, railleur et méchant, était amoureux de deux nymphes de la suite de Diane, et souhaitait de les aimer toutes deux et d'être aimé d'elles deux, sans avoir à choisir ; c'était un personnage comique, sans cesse moqué. Sous cette forme, il ne pouvait guère agréer à Mallarmé. Le poète avait vu aussi, à Londres, un tableau de Boucher, *Pan et Syrinx*, qui montrait deux corps de nymphes, toutes blanches et roses, couchées et enlacées au bord d'une source, et sur lesquelles se penchait le dieu Pan avec des yeux de désir. Du Banville ! du Boucher ! des images claires, radieuses, une volupté facile, un faune bon garçon, des nymphes coquettes et fort satisfaites de l'aventure... tout cela s'estompa dans le rêve de Mallarlarmé. Son faune découvre les nymphes comme dans le tableau de Boucher ; il veut les aimer, toutes deux, comme dans la pièce de Banville ; mais il ne sait pas si cette découverte et ce désir sont un rêve ou une réalité. Il dormait, il s'est réveillé, mal détaché encore de la nature qui l'enveloppe ; à demi dormant, il recrée la vision des nymphes apparues, ou bien il précise son rêve ; et de tout cela il fait, avec ses pipeaux, une musique qui prolonge l'ivresse ou perpétue l'illusion ; enfin il

se rendort. Tout ce trouble, toute cette brume de rêve,
ce regard d'ivresse heureuse sur la vie et l'univers,
les images et les mots de Mallarmé réussissent à le faire
voir, à le suggérer au moins : son poème est une symphonie d'images, de mots et de sons, quelque chose de tout
à fait nouveau en poésie.

Une brève pièce de Mallarmé peut être dite son Art
poétique : il appelle à lui l'image d'un cigare, d'où
s'échappe la fumée en anneaux, et dont on laisse tomber
la cendre, séparée « du clair baiser de feu » :

> Ainsi, le chœur des romances
> A la lèvre vole-t-il,
> *Exclus*-en, si tu commences,
> *Le réel, parce que vil.*
>
> *Le sens, trop précis, rature*
> *Ta vague littérature.*

Comme la cendre du cigare, la matière dont s'est servi
le poète pour pousser vers le ciel les anneaux diaphanes
de sa pensée doit tomber et disparaître ; l'image première qui a déclenché le symbole doit s'évanouir. Tout
est analogie dans l'univers : le poète doit saisir le plus
qu'il peut de ces analogies ; quand il les aura saisies, il
lui suffira de nous dire le second terme de l'analogie,
parce que c'est le seul qui compte, apportant la révélation d'une grande pensée. Aussi les poèmes de Mallarmé
deviennent-ils des analogies tronquées, des symphonies
d'analogies, où presque jamais « l'explication » n'est
donnée, car elle n'est pas, selon le poète, une explication : elle n'a été qu'un moment du passage vers l'Idée.

Tout est matière à poème : les plus petits événements
de la vie : une promenade à la foire, une rencontre de
femme, quelques minutes passées dans une gare, un
ballet, la hantise d'une phrase absurde qui obsède
l'esprit (le *Démon de l'analogie*), un éventail, un vase
vide... Devant chacun de ces spectacles, l'imagination

du poète imagine des systèmes d'analogies, les unes facilement suggestives, les autres déconcertantes. Toute une série de procédés de style concourent à isoler ces analogies et à faire disparaître jusqu'à la dernière apparence du *signe* initial. Il s'agit de donner « un sens plus pur aux mots de la tribu », et, pour cela, de leur enlever le plus qu'il se peut de leur sens ordinaire, qui est impur. Or, dans la majorité des cas, le sens est fortement accroché au mot par l'usage ; il y aura avantage, pour faciliter la transmutation, à enlever le mot de sa place habituelle dans la phrase, à lui retirer l'appui des petits mots-outils, indispensables pour l'expression précise de la pensée, les conjonctions, notamment, qui marquent le temps ou bien introduisent une explication ; les signes de ponctuation, indicateurs logiques trop apparents, disparaissent. Les mots qui marchent étroitement unis, l'adjectif et le nom, par exemple, le poète les délie l'un de l'autre ; il fait sauter les propositions hors de leur place traditionnelle ; le second terme d'un raisonnement passera devant le premier, ou bien mêlera ses mots à ceux du premier terme ; des parenthèses, que ne signale aucune indication de typographie, laisseront fleurir en pleine phrase des idées ou des notations adventices. Pour parvenir jusqu'à la pensée première du poète, ou du moins pour repasser par les principaux chemins qu'elle a suivis, le lecteur doit faire tout le travail inverse, et reconstituer dans le poème l'ordre logique accoutumé.

Un poème, déclarait Mallarmé à Edmond de Goncourt en 1893, est « un *mystère* dont le lecteur doit chercher la clef ». La plupart de ses poèmes sont mystérieux ; et cette cryptographie a tenté ou amusé les initiés ou les simples lecteurs de bonne volonté. Il faut se garder de les trop bien expliquer ; Mallarmé admettait lui-même de nombreuses explications, présentes ou possibles, toutes ouvrant un jour sur l'Inconnu. Les traductions juxtalinéaires et précises de ces poèmes risquent d'être bien sottes, d'autant que le poète s'est amusé parfois à insérer dans la trame de ses poèmes de singulières incongruités, fort bien dissimulées. A d'autres moments, il s'est moqué aimablement de ses lecteurs ; il avait un sens très vif de l'humour à l'anglaise, très froid, très pince sans rire.

De toutes façons, quand on lit les poèmes hermétiques de Mallarmé, il vaut mieux se borner à dégager les images et les idées maîtresses, les thèmes essentiels de cette symphonie de mots, et à recueillir, ensuite, le plus qu'il se peut des vibrations intermédiaires. Le fameux « sonnet en i majeur », qui évoque un cygne pris dans un lac gelé, ne se traduira pas en de simples formules ; mais on y verra, en une symbolisation rare, l'éternelle protestation du poète qui sent son impuissance à traduire un rêve intérieur, ou bien quelque autre protestation analogue de désir et d'impuissance. L'image est unique dans ce poème, et relativement simple ; dans d'autres, deux images s'emmêlent et se combinent incessamment : le *Don du poème*, qui est probablement une manière de dédicace pour *Hérodiade*, brouille l'image d'une douloureuse naissance d'enfant, qu'on offre à un sein complaisant, — et l'enfant, c'est le poème, — avec l'image d'un pauvre oiseau saignant et déplumé — et l'oiseau, c'est encore le poème, dont le poète, insatisfait, sent plus vivement l'insuffisance et la misère. Souvent des détails échappent ; mais, presque toujours aussi, on a la sensation que se colore légèrement, puis s'efface un très beau, un très riche dessin.

Toutes ces réalisations de sa pensée, Mallarmé finit par les juger imparfaites. Ce n'est pas qu'il les reconnût obscures ; il les jugeait trop claires, au contraire, insuffisamment chargées de mystère et de pensée.

6. L'idéal mallarméen. — Au fond, Mallarmé n'estimait point qu'il fût un poète ; il se voyait comme un penseur dont la pensée ne procédait point par les ordinaires voies de la logique, mais par un singulier mélange d'abstrait et de concret, d'images et d'idées. Il élaborait lentement une doctrine, que son œuvre fait assez mal connaître ; mais il l'a révélée, à mesure qu'elle se formait, dans des conversations dont la séduction devait être prestigieuse, car elles ont ébloui tous ceux qui furent admis chez lui ; tous, ils ont parlé du salon de la rue de Rome, où le maître recevait, comme d'un temple où se célébrait un mystère. Un peu de ces conversations nous est venu par eux, et nous en avons aussi quelque chose dans les rares pages en prose de Mallarmé, celles que contiennent le volume *Divagations* et la plaquette *Les Lettres et la musique.*

Le poète pensait que le livre est « un instrument spirituel ». « *Tout au monde*, affirmait-il, *existe pour aboutir à un livre* ! » Flaubert avait bien frôlé cette idée, mais en la traitant comme un paradoxe suggestif et provisoire. Mallarmé estima tout de bon qu'écrire c'est agir : l'alignement des mots, noir sur blanc, est un « pli de sombre dentelle, qui retient l'infini ». Ce geste ouvre un peu du mystère qui nous enveloppe ; il est utile aux Hommes et à la Cité ; il est supérieur aux autres Gestes. Le poète, en effet, est comme l'ancien alchimiste : grâce au sortilège dont il est maître, il s'élève au-dessus de la condition humaine :

Évoquer, dans une ombre exprès, l'objet tu, par des mots allusifs, jamais directs, se réduisant à du silence égal, comporte tentative proche de créer... Le vers trait incantatoire !

Les transmutations d'images et d'idées auxquelles se livre le poète permettent un miracle : « la divine transposition pour l'accomplissement de quoi existe l'homme va du fait à l'idéal ».

Une telle attitude de l'esprit suppose une foi profonde en une correspondance absolue du Logique et du Réel. Cette doctrine existe : c'est l'hégélianisme, qui dispose le Réel et le Logique sur deux plans et les réunit sur un plan supérieur, celui de l'Idée, la seule et la vraie réalité. Il est fort vraisemblable que Mallarmé ait reçu quelque lumière de la doctrine d'Hegel, que l'on commençait à faire connaître en France quand il avait de quinze à vingt ans. En tout cas, il s'est attaché, avec une grande passion de mysticisme philosophique, à recréer le monde en lui, à se tenir en perpétuelle communication avec la Réalité supérieure, l'Idée divine. Cette foi explique l'énormité de ses ambitions. Il sentait frémir en lui les Idées ; il voulait les rendre sensibles à ses lecteurs ; mais il fallait d'abord arracher ces lecteurs au plan du réel ou de la logique commune ; et ils s'y tiennent, pour l'ordinaire, très peureusement accrochés. Seule, la sorcellerie d'un style magique pourrait les élever aux sphères supérieures.

C'est quelque chose de cela qu'il a voulu dire dans sa fameuse *Prose à des Esseintes*, infiniment obscure, malgré les commentaires qu'elle a suscités. On y devine, entre autres choses, l'insinuation que les mots peuvent créer de la réalité, ou, du moins, une réalité supérieure. Mais il est inutile de chercher à expliquer, à « comprendre » : il faut lire, relire, puis fermer le livre et écouter les vibrations des vers. Les mots, en effet, — et l'image plaît à Mallarmé, — ne sont jamais que les gestes d'un chef d'orchestre qu'on voit de dos : dans l'espace qu'il domine éclate et monte la symphonie de l'orchestre. Mallarmé était très musicien, très wagnérien ; il a souvent, dans ses *Divagations*, affirmé le parallélisme de la musique et des Lettres ; « on veut, dit-il, à la Musique limiter le mystère, quand l'Écrit y prétend » ; et, poussant sa pensée, il ne trouvait plus

de différence entre la prose et le vers. Leurs différences
deviennent insignifiantes, dès qu'il s'agit d'une œuvre
de transmutation magique. « Le vers est tout, dès
qu'on écrit » ; toute prose « vaut en tant que vers
rompu » ; il n'y a pas de distinction entre la musique
et « les lettres » ; elles sont

la face alternative, ici élargie vers l'obscur, scintillante là avec
certitude d'un phénomène, le seul, je l'appellerai l'Idée. L'un
des modes incline à l'autre et, y disparaissant, ressort avec
emprunts : deux fois se parachève, oscillant, un genre entier.

Aussi Mallarmé se proposait-il, vers la fin de sa vie,
non plus d'écrire des vers ou de la prose, mais de composer des morceaux de musique : des symphonies, des
sonates. Il fallait, pour cela, augmenter encore l'obscurité des mots ; introduire des blancs, qui fussent comme
des silences ; user de caractères d'imprimerie différents,
qui permissent de souligner ou d'atténuer les motifs ;
élargir la page du livre jusqu'au format de l'album,
afin que les mots pussent s'y inscrire comme sur des
portées de musique... C'est cela que Mallarmé a voulu
réaliser dans une œuvre publiée un an avant sa mort :
Un coup de dés jamais n'abolira le hasard. Pas de vers,
pas de prose ; des mots, des blancs, des minuscules, des
capitales. Un thème hautement philosophique : la pensée lance des coups de dés, elle se jette au hasard ; on
voit un grand naufrage, une lutte ; la pensée se débat
contre l'infini ; elle sombre ; elle réapparaît. Ce poème
pour qui veut le lire avec les habitudes ordinaires des
liseurs de vers, est d'une effarante incohérence ; mais il
reprend un sens pour celui qui se donne la peine de
comprendre le but lointain du poète. Il a eu une grande
influence sur les manifestations les plus récentes de la
poésie contemporaine.

Philosophique, musicale, poétique, l'ambition d'art
de Mallarmé fut la plus extraordinairement haute de

toutes celles que signale l'histoire de la poésie française :
on ne s'étonnera pas que la disproportion soit évidente,
presque toujours, entre le dessein et l'exécution. Mallarmé le savait et le disait ; Rémy de Gourmont l'a répété
en comparant, dans une fort belle image, la poésie de
Mallarmé à une Andromède liée au rocher ; elle voit
approcher le monstre ; elle voudrait fuir, s'élever en
plein ciel ; elle ne peut, car elle est attachée à la terre.
Un effroi et un désir sublimes tourmentent son visage.

7. Arthur Rimbaud. Les premiers vers. — Rim-

baud (1) avait dix ans de moins que Verlaine et que
Mallarmé ; mais son étonnante précocité fit qu'il appartient, poétiquement, à leur génération. Plus tôt qu'eux,
et plus vigoureusement, il se révolta contre la mode en
poésie. Mais son œuvre et son nom restèrent alors
totalement inconnus ; ils ne furent révélés que vers
1885, au moment où Mallarmé et Verlaine entraient
eux aussi dans la gloire. Ils sont la trinité des maîtres
du symbolisme. Si la gloire de Verlaine a décru, celle
de Rimbaud, comme celle de Mallarmé, a continué à
grandir : son action est très efficace sur quelques poètes
d'aujourd'hui, qui tendent à le considérer comme un
des plus étonnants créateurs d'images, un des poètes
les plus prestigieux qui aient jamais existé.

Rimbaud se manifesta à quinze ans comme poète :
à vingt ans, il avait totalement et définitivement renoncé
à la poésie. En trois ou quatre ans il brûla les étapes
d'une longue évolution. Ses premiers vers sont d'un
collégien adroit, et qui a saisi du premier coup la manière
des grands maîtres : il écrit des poèmes attendris ou
satiriques, qui rappellent le V. Hugo des *Pauvres gens*
ou des *Châtiments* ; il s'amuse avec des thèmes parnassiens, adresse un hymne à Vénus, évoque la nature

(1) Voir page 137 : Notes complémentaires.

primitive, ses dieux et ses faunes. Mais bien vite, on
voit s'affirmer la vraie nature de ce poète adolescent :
une puissance de révolte qui le jette contre tout ce que
sa pensée peut saisir : religion, politique, patriotisme,
amour, il n'épargne rien et son sarcasme n'est point du
tout de la pure rhétorique. Déjà le goût de l'errance et
du vagabondage le lançait sur les routes ; dans de
brefs petits poèmes, très réguliers de langue et de mètre,
il inscrivait, avec un trait vigoureux, ses sensations de
bohème lâché sur la vaste terre et joyeux d'avoir rompu
les attaches qui le liaient à une organisation sociale
dont il ne sentait, lui, nullement le besoin.

Bientôt ces premiers essais lui paraissent sans aucun
intérêt : à dix-sept ans, il est dégoûté de sa littérature
et de celle de son temps. En attendant de se dégoûter
de la littérature elle-même, il veut tenter quelque chose
de tout nouveau : il conçoit une nouvelle manière de
voir et de sentir la réalité et la possibilité de créer une
langue nouvelle pour la traduction de ces visions et de
ces sensations.

D'Ennius à Theroldus, de Theroldus à Casimir Delavigne,
écrit-il le 15 mai 1871, tout est prose rimée, avachissement et
gloire d'innombrables générations idiotes... Je dis qu'il faut
être *voyant*, se faire *voyant*. Le poète se fait *voyant* par un
long, immense et déraisonné dérèglement de tous les sens.

Alors il écrit le *Bateau ivre*, une œuvre singulière
et forte, qui ouvre les portes à une nouvelle imagerie
poétique. Elle est d'inspiration livresque, évidemment
peut-être même assez directement issue d'un poème
anglais ; les lectures de Rimbaud, les récits de voyage,
les descriptions exotiques des poètes ont laissé des
traces dans son souvenir ; mais son imagination exaltée
transforme tout cela. Le point de départ a quelque
contact avec la réalité : un fleuve d'Amérique, une
barque qui descend... ; mais, tout de suite, le poète se

tire hors de cette image, bonne pour des romans de
Fenimore Cooper et de Mayne Reid. Le bateau est
emporté vers la mer ; les notions de temps et d'espace
s'abolissent peu à peu ; et le visionnaire du bateau ivre
voit d'effarants spectacles, car il se plonge dans le
« poème de la mer », il devient lui-même une parcelle
vivante de l'énorme houle ; et c'est sous cette nouvelle
forme de vie qu'il contemple les « archipels sidéraux »,
les éclairements du soleil sur la mer, des rivages in-
croyables que nul navigateur n'a atteints, les monstres
marins qu'a créés l'imagination des siècles... C'est un
ruissellement d'images, à demi réelles, à demi fantas-
magoriques, comme peut les former un « voyant »,
et dont il est impossible de caractériser avec des mots
l'intarissable véhémence.

Dans le même temps, Rimbaud écrivit ce fameux
sonnet des *Voyelles*, qui ne fut, probablement, qu'un
amusement pour lui, une fantaisie sur un thème que lui
fournit une lecture de hasard ; mais ce sonnet fit grand
bruit à l'époque symboliste : on y vit une théorie de
l'audition colorée, un dessein très ferme d'introduire
dans la poésie de nouvelles « correspondances » ; et
les désirs musicaux et « harmonistes » de quelques
cénacles s'en trouvèrent très encouragés. Ces vers, même
si Rimbaud ne les a pas pris très au sérieux, signalent, en
tout cas, ses curiosités nouvelles, son désir de remplacer
le vieil instrument poétique par un instrument tout neuf.

8. Arthur Rimbaud. La crise poétique (1871-1873).

— Cette crise poétique atteignit son apogée au moment
de la vie commune de Verlaine et de Rimbaud. De cette
époque datent les *Illuminations*, un recueil d'essais en
prose et en vers, qui ont quelque analogie avec les
Romances sans paroles ; et une *Saison en enfer*, recueil
de proses lyriques, qui est une autobiographie intellec-

tuelle, l'histoire transfigurée de ces deux années d'intense excitation cérébrale.

« Illuminations », cela voulait dire, nous assure Verlaine, des gravures coloriées, des enluminures ; c'est du moins le sens anglais du mot ; mais il est vraisemblable que Rimbaud voyait aussi dans ce titre l'image de feux dans la nuit, d'étincellements de fusées. Cette double acception donne assez bien, en tout cas, idée de ce que contient le recueil. Livre tumultueux, obscur, troublant : Rimbaud, à nouveau et souvent, y dit ses sentiments violents de révolte, son anarchisme exaspéré. Mais surtout on y voit la toute puissance et l'étrangeté des sensations du poète. La réalité n'arrive pas à son esprit sous forme de tableau ordonné, mais comme une série de vagues de sensations diverses, qui, toutes, impérieusement, demandent à s'exprimer, dans le même moment du temps ; elles semblent bousculer les mots, se superposer, se mêler ; le poète se borne à juxtaposer ces sensations dans son vers. Par des procédés pareils, Verlaine, à la même époque, essayait de décrire des paysages anglais ou belges ; mais que ses tableaux semblent logiques, construits, auprès de ceux de Rimbaud !

A ces sensations pures se mêlent parfois, compliquant encore leur agrégat, les états d'âme du poète. Facilement il échappe à l'emprise des notions de temps et d'espace ; il se voit au centre de l'univers ; son regard n'est point arrêté par les villes ni par aucune des œuvres de l'homme ; il ne semble pas voir et penser avec des yeux et un cerveau d'homme ; il se sent seul, très fort et très puissant. Ce tumulte et cette singularité des démarches de l'esprit entraînent de grandes obscurités : volontiers on les dirait plus grandes que celles de Mallarmé, car ce dernier se laisse toujours guider par un fil logique qu'on peut arriver à ressaisir quelquefois ; chez Rimbaud, dès l'origine, il y a désordre dans la

vision. « J'ai seul, dit-il, la clef de cette parade sauvage ».
Les commentaires trop précis qu'on a donnés de quelques-uns des poèmes d'*Illuminations* frisent le ridicule.

Les *Illuminations* font voisiner le « poème en prose »
avec des pièces de vers ; et c'était déjà, à l'exemple de
Baudelaire, s'affranchir de la métrique traditionnelle.
Mais Rimbaud y multiplie aussi les révoltes rythmiques ;
il a des rimes incertaines, des assonances ; il ignore la
règle d'alternance des rimes masculines et féminines ; il
use du vers impair ; il varie et combine les rythmes en
de nombreuses façons... Verlaine a tenté tout cela, en
même temps que lui, et à son exemple, mais bien plus
timidement.

La *Saison en enfer* a été écrite d'avril à août 1873,
c'est-à-dire au moment où la liaison de Rimbaud et de
Verlaine se desserrait, avant de se briser. Sous des
déguisements symboliques, Rimbaud fait défiler les
principales heures de sa crise : les défis à la société, la
lassitude de la servitude sensuelle, les ambitions d'art,
le besoin d'entrer dans le silence, le désir de fuir, de
rompre totalement avec la vie présente, de connaître
« l'aventure », la vraie aventure, bien loin des milieux
et des préoccupations des gens de lettres.

Un poème en prose, l'*Alchimie du verbe* résume les
ambitions d'art du poète en ses moments de plus grande
exaltation :

Avec des rythmes instinctifs, je me flattai d'inventer un
verbe poétique accessible, un jour ou l'autre, à tous les sens.
Je réservais la traduction. Ce fut d'abord une étude. J'écrivais
des silences, des nuits, je notais l'inexprimable. Je fixais des
vertiges... Je m'habituais à l'hallucination simple ; je voyais
très franchement une mosquée à la place d'une usine, une école
de tambours faite par des anges, des calèches sur les routes
du ciel, un salon au fond d'un lac ; les monstres, les mystères ;
un titre de vaudeville dressait des épouvantes devant moi.
Puis j'expliquai mes sophismes magiques avec l'hallucination
des mots ! Je finis par trouver sacré le désordre de mon es-

prit... Je devins un opéra fabuleux... Ma faiblesse me menait
aux confins du monde et de la Cimmérie, patrie de l'ombre
et des tourbillons. Je dus voyager, distraire les enchantements
assemblés sur mon cerveau.

L'hallucination en place de la vision, une langue
totale pour « tous les sens », le pouvoir pour le poète
de voir les êtres vivants ou inanimés avec la figure de
ce qu'ils ne sont point... Nous sommes bien loin des
abstractions mallarméennes, et du souci de l'Idée.
Rimbaud, lui aussi, veut être un sorcier, un « maître
en fantasmagories » ; il veut créer des substances,
« inventer de nouvelles fleurs, de nouveaux astres, de
nouvelles chairs, de nouvelles langues » ; il croit qu'il va
atteindre « des secrets *pour changer la vie* », pour
modifier « les lois et les mœurs ».

Toutes les possibilités harmoniques et architecturales s'émou-
vront autour de ton siège. Des êtres parfaits, imprévus, s'of-
friront à tes expériences. Dans tes environs affluera rêveuse-
ment la curiosité d'anciennes foules et de luxes oisifs. Ta mémoire et tes sens ne seront que la nourriture de ton impulsion
créatrice. Quant au monde, quand tu sortiras, que sera-t-il
devenu ? En tout cas rien des apparences actuelles.

Le désir était trop fort, la crise trop violente. En trois
ou quatre ans, Rimbaud avait vécu une longue vie
intellectuelle ; il se sentait comme mort. « Je ne sais
plus parler », disait-il ; ni les mots, ni les rythmes ne
pouvaient satisfaire son grand tourment intérieur.
Brusquement, il recommença sa vie ; pendant quelques
années, il vagabonda à travers l'Europe, l'Asie, l'Afrique,
passant par d'extraordinaires aventures ; puis il parut
se calmer et se fixa en Abyssinie, occupé à une dure
tâche de trafiquant colonial. Il apprit sa gloire poétique ; il ne s'en soucia point ; son passage dans le
monde des gens de lettres ne lui paraissait plus, depuis
longtemps, qu'une « saison en enfer », une désolante
hallucination. « Cela s'est passé, écrivait-il dès 1873.

Je sais aujourd'hui saluer la Beauté » ; mais ce n'était
point comme poète.

NOTES COMPLÉMENTAIRES

I. **Verlaine.** — Paul Verlaine est né à Metz le 30 mars
1844 ; sa famille vint à Paris quand il était tout enfant ; il
fit de bonnes études secondaires à la pension Landry et au
lycée Bonaparte (Condorcet), passa son baccalauréat (août
1862), puis commença ses études en droit ; il ne travaillait
guère ; on fit de lui un petit employé de bureau à l'Hôtel de
Ville (1864). Il fréquente les cénacles parnassiens, et publie les
Poèmes saturniens (1866) et (sous un pseudonyme, à Bruxelles)
les *Amies* (1867). En 1869 il publie les *Fêtes galantes* (reproduction photographique du manuscrit, 1922). Déjà il s'adonnait fort à la boisson : il tente de se ranger, se marie (11 août
1870) et publie, sous le titre *La bonne chanson*, les vers qu'il
a composés pour sa fiancée. Il ne se range point, et boit de
plus en plus. En octobre 1871, il fait connaissance avec Rimbaud, qui a sur lui une grande influence ; en juillet 1872, il
quitte Paris avec lui. Il s'entendait depuis longtemps aussi
mal que possible avec sa femme et ses beaux-parents. La séparation sera prononcée en 1875, et le divorce en 1885. Avec
Rimbaud, Verlaine vit en Belgique et à Londres ; le 10 juillet
1873, affolé à la pensée que son ami va le quitter, il le blesse
légèrement d'un coup de revolver ; arrêté, il est condamné (8 et
27 août) à deux ans de prison, que l'application du régime
cellulaire réduit un peu. Pendant son séjour en prison, il fait
publier ses *Romances sans paroles*, 1874, et écrit *Cellulairement*
(non publié : le contenu a été réparti dans deux ou trois recueils postérieurs). Il est libéré le 16 janvier 1875 ; et pendant
quelques années, six ans environ, il mène une vie relativement
sobre et sage. D'ailleurs, en prison, il a eu un grand élan de
foi chrétienne. Il devient professeur dans quelques institutions
laïques et religieuses, en France et en Angleterre. En 1881,
il publie *Sagesse*, des vers pieux (reproduction autographique,
1913). L'alcool, la femme et la bohème le reprennent. Après
un essai malheureux d'installation à la campagne, il vient à
Paris (1885), et ne tarde pas, ayant épuisé toute la fortune
familiale, à devenir fort misérable ; la maladie l'envoie souvent
à l'hôpital. Vers 1885, il commence à être connu : il devient
vite célèbre. Il publie alors un certain nombre de recueils de
vers : *Jadis et naguère*, 1884 ; *Amour*, 1888 ; *Parallèlement*,
1889 ; *Dédicaces*, 1890 ; *Femmes*, 1890 (recueilli avec les *Amies*

et *Hombres*, 1904, dans la *Trilogie érotique*, 1907) ; *Bonheur*
et *Chansons pour elle*, 1891 ; *Liturgies intimes*, 1892 ; *Élégies*
et *Odes en son honneur*, 1893 (Mss. reproduit, 1925) ; *Dans
les limbes* et *Épigrammes*, 1894 ; il faut ajouter des recueils
posthumes : *Chair et Invectives*, 1896 ; *Bibliosonnets*, 1913. De
cette époque datent aussi un certain nombre d'œuvres en
prose : les *Poètes maudits*, 1884 ; *Louise Leclercq*, 1886 ; *Mémoires d'un veuf*, 1886 ; *Mes hôpitaux*, 1891 ; *Mes prisons*, 1893 ;
Quinze jours en Hollande, 1893 ; *Confessions*, 1895. Verlaine
est mort à Paris le 8 janvier 1896.

Œuvres complètes, chez Messein, 5 vol. (1898-1903), suivies
d'*Œuvres posthumes*, 2 vol. (1911-1913), et d'*Œuvres oubliées*
(1926 et 1930). *Œuvres complètes et œuvres posthumes* (1933),
8 vol. ; *Correspondance*, 3 vol. (1922-1929). Une édition de luxe
des *Poésies complètes* (7 vol., 1924-1927) renferme des pièces
inédites.

A consulter : A. Van Bever et M. Monda, *Bibliographie
et iconographie de Verlaine*, 1926 ; G. A. Tournoux, *Bibliographie verlainienne*, 1912 ; P. Martino, *Verlaine*, 1924 ;
M. Coulon, *Verlaine poète saturnien*, 1929 ; R. Clauzel,
Sagesse et Paul Verlaine, 1929 ; F. Porché, *Verlaine tel qu'il
fut*, 1933 ; ex-Mme P. Verlaine, *Mémoires de ma vie*, 1935.

II. Tristan Corbière. — On peut inscrire à côté de Verlaine Tristan Corbière (1845-1875), auteur des *Amours jaunes*
(1873, éd. déf. 1912), qui vécut une courte existence, empoi-
sonnée par la maladie, et s'amusa à tenter des innovations
rythmiques, à écrire des « vers faux », avec des hiatus, des
muettes comptées. « L'Art ne me connaît pas, affirmait-il.
Je ne connais pas l'Art. » Son œuvre renferme, à côté de tableaux de la vie des marins bretons, des pièces, pleines d'humour et de blague, où il dit son désespoir ; il fut comme une
première ébauche de Jules Laforgue. Il composa plusieurs
fois son épitaphe ; en voici une :

> C'était à peu près un artiste,
> C'était un poète à peu près,
> S'amusant à prendre le frais
> En dehors de l'humaine piste.

A consulter : R. Martineau, *Tristan Corbière*, 1925.

III. Mallarmé. — Stéphane Mallarmé est né à Paris le
18 mars 1842. A vingt ans, il fait un séjour en Angleterre, se
fait recevoir en septembre 1863 au certificat d'aptitude à l'enseignement de l'anglais, et enseigne l'anglais dans les lycées
de Tournon (1863-1866), Besançon (1867), Avignon (1868-
1870). Il collabore aux deux premiers *Parnasse contemporain*

il est alors en relations avec Mistral, Aubanel, F. Coppée, Glatigny, etc. Il travaille, en 1869, à un poème : *Igitur d'Elbehnon*, resté inachevé (publié en 1925). Il vient à Paris en 1871, enseigne l'anglais au lycée Condorcet, puis au lycée Janson-de-Sailly, puis au collège Rollin. A partir de 1880, son salon devient un lieu de réunion pour un petit nombre de jeunes poètes. Il prend sa retraite au début de 1894, et meurt à Valvins, près de Paris, le 9 septembre 1898.

Mallarmé a publié plusieurs traductions de l'anglais et un journal, *La dernière mode* (1874-1875) (réimprimé à New-York en 1933). Œuvres les plus importantes : *L'après-midi d'un faune*, avec vignettes de Manet, 1876 ; *Poésies complètes*, 1887 (photogravées sur le manuscrit, à 40 exemplaires) ; *Vers et prose*, 1893 (choix) ; *Pages*, 1891 ; *La musique et les lettres*, 1891 ; *Divagations*, 1897. On a publié en 1913, pour la première fois, ses *Poésies complètes* ; depuis : *Un coup de dés jamais n'abolira le hasard*, 1914 ; *Madrigaux*, 1920 ; *Vers de circonstance*, 1920 ; *Contes indiens*, 1927 (Voir : MONDA et MONTEL, *Bibliographie de S. Mallarmé*, 1927 ; A. THIBAUDET, *La poésie de Stéphane Mallarmé*, 1919, rééd. 1927 ; C. MAUCLAIR, *Mallarmé chez lui*, 1935).

IV. RIMBAUD. — Arthur Rimbaud est né le 20 octobre 1854 à Charleville. En septembre 1871, il est accueilli avec enthousiasme par Verlaine et ses amis. De juillet 1872 à juillet 1873, il vit avec Verlaine en Belgique et à Londres ; le 10 juillet 1873, à Bruxelles, son ami le blesse d'un coup de revolver. Rimbaud fait imprimer à Bruxelles, en 1873, *Une Saison en enfer*, mais ne met pas le livre en circulation. Puis il renonce à la littérature. Sa vie vagabonde l'entraîne aux Indes, en Égypte, en Arabie, en Abyssinie. Il meurt le 10 novembre 1891, à l'hôpital de Marseille.

Les *Illuminations*, composées en 1871-1873, ont été publiées en 1886 ; *Une Saison en enfer*, réimprimée en 1892. Les *Poésies complètes* ont été publiées en 1895, rééditées, plus complètes, en 1922. Les *Œuvres* (vers et prose) ont été publiées en 1897, 1923 et en 1931 avec des poèmes retrouvés. *Lettres*, 1899 (rien sur la période poétique) ; *Lettres de la vie littéraire*, 1931 ; *Un cœur sous une soutane*, 1924 ; *Voyage en Abyssinie et au Harrar*, 1928 ; *Vers de collège*, 1932. — (A consulter : MONDA et MONTEL, *Bibliographie des œuvres de A. Rimbaud*, 1928 ; — F. RUCHON, *J.-A. Rimbaud*, 1929 ; — M. COULON, *La vie de Rimbaud et son œuvre*, 1929 ; — E. DELAHAYE, *Les Illuminations* et *Une Saison en enfer*, 1927 ; — R. CLAUZEL, *Une Saison en enfer*, 1931).

CHAPITRE VIII

LE MOUVEMENT SYMBOLISTE.
LES INFLUENCES ET LES COMMENCEMENTS.
LES ÉCOLES ET LES THÉORIES.

---

1. L'ambiance nouvelle et les grosses influences. —
Verlaine, Mallarmé, Rimbaud, malgré leurs attaches
parnassiennes évidentes, sont bien en dehors de la
tradition du Parnasse. Tous trois, ils se sont révoltés ;
et, si l'on cherche les raisons les plus profondes de leur
révolte, on voit qu'elles leur sont communes : ils se sont
révoltés, comme Baudelaire, contre les réalisations de
l'esprit positiviste, qu'il s'agît de morale, d'art ou
d'organisation sociale. Le positivisme croyait pouvoir
bien expliquer le monde, le peindre et le régenter ; eux,
insatisfaits de ces explications, ils trouvaient partout
l'énigme, le mystère, l'inquiétude. Ce trouble intellectuel,
dont ils étaient les premiers avertisseurs, grandit peu à
peu, après 1870 ; en quinze ans, malgré les progrès du
positivisme qui, sous le nom de naturalisme, envahissait
le roman et le théâtre, il créa une force de réaction,
insuffisante évidemment pour arrêter tout à fait le
mouvement positiviste, mais capable de lui imposer
des limites.

Dans tous les domaines, le positivisme avait voulu
supprimer le mystère : partout, le mystère réapparais-

sait, comme une objection aux résultats insuffisants de
la science, ou bien comme un besoin de la sensibilité.
La curiosité métaphysique, qu'un Berthelot traitait
avec mépris, y voyant un jouet de luxe, reprit courage ;
quelques grandes spéculations philosophiques, fort
idéalistes, furent accueillies avec faveur. Spencer s'était
depuis longtemps manifesté comme un adversaire
d'Auguste Comte ; en 1871, on traduisit ses *Premiers
principes* ; toute la première partie du livre était employée à établir la notion de l'*Inconnaissable*, qui
limitait singulièrement, en surface, l'action du positivisme. Spencer prétendait établir que « la puissance
dont l'univers est pour nous la manifestation est complètement impénétrable » ; du coup, il reconstituait le
domaine religieux, que le positivisme avait supprimé ;
il lui rendait tout ce qui échappait à la Science.

Après l'Inconnaissable, il y eut l'*Inconscient*, qui, lui,
donna au positivisme des limites en profondeur. En
1877, on traduisit la *Philosophie de l'Inconscient*, de
Hartmann, qui expliquait le monde par l'existence d'un
esprit inconscient, tout puissant, moteur premier, sur
lequel rien ne pouvait agir. Au même moment, la doctrine de Schopenhauer, qui avait commencé à s'infiltrer
en France dès les premières années du Parnasse, reçut
comme une poussée qui l'installa dans la faveur des
intellectuels : 1880 marque le point culminant de cette
influence. Le pessimisme de Schopenhauer n'était point,
d'intention, antipositiviste ni antiscientifique, mais
son désespoir devant les constatations de la science
produisait, chez beaucoup de lecteurs, les mêmes effets
qu'une doctrine vraiment agressive. Plus fortement,
et plus sérieusement que les Parnassiens, la jeune génération adhéra à la philosophie de l'Illusion et se plut à
penser, avec Schopenhauer, que le monde n'était qu'une
« représentation ».

Pessimisme, renoncement à agir, goût du mystère, velléités religieuses, toutes ces tendances s'unissent et se renforcent ; un fort courant d'idéalisme métaphysique se dessine. Le positivisme ne s'attachait qu'à la réalité perceptible, à l'objectif ; les nouveaux rêveurs et les nouveaux philosophes se détournent de la réalité, ou même la nient. « L'objectif, dira le journal *Le Symboliste*, à ses débuts, n'est que pur semblant, qu'apparence vaine, qu'il dépend de moi de varier, de transformer à mon gré ». Chez Verlaine, chez Mallarmé, chez Rimbaud, chez beaucoup de symbolistes, on retrouve, à des degrés de conviction divers, cette même croyance bien installée. La réalité, présente ou passée, et la traduction de la réalité sont de plus en plus méprisées.

On se prend, dans les milieux de jeunes, à aimer les écrivains méconnus de l'âge précédent, qui ont eu peu de souci de la réalité, et dont l'œuvre, pleine de rêves, flatte ce goût nouveau du mystère : Baudelaire, « l'immense Ch. Baudelaire », écrit Tailhade, en 1884, et que Bourget et Barrès expliquent selon les goûts du jour ; puis bientôt Verlaine et Mallarmé ; Villiers de l'Isle Adam (1), qui apparut, aux premiers temps du symbolisme, comme « une protestation vivante contre l'esprit réaliste et positiviste de son temps. Dans la marée naturaliste qui submergea presque, à un moment, la pensée française, il demeura une des pierres qui opposa au flot son bloc indicateur. Il fut un des représentants de l'Idéalisme » (H. de Régnier) ; il déteste toutes les réalités d'aujourd'hui, et ne se trouve à son aise que dans le fantastique et le mystérieux ; il ne conçoit la littérature que comme une expression symbolique de ses rêves. On donne alors de la gloire aussi

(1) Voir page 159 : Notes complémentaires.

à Barbey d'Aurevilly, parce qu'il déteste le réalisme, le naturalisme, le positivisme ; parce qu'il est spiritua- liste et catholique, qu'il croit à Dieu et au Diable, et qu'il ne conte que des aventures inouïes, irréelles, impossibles.

Bientôt on s'enthousiasmera pour le roman russe. E.-M. de Vogüé, qui le révèle, en 1884, apparaît comme « le Chateaubriand d'une nouvelle Renaissance reli- gieuse » ; de son livre on datera le « commencement de l'ère néo-mystique ». Tous les mécontentements de l'heure, philosophiques, moraux, politiques, artistiques, poétiques, trouvent à se satisfaire dans quelques-unes de ces doctrines ou de ces admirations.

Les formules d'art et le mouvement artistique sont, alors, — ainsi qu'il est presque toujours arrivé au XIXe siècle, — en avance sur le mouvement littéraire. La musique de Wagner, après bien des résistances, connaît enfin des accueils triomphaux ; son influence, pendant quelques années, est profonde sur les gens de lettres et les artistes.

La fréquentation des opéras de Wagner, dit A. Poizat, fit naître, à la même époque, chez quelques poètes, l'idée d'une sorte d'orchestration littéraire du poème, c'est-à-dire qu'ils se demandèrent s'il n'y aurait pas moyen d'envelopper le texte principal d'un accompagnement plus purement musical, d'une escorte de mots parallèles choisis surtout pour leurs sonorités et leur richesse de songeries, pour leurs allusions à des choses en apparence étrangères au sujet et lointaines, mais exprimant tout de même des correspondances mysté- rieuses de ce sujet avec d'autres sujets plus vagues et plus généraux, en d'autres termes de baigner le thème dans un milieu mélodique et philosophique qui le pénétrerait et le pro- longerait sans l'absorber.

La *Revue wagnérienne*, une des revues importantes du mouvement symboliste à ses débuts, propagera, à partir de 1885, le culte raisonné de Wagner. Il lui sera facile de cueillir dans les écrits du maître des invitations à étendre le pouvoir de la poésie, en faisant de son rythme une vraie musique. « L'œuvre la plus complète du poète, avait-il écrit dès 1860, dans sa *Lettre sur la musique*, doit être celle qui, dans son dernier achèvement, *serait une parfaite musique*. » L'heure paraît venue, en 1885, de réaliser ce programme intégral que Baudelaire, Verlaine et Mallarmé n'avaient fait qu'entrevoir et qu'amorcer.

La jeune peinture, depuis dix ans, est franchement impressionniste ; elle renouvelle, elle aussi, à sa façon, la vision commune de la réalité ; elle déshabitue de la présentation académique ou réaliste des paysages, de la lumière. Le préraphaélitisme anglais et les théories de Ruskin sont reçus avec faveur. Puvis de Chavannes fait accepter des allégories nouvelles, teintées d'une lumière de rêve ; Carrière plonge dans la brume ses intérieurs et ses portraits. Sous l'influence des Goncourt, les « esthètes » s'enthousiasment pour l'art japonais. Les plus exaspérés parmi les jeunes artistes ouvrent le Salon des Arts incohérents ; ils s'amusent à de grosses plaisanteries, choisissent des sujets extravagants, usent de procédés cocasses : c'est un moyen comme un autre de marquer leur lassitude des formes d'art généralement acceptées.

De tous les côtés s'élève un esprit de révolte : la révolte de la jeune génération, ou, du moins, d'une partie de la jeune génération, celle qui n'a pas trouvé à s'installer confortablement dans les cadres sociaux. Les jeunes gens se dressent contre tout le système politique, social, intellectuel, artistique, qu'ils ont hérité, bien malgré eux, de leurs aînés : l'armée, l'ordre moral, l'art trop bien stylisé, le roman réaliste, la foi positiviste, tout cela est périmé ; il faut être anarchiste ou réactionnaire, c'est-à-dire, d'une façon ou d'une autre, renier les admirations et les besoins de la société pré

sente. Le symbolisme est, avant tout, une des formes
de ce grand reniement.

2. Apparition de l'esprit « décadent ». — Il y eut, vers
1880, toute une série de cénacles de jeunes, dont on a
écrit déjà plusieurs fois l'histoire anecdotique : les
Hydropathes, les Hirsutes, Nous autres, les Jemen-
foutistes, les Zutistes, le Chat noir, etc. ; et l'on veut
que ce soit là qu'ait commencé le symbolisme. Il est
vrai que dans ces petits groupes d'étudiants, de rapins
et de gens de lettres se rencontrèrent la plupart de ceux
qui ont compté à l'époque symboliste. Mais ces premiers
groupements n'ont pas de tendances littéraires bien
nettes : on y a lu et applaudi des vers parnassiens et
romantiques ; on ne s'y souciait guère des arts poétiques nouveaux. Par contre, les opinions philosophiques
et politiques étaient généralement fort violentes. *La
Nouvelle rive gauche* (premier numéro : 9 novembre
1882) est socialiste-révolutionnaire ; en mars 1883, elle
se transforme et s'appelle *Lutèce* ; elle continue à marquer sa sympathie aux opinions politiques et sociales
les plus avancées ; la *Revue indépendante* (premier
numéro : mai 1884) multiplie les professions de foi
matérialistes et anti-religieuses ; on dit son fait à l'idée
de patrie ; on est pour la République internationale ;
on esquisse des reconstructions communistes de la
France ; on démolit la morale ; on revendique la liberté
absolue de la chair ; on proclame « le droit à la passion
intégrale » !

C'est dans ces milieux qu'apparaît l'état d'esprit
« décadent », la toute première manifestation de l'esprit
symboliste. *Décadent* est un mot nouveau, peut-être
créé après la lecture d'un sonnet où Verlaine, évoquant
des images de la décadence romaine, disait sa « langueur », son dégoût de l'action, sa certitude que rien,

dans la vie, ne valait la peine qu'on la vécût. Jules Laforgue, dès le début de 1882, emploie ce mot pour caractériser, avec éloges, l'état d'esprit des jeunes. La tendance des décadents est, en effet, comme celle des milieux où elle a paru, beaucoup plus philosophique que littéraire. On a souvent affirmé que le symbolisme fut un « mouvement libertaire » et qu'il apporta, comme « philosophie sociale, l'anarchie » ; ce n'est que très partiellement exact pour le symbolisme, mais c'est rigoureusement vrai pour le « Décadisme » ; et le symbolisme a accepté une bonne partie de l'héritage des décadents ; toujours il fut très tenté par les doctrines anarchistes. Les Décadents — ils acceptent tout de suite comme étiquette le mot qu'on leur a jeté en manière d'injure — sont surtout préoccupés de tout saccager dans le domaine intellectuel :

Nés du surbaséisme d'une civilisation schopenhauéresque, dira, le 10 avril 1886, le journal *Le Décadent*, les Décadents ne sont pas une école littéraire. Leur mission n'est pas de fonder. Ils n'ont qu'à détruire, à tomber les vieilleries...

Se dissimuler l'état de décadence où nous sommes arrivés serait le comble de l'insenséisme. Religion, mœurs, justice, tout décade... La société se désagrège sous l'action corrosive d'une civilisation déliquescente. L'homme moderne est un blasé. Affinement d'appétits, de sensations, de goûts, de luxe, de jouissances, névrose, hystérie, hypnotisme, morphinomanie, charlatanisme scientifique, schopenhauérisme à outrance, tels sont les prodromes de l'évolution sociale.

Les Décadents ne sont point du tout hostiles au naturalisme, que mépriseront bientôt les symbolistes. Les naturalistes, eux aussi, croient à la décadence de la société moderne et ils la peignent avec plaisir, telle qu'elle est ; au nom du positivisme, ils nient les affirmations de la « morale publique et religieuse » ; ils décrivent minutieusement les instincts de l'homme ; ils s'attachent surtout à peindre sans préjugés ce que la littérature appelle « amour », et que, eux, ils nomment instinct sexuel. A la *Revue indépendante*, Zola, E. de Goncourt, Huysmans, P. Alexis, H. Céard, Mirbeau se rencontrent avec Mallarmé, Villiers de l'Isle Adam, Barbey d'Aurevilly, Verlaine. Tout aussi logique que la rage naturaliste d'affirmer les « laideurs » de la vie est une volonté de nier les conditions mauvaises de cette vie, de se révolter contre l'instinct, d'échapper à la grande tromperie de l'existence. Plusieurs, parmi les décadents, affectent le mépris de la femme et vont vers les dérèglements de l'instinct, ou bien vers un mysticisme de chasteté. Valbert, le héros bien caractéristique d'un roman de T. de Wyzewa (*Valbert*, 1893), est blasé sur l'amour ; il choisit de vivre avec une femme pour lui affirmer qu'il ne croit pas à la réalité du monde et qu'il « hait les besoins violents » ; il estime tout naturel de tenter une expérience impossible. Les adversaires des décadents ont beau jeu à se moquer ou bien à s'indigner de leurs affectations de grossièreté comme de leurs prétentions au mysticisme.

Les Décadents paraissent se soucier fort peu des questions de forme et d'art. Poètes, ils acceptent d'abord les rythmes traditionnels et ne revendiquent que le droit au néologisme : « à des besoins nouveaux correspondent des idées nouvelles, subtiles et nuancées à l'infini. De là la nécessité de créer des vocables inouïs pour exprimer une telle complexité de sentiments et de sensations physiologiques ». C'est, très vite, une course au néologisme, et aussi un dessein très suivi de désarticuler la syntaxe régulière. Le *Petit glossaire pour servir à l'intelligence des auteurs décadents et symbolistes*, de Jacques Plowert (pseudonyme de P. Adam), enregistre, en 1888, un demi-millier de ces mots nouveaux : abscons, adamantin, albe, attirance, bibliopole, clangorer, emmi, errance, flavescent, fragrance, hiémal, lactescent, lové, marcescent, navrance, radiance, stag-

nance, torpide, trépider..., bien d'autres encore, plus
rares et singuliers, dont on croit avoir besoin pour
traduire les nouvelles complexités de l'âme moderne.
Les symbolistes ne renonceront que difficilement à cette
volupté du néologisme.

Il y eut alors, pendant deux ou trois ans, une « vraie
poussée d'extravagance » (R. de Gourmont), et la lecture
des productions de cette époque donne souvent à sourire : quelle ingénuité dans le cynisme ou le mysticisme !
Peu d'œuvres véritables (1) et qu'on puisse apprécier
aujourd'hui autrement que comme des documents
d'histoire littéraire. Jules Laforgue, seul, se détache en
pleine lumière ; Laurent Tailhade apparaît comme bien
artificiel ; Ephraïm Mikhaël, Rodenbach, au contraire,
sont de bien timides décadents. Il est vrai que c'est le
moment où l'on découvre Verlaine et Mallarmé : ils
sont, en 1885, les vrais poètes des Décadents. Ce fut
une révélation rapide ; en 1882, *Le Chat noir* ignore
Verlaine et *La Nouvelle rive gauche* lui reproche ses
hardiesses ; en 1883, il est le poète habituel de *Lutèce* ;
Barrès voit en lui « le dernier degré de l'énervement
dans une race épuisée » (*Les Taches d'encre*, 1884) ;
Bourget assure que la jeunesse aime en lui « tout ce qui
est suggestion, demi-teinte, recherche de l'au delà,
clair-obscur d'âme » (1885). Mallarmé est moins bien
compris, car il est trop intellectuel, mais on croit savoir
et on dit que son art est, avant tout, « sensationniste »
(Barrès), et cela suffit pour qu'il soit accepté des décadents. Verlaine, ensuite, révèle quelques « poètes maudits » : Tristan Corbière, Rimbaud.

Les livres les plus caractéristiques de l'époque décadente — les œuvres de Laforgue mises à part — sont
des œuvres d'analyse et de critique plutôt que des recueils de poèmes. L'*A rebours* d'Huysmans (1884) consa-

---

(1) Voir page 160 : Quelques poètes de l'époque décadente.

cre les gloires nouvelles de Verlaine et Mallarmé, et, avec une pittoresque affabulation, pousse jusqu'à l'extrême ce besoin de sensations rares et de révolte qui tourmente quelques artistes de la jeune génération. Il servit d'Évangile au symbolisme naissant, car il fixait, sous forme artistique, ses goûts les plus forts : son horreur de la réalité banale, son besoin de nouveau à tout prix. Les *Déliquescences d'Adoré Floupette* (1885), œuvre de G. Vicaire et H. Beauclair, sont un livre de parodie ; mais il put passer, au moment de sa publication, pour un livre ingénu et sincère, tant les auteurs avaient réussi à pasticher Verlaine, Mallarmé, Laurent Tailhade, Laforgue, les collaborateurs de *Lutèce* et de la *Revue indépendante*. Le succès de cette plaquette éveille la curiosité publique, anime les poètes, leur indique les nouveaux modèles à imiter. C'est dans les semaines qui suivent que commence « l'histoire » du mouvement symboliste.

3. La poésie décadente. Jules Laforgue. — C'est peut-être restreindre la portée et la valeur de l'œuvre de Laforgue (1) que de la considérer uniquement comme une manifestation de l'époque « décadente » ; mais les dates sont là pour nous y obliger et les tendances de l'œuvre sont évidentes. Les *Complaintes*, affirmait assez exactement, en 1903, un rédacteur de l'*Ermitage*, sont « le seul (livre) abouti, mais celui-là considérable, qu'ait produit le *décadentisme* » ; du moins est-il vrai que la culture de Jules Laforgue, ses inquiétudes et ses ambitions d'art correspondent à une forme supérieure de l'état d'esprit décadent.

« Il savait tout, dit-il d'un personnage de ses *Moralités légendaires*, les philosophies et l'histoire, les sciences morales et les paradoxes ; il s'entendait à tout mêler dans son idéal de coin de feu. » Du moins il croyait, lui,

(1) Voir page 161 : Notes complémentaires.

« tout savoir », parce que, pendant deux ans, dès le
lycée quitté, il s'était jeté avec passion sur un paquet de
livres philosophiques ; il s'était instruit dans la philosophie de l'Inconscient et dans toutes les doctrines qui
enseignaient alors le pessimisme, la toute-puissance de la
Fatalité, la douleur de vivre. Sa sensibilité, qui était
profonde, souffrit de ces révélations ; le néant qu'il
créait autour de lui l'oppressait. Longtemps il se rappel-
lera avec terreur cette période de fièvre intellectuelle.
« Quand je relis mon journal de cette époque, je me
demande avec des frissons comment je n'en suis pas
mort. » Il perdit sa foi religieuse, sa « petite névrose »,
disait-il ; et il en fut malheureux, car il aimait à être
croyant et se sentait des « enthousiasmes de prophète » ;
puis il se calma, il se résigna à être « dilettante, virtuose,
guitariste,... avec, parfois, des petits accès de nausée
universelle ». Devenu un « pessimiste mystique », il
s'efforça à regarder passer, en souriant, le « carnaval de
la vie » ; il croyait être parvenu au « renoncement » :

Voir toute la douleur de la planète, éphémère et perdue dans
l'universel des cieux éternels, inutile, sans but et sans témoin ;
se pénétrer de l'inutilité, du mal et de la vanité de tout, de la
Réalité universelle. Désirer l'Illusion... A de certaines heures,
méditations : se représenter vivement par l'imagination toutes
les souffrances qui crient en ce moment sur la terre. Résignons-
nous à ne rien savoir, à ne rien pouvoir... et arrivons au renoncement par la conscience de la vanité éphémère de notre planète et la contemplation de l'affolement solennel, universel,
éternel et sans cœur des torrents d'étoiles.

Ce sont ces pensées et ces visions que, à partir de 1878,
il essaya de fixer dans de « petits poèmes de fantaisie »,
où il voulait « faire de l'original à tout prix » :

L'histoire, le journal d'un Parisien de 1880, qui souffre,
doute et arrive au néant, et cela dans le décor parisien, les
couchants, la Seine, les averses, les pavés gras ; ...et cela dans
une langue d'artiste fouillée et moderne, sans souci des codes

du goût, sans crainte du cru, du forcené, des dévergondages cosmologiques et du grotesque, etc.

Tous les tons et tous les sujets se mélangent. Il y a quelques grandes visions cosmiques, par exemple la mort de la Terre et son convoi funèbre à travers l'Infini. Mais, le plus souvent, le poète écrit de simples « complaintes », sur le mode familier et sarcastique des vraies complaintes populaires, où il « narre ses petites affaires » et se plaint, en vingt façons, que la vie soit « quotidienne » ; en même temps qu'il se plaint, il se blague lui-même avec un humour cocasse. Il fixe par de brèves notes ses méditations sous le regard de « Notre-Dame la Lune », les tristes dimanches vécus en province, les gémissements du vent, les pensées du soir, etc... et toujours revient, en leit-motiv, l'affirmation de l'Inconscient, le désespoir de l'impuissance humaine. Surtout Jules Laforgue dit son besoin d'amour ; « Toujours, mon cœur, ayant ainsi déclamé, En revient à sa complainte : Aimer, être aimé ». Tantôt, peu difficile, il se borne à souhaiter « deux sous de jupe et deux sous de regards et tout ce qui s'ensuit » ; tantôt, et le plus souvent, il rêve de pures jeunes filles et d'heureuse union... Brusquement, il se souvient de Schopenhauer ; il se sent un « brave mâle » devant « l'Éternel féminin », et la Dame de son rêve cesse de minauder ; elle se révèle comme un agent subalterne de l'Inconscient :

> Si mon air vous dit quelque chose,
> Vous auriez tort de vous gêner ;
> Je ne le fais pas à la pose,
> Je suis la Femme : on me connaît...
>
> Vous n'êtes que de braves mâles,
> Je suis l'Éternel Féminin.

Sincérité angoissée et ironie, philosophie et gaminerie, grandes images et propos d'argot, c'est de ces contrastes

perpétuels qu'est faite la poésie de Jules Laforgue.Ses
Moralités légendaires, où il modernise drôlement de belles
histoires d'autrefois, sont le triomphe de cette manière.
La langue, le style et le rythme se sont mis à l'unisson ;
le poète tâche de se créer de nouveaux moyens d'expression, en forgeant de nombreux mots, très pittoresques,
et en disloquant la phrase de la langue littéraire, trop
logique ; il multiplie, par procédé, les comparaisons les
plus inattendues. Peu à peu, aussi, il se libère des formes
rythmiques traditionnelles : assez exactement parnassien, au début, il adopte, dans les *Complaintes*, une métrique fantaisiste, bouleverse les coupes, s'amuse avec
l'*e* muet, multiplie les hiatus, rime « à la diable ».
Bientôt cela ne lui suffit plus ; en 1886, il inaugure le
vers libre, et récrit même, sous cette forme, quelques
poésies qu'il avait rimées. Sa langue et sa prosodie
deviennent un modèle qu'imitent les Décadents.

4. Le symbolisme. Les écoles et les revues. — Au

moment où Jules Laforgue meurt (1888), le mot Décadent et les idées qu'il enferme sont devenus insuffisants
pour traduire les ambitions poétiques, très accrues, de
la nouvelle génération ; depuis deux ans déjà, on connaît
le mot *Symbolisme* et on en use.

Les symbolistes furent des théoriciens plus exigeants
et plus heureux que les Décadents ; ils étaient plus cultivés, en général, moins désireux avant tout d'effarer ;
ils ne prirent pas obstinément quelques moyens pour le
but, ainsi qu'avaient fait la plupart des Décadents. Leur
définition du symbole, comme tendance essentielle de
la poésie moderne depuis Baudelaire, s'imposa vite ;
elle était très compréhensive : c'est la seule étiquette qui
ait survécu, de toutes celles qui furent alors essayées.
Le nouveau mot eut pour parrain Moréas ; il le vulgarisa
« comme la seule (dénomination) capable de désigner

raisonnablement la tendance actuelle de l'esprit créateur
en art ». Le succès de ce mot signifie nettement que le
prestige de Mallarmé l'emporte sur celui de Verlaine,
que prônaient les Décadents ; les symbolistes ne l'appré-
cièrent guère que comme un adroit libérateur du vers.

Un manifeste de Moréas, dans le *Figaro* (18 septembre
1886), définit le symbolisme et marqua moins son intention de détruire que son désir de créer ; sa définition est
fort abstraite : elle insiste sur la volonté, très mallar-
méenne, de faire disparaître la réalité devant l'Idée.

Ennemie de l'enseignement, de la déclamation, de la fausse
sensibilité, de la description objective, la poésie symboliste
cherche à vêtir l'Idée d'une forme sensible, qui, néanmoins,
ne serait pas son but à elle-même, mais qui, tout en servant
à exprimer l'Idée, demeurerait sujette. L'Idée, à son tour, ne
doit point se laisser voir privée des somptueuses simarres des
analogies extérieures ; car le caractère essentiel de l'art symbolique consiste à ne jamais aller jusqu'à la conception de
l'Idée en soi. Ainsi dans cet art, les tableaux de la nature,
les actions des humains, tous les phénomènes concrets ne sau-
raient se manifester eux-mêmes : ce sont là de simples apparences sensibles destinées à représenter leurs affinités ésoté-
riques avec des Idées primordiales.

Le manifeste est moins précis sur les questions de
forme ; aussi bien n'est-il pas question, en 1886, de vers
libre ; et les jeunes poètes sont mal dégagés encore des
habitudes de rimer qu'ils ont prises en imitant les modèles parnassiens, par quoi ils ont commencé, faute de
mieux. Moréas ne parle que de libertés et de mélange de
styles :

Pour la traduction exacte de sa synthèse, il faut au symbolisme un style archétype et complexe : d'impollués vocables,
la période qui s'arcboute alternant avec la période aux défaillances ondulées, les pléonasmes significatifs, les mystérieuses
ellipses, l'anacoluthe en suspens, trope hardi et multiforme ;
enfin la bonne langue, — instaurée et modernisée, — la bonne
et luxuriante et fringante langue française d'avant les Vau-
gelas et les Boileau-Despréaux...

Le Rythme : l'ancienne métrique avivée ; un désordre sa-
vamment ordonné ; la rime illucescente et martelée comme
un bouclier d'or et d'airain auprès de la rime aux fluidités
absconses ; l'alexandrin à arrêts multiples et mobiles ; l'emploi de certains nombres impairs.

Et Moréas termine en se réclamant de Th. de Banville ;
aussi bien n'est-il pas très loin du Parnasse, puisque, au
fond, c'est la métrique verlainienne qu'il propose d'accor-
der à des thèmes mallarméens.

Intelligence et Symbole, d'abord ; Musique ensuite :
tel est le nouveau Credo. A peine est-il formulé et
claironné par la presse qu'il se trouve remplir le rôle
habituel de cette sorte de manifestes : il fait apparaître
les dissidences. Moréas semble à quelques-uns ne pas
faire suffisamment place aux soucis musicaux de la
poésie nouvelle ; un schisme se révèle. René Ghil (1),
en 1886, décide de devenir chef d'école, à côté, ou
plutôt en face de Moréas : il fonde l'école *symbolique et
harmoniste* ; bientôt, pour mieux faire apparaître sa
dissidence, il efface le mot symboliste, et appelle son
école *évolutive-instrumentiste*. « Évolutive » : cela résume la philosophie scientifique de Ghil ; « instrumentiste » : cela désigne sa théorie de « l'instrumentation
verbale ». Cette doctrine, bien oubliée aujourd'hui,
encore que son inventeur n'ait perdu aucune occasion
de la rappeler, a eu beaucoup de prestige en son temps ;
quelques revues s'attachèrent à la défendre ; et plusieurs, parmi les poètes symbolistes, vinrent faire comme
un stage dans l'atelier de René Ghil.

Cette doctrine n'est que le plein développement des
idées de Rimbaud, transformées et développées par la
connaissance des recherches récentes de la physique
sur les sons musicaux et la parole humaine. Il s'agissait
de dépouiller à peu près complètement les mots de leur

(1) Voir page 161 : Notes complémentaires.

puissance d'exprimer de pures idées ; ils étaient avant
tout des notes sonores, la traduction de sensations
auditives auxquelles correspondent des sensations colorées ; écrire un mot, c'est émettre des sons et étaler des
couleurs ; le pouvoir de suggestion sensorielle de la poésie
peut devenir énorme. Dès 1885, le *Traité du verbe* de
Ghil, sans cesse enrichi et retouché ensuite jusqu'en
1904, donna les bases de la nouvelle poésie et de la
nouvelle rythmique :

Assimilation aux timbres instrumentaux, à l'aide des va-
leurs harmoniques, des timbres vocaux groupant autour d'eux
les diptongues et les consonnes adéquatement sériées — colo-
ration des timbres et groupements en un rapprochement des
trois éléments — ...rapports de cette Instrumentation verbale
avec des séries distinctes de sensations et d'idées.

« Le Poème, ainsi, devient un vrai morceau de musique
suggestive et s'instrumentant seul : musique de mots évocateurs, d'images colorées, sans dommage pour les Idées », puisque, au contraire, ce sont les idées et les sensations d'où elles
vinrent, qui appellent et régissent les séries timbrales, et leurs
nuances propres à les exprimer émotivement. Quant au Rythme, — « tout : attitudes, gestes, sensations et idées se réduisent
à lui, qui ressort de la valeur diaprée des timbres ».

Aussitôt la bataille symboliste s'engagea, — mêlée,
bien entendu, des symbolistes en lutte les uns contre les
autres. Les revues se fondent et disparaissent ; les manifestes s'opposent aux préfaces ; de nombreux noms en
isme poussent et meurent ; les cafés littéraires sont trépi-
dants de bruits de bataille. Mais bientôt Moréas se lasse
de pourfendre Ghil ; à vrai dire, il est las du symbolisme
aussi, encore qu'il l'ait tenu sur les fonts baptismaux et
qu'en son nom, il ait renoncé aux pompes et aux œuvres
de la poésie romantique, parnassienne et classique.
Peut-être est-il effaré devant les œuvres inquié-
tantes qu'ont suscitées son symbolisme et l'Instrumen-
tisme de Ghil ; le vers libre, déjà bien vulgarisé, déchaîne
un vrai torrent de poésie, douteuse souvent. Il faut une

nouvelle école et **un** nouveau manifeste ; voilà cinq ans d'ailleurs qu'on n'a pas touché vraiment aux formules maîtresses : elles sont périmées.

Le 14 septembre 1891, Moréas fait paraître dans le *Figaro* le manifeste de l'École romane.

La renaissance romane, va bientôt affirmer Ernest Raynaud, est le retour, dans la pensée comme dans le style, à l'équilibre et à l'harmonie... On comprendra combien, après les mille excès du décadisme et du symbolisme, elle était aujourd'hui devenue nécessaire... Il fallait réagir contre cette barbarie de style, cet effondrement de la pensée, ce pessimisme dissolvant et stérile.

Moréas donne alors comme modèles aux poètes la Pléiade et les poètes antérieurs à la Pléiade ; il prêche l'archaïsme des sujets, des pensées et de la forme. Bientôt, il se réclamera des classiques, tout simplement. Pour lui, le symbolisme, dès 1891, est une doctrine morte ; il n'est pas seul à penser ainsi ; et si l'on se donnait la peine d'enregistrer les manifestes les plus intéressants qui suivirent, on compterait plus d'abandons, francs ou dissimulés, du symbolisme que de franches adhésions.

Toute cette activité théorique s'explique en partie par un fait caractéristique de la période symboliste : à la multiplication des écoles correspond la multiplicité des revues. A aucune époque de notre histoire littéraire on n'en vit tant fleurir et disparaître ; les bibliographes ont beau en compter des centaines, ils ne peuvent arriver à des recensements complets. Une histoire sommaire de ces revues serait une histoire bien pittoresque du symbolisme. On ferait paraître d'abord les revues parnassiennes accueillantes aux jeunes poètes : la *Renaissance* (1872), la *Revue du monde nouveau* (1874), la *République des Lettres* (1875), *Paris moderne* (1881). Puis s'ouvrirait la période décadente avec le *Chat noir* (1882), la *Nouvelle rive gauche* (1882), qui devient *Lutèce* en 1883 ; la *Revue indépendante* (1884), les *Taches d'encre* de Barrès (1884), le *Scapin* (1885), la *Revue wagnérienne* (1885), la Pléiade (1886), le *Décadent* (1886), la *Décadence* (1886), la *Vogue* enfin (1886), qui révèle Jules Laforgue, et, malgré des disparitions, arrive à tenir jusqu'à la fin du siècle.

Le symbolisme voit naître de nouvelles revues : le *Symbolisme*, fondé par G. Kahn et Moréas (1886), les *Écrits pour l'art* (1887), journal de Ghil ; la *Plume* (1889), qui, avec ses soirées, ses enquêtes, ses plébiscites, est une manière de journal officiel des jeunes, fort sensible aux sautes de l'opinion poétique, mais fidèle aux passions essentielles du symbolisme, les littéraires comme les sociales ; le *Mercure de France* (1889), assez peu symboliste, au début, mais qui le devient très nettement vers 1895 et qui sera la revue de l'école pendant les années de triomphe ; bientôt elle s'annexe une maison d'éditions qui jouera pour les symbolistes le rôle qu'avait joué la maison Lemerre pour les Parnassiens, et qu'avait essayé de jouer, pour les Décadents, le « bibliopole » Vanier. Puis paraissent les *Entretiens politiques et littéraires* (1890), l'*Ermitage* (1890), la *Revue blanche* (1891)... Ce sont là les plus notables parmi les innombrables revues des années de bataille ; tous les poètes symbolistes qui comptent y ont collaboré, donnant des vers, des articles de critique, des manifestes, des ripostes. Elles seules permettent qu'on trouve un chemin dans le labyrinthe de l'époque. De tous côtés semblent s'ouvrir des routes, qui s'arrêtent brusquement, ne conduisent nulle part ; mais cette complication n'est qu'apparente ; les vraies doctrines sont peu nombreuses et assez simples.

5. Le vers libre. — Pendant ces quatre ou cinq années où l'aurore symboliste s'illumine peu à peu, quelque chose de tout nouveau avait paru et commencé à vivre : le vers libre. Il n'en est point question dans les grands manifestes symbolistes, soit parce qu'il n'existait pas encore, soit parce qu'on était bien incertain sur sa destinée. Mais la question du vers libre fut, — tout le monde le reconnaît maintenant, — la grande affaire du symbolisme, dès que ses partisans commencèrent à raisonner leurs ambitions. On ne bataille jamais beaucoup sur les sujets, sur les thèmes de la poésie. En 1890, comme en 1820 et en 1860, ils étaient imposés par l'ambiance : on les retrouvait partout, dans l'art, au théâtre, dans le roman ; on ne se prit vraiment à les discuter que lorsque vint la lassitude de les avoir vus trop souvent. Mais, sur les questions de forme, la bataille a toujours été ardente ; il s'agit d'habitudes mentales à changer, de techniques à renouveler. Le vers libre, tel qu'on voulut l'instituer aux environs de 1890, bouleversait toutes les habitudes du public français : la controverse fut ardente, interminable.

On peut, dès aujourd'hui semble-t-il, résumer très simplement la question. La génération précédente s'était contentée du vers romantique et parnassien ; Mallarmé l'avait accepté, tel quel ; Verlaine et Rimbaud avaient eu souci de le libérer. Ils avaient cherché à démolir le prestige de l'alexandrin considéré comme le vers fondamental ; ils avaient multiplié les formes de vers et rendu de la vie aux grands vers impairs qu'on négligeait. Puis ils avaient brisé l'ancienne unité rythmique du vers classique ; plus hardiment que les romantiques, ils avaient bouleversé les coupes, pratiqué l'enjambement, nié la nécessité de la césure à l'hémistiche ; ils avaient simplifié la rime, essayé quelques assonances pour la remplacer ; ils avaient élargi la règle de l'alternance des rimes masculines et féminines en admettant des séquences de rimes du même sexe ; ils avaient admis la rime entre des sons semblables, auxquels l'orthographe seule donne un sexe différent. Tout cela tendait à détruire la régularité du vers, sa seule musique, à lui donner, avec la mobilité, la fluidité, une musique nouvelle, un peu incertaine.

Mais Verlaine s'était arrêté dans cette voie ; il était même revenu sur les déclarations révolutionnaires de son *Art poétique*. On continua l'avance ; on appliqua intégralement les réformes verlainiennes. Le *vers libre* fut le résultat de cette pratique. Il est, en réalité, ce qui subsiste du vers traditionnel, après la suppression de toutes les règles qui le définissaient : un rythme. Mais lequel ? La reconstitution de l'unité rythmique du vers, privé de la rime, des coupes régulières et du nombre régulier des syllabes, fut la grande préoccupation des verslibristes. Ils crurent y être parvenus ; leurs adversaires le nièrent toujours, et le débat n'est pas clos.

Ils cherchèrent l'unité du vers dans l'unité de pensée ou d'image ; mais cela n'était pas de grande importance, car cela ne tendait qu'à justifier l'extrême inégalité des vers. La grande affaire, c'était de définir la musique nouvelle du vers ; et on était fort embarrassé de le faire, puisque, par horreur des vieilles règles, on souhaitait que chaque poète eût son vers, sa musique, qui lui fussent propres.

La création du vers libre heurtait les habitudes de la poésie française depuis le lointain moyen âge. Aussi les symbolistes furent-ils, dans les premiers temps, tout éblouis de leur audace ; et plusieurs se disputèrent l'honneur de l'avoir conçu et inauguré. Quel était le premier ? Rimbaud ? Marie Krysinska ? Jules Laforgue ? Gustave Kahn ? ou le Péruvien Della Rocca de Vergalo ? Y eut-il de sérieuses influences étrangères ? Il semble bien qu'on n'ait connu vraiment Walt Whitman qu'après l'heure des débuts, et que les premiers « vers libres » proprement dits qui aient été publiés, soient ceux de Rimbaud, en 1886. Mais, depuis deux ou trois ans, plusieurs poètes s'essayaient à écrire des vers

libres, s'amusaient à en faire la théorie, parlaient entre
eux de leurs projets : Ephraïm Mikhaël, Jules Laforgue,
Gustave Kahn. Les premiers essais parurent entre 1886
et 1889. Le meilleur théoricien du vers libre fut Gustave
Kahn ; il l'a très exactement décrit, défini, et très adroitement défendu, dans la *Revue indépendante*, en 1888,
et dans la préface (1897) de sa réédition des *Palais
nomades* (1887). Les préfaces, en histoire littéraire, ont
de grandes chances d'être tenues, après un demi-siècle
de prescription, pour des attestations de paternité.

Le vers libre, tel qu'il apparaît, à travers les œuvres
et les théories de l'époque symboliste, fut le terme de
l'évolution qui tendait à rendre aux mots, en poésie,
toute leur valeur sonore. Le vers français, avec le temps,
était devenu une pure sensation visuelle ; la prosodie
était pleine de règles bizarres (*e* muet, rimes normandes,
interdiction de faire rimer les singuliers et les pluriels,
etc.) qui s'expliquaient très bien, autrefois, quand l'orthographe et la prononciation étaient à peu près iden-
tiques ; leur divergence avait fait que, de plus en plus,
par souci de correction, on écrivait pour les yeux et non
pour l'oreille. Le symbolisme, poussant à bout la
grande idée baudelairienne de la musique poétique,
essaya de rendre aux mots du vers leur valeur sonore,
et au vers une ligne musicale créée par l'harmonie des
sons. Si on parvenait à recréer cette valeur sonore des
signes de l'écriture, qu'importait que les vers fussent
grands ou courts, semblables ou inégaux ? pourquoi
s'inquiéter de rimes, de césures intérieures ? Cette régularité de longueur et de coupes, cette répétition de sons
terminaux étaient le seul moyen que l'on eût, autrefois, de créer l'illusion de la musique. Mais, aujour-
d'hui, l'allitération, l'assonance, la fluidité de la phrase
étendaient le pouvoir d'expression de la poésie. Toute
la question du vers libre est là.

Une préoccupation revient sans cesse chez les théoriciens du vers libre : celle de l'*e* muet. Elle est tout accessoire, mais l'importance qu'on lui donna est significative. L'*e* muet n'a pas été toujours muet, et souvent la diction lui rend une certaine valeur ; il correspond, suivant les cas, à un silence, à un demi-ton, quelquefois à un son complet. Au lieu de l'interdire absolument à la césure, de le compter arbitrairement partout ailleurs comme syllabe entière, et de l'apocoper à la rime, on pouvait s'en servir très librement, et suivant la nécessité de la rencontre ; on en faisait ainsi un temps mobile, modifiable au gré de la sensibilité du poète ; il devenait une grande ressource musicale. Et, l'imagination des théoriciens se donnant carrière, il en fut qui affirmèrent les infinis pouvoirs de l'*e* muet, secret suprême de la poésie !

Entre le « vers libéré » et le « vers libre », il n'y avait — en dépit des affirmations passionnées des verslibristes qui tenaient à leur originalité — qu'une différence de degré ; et cela apparaît assez nettement si l'on ignore un moment les théories pour ne considérer que les œuvres : la plupart des poètes ont mélangé alors, en des combinaisons fort souples, le vers qui n'était pas tout à fait libre avec celui qui se disait tout à fait libéré. Bien souvent, d'ailleurs, le vers libre paraît être, chez eux, une manière d'acte de foi, une affirmation rituelle d'indépendance. Il y a grande vraisemblance qu'il ait été, avant tout, comme l'a déclaré un des verslibristes les plus convaincus, Vielé Griffin, « une conquête morale plutôt qu'une simplification prosodique ».

NOTES COMPLÉMENTAIRES

I. Villiers de l'Isle Adam. — Villiers de l'Isle Adam est né à Saint-Brieuc en 1840 et mort à Paris en 1889. *Premières poésies (1856-1858)*, 1859 : recueil très romantique. Il collabore aux deux *Parnasse contemporain* et publie *Isis* (1862), *Élën* (drame) (1863), *Morgane* (1866), *Claire Lenoir* (1867),

première forme de *Tribulat Bonhomet*. Une longue **période**
de silence presque complet, de trouble, de misère, qui s'étend
de 1870 à 1880, fait oublier le poète. Il reparaît vers 1880 et
publie ses *Contes cruels* (1883). Huysmans le signale, dans
A rebours (1884), à l'attention des jeunes. Paraissent ensuite
Akëdysseril (1886), l'*Amour suprême* (1886), l'*Ève future* (1886),
Tribulat Bonhomet (1887), *Histoires insolites* (1888), *Nouveaux
Contes cruels* (1889), *Chez les passants* (1890, nouv. éd. avec des
« pages retrouvées », 1924) ; *L'Évasion* (1891 ; écrit en 1870,
joué au Théâtre libre en 1887) ; *Histoires souveraines* (1899).
Les Trois premiers Cortes, éd. Drougard (1931). Œuvres com-
plètes de Villiers de l'Isle Adam (11 vol. 1914-1931).

II. QUELQUES POÈTES DE L'ÉPOQUE DÉCADENTE.— LAURENT
TAILHADE (1854-1919), qui fut fort célèbre dans les milieux de
la Décadence et de l'Anarchie : « il fut le plus implacable à lancer ces grandes gaudes d'après souper,ces lotus liturgiques et li-
bidineux, ces sorcelleries,ces voyelles colorées, ces parfums musicaux, autant de joyeuses sortes d'épouffer,les grosses dames ».
Ses œuvres poétiques ont été réunies dans *Poèmes aristophanes-
ques*, 1904 (qui reproduisent *Au pays du mufle*,1891 et *A travers
les groins*, 1899) et *Poèmes élégiaques*, 1907 (qui reproduisent
Le Jardin des rêves, 1880 et *Vitraux*, 1891) ; *Correspondance*,
1924 ; *Poésies posthumes*, 1925 ; *Lettres à sa mère*, 1926. —
G. RODENBACH (1855-1898), Belge, mais qui fréquenta les
cénacles parisiens vers 1880 et mourut à Paris. Ses principaux
recueils de poésies sont *Les Tristesses*, 1879 ; la *Jeunesse blanche*,
1886 ; le *Règne du silence*, 1891 ; *Musée de béguines*, 1894 ;
les *Vies encloses*, 1896 ; le *Miroir du ciel natal*, 1898. Il a écrit
plusieurs romans dont le plus célèbre est *Bruges la morte* (1892 ;
on en a tiré un drame, *Le Mirage*, 1901) et fait jouer à la Comédie Française (24 mai 1894) *Le Voile*. Le *Mercure de France*
a commencé en 1924 la publication des *Œuvres de G. Rodenbach*. — Sa poésie est fort régulière ; mais il y a exprimé, d'une
façon souvent mièvre et banale, maladroite dans l'expression
des sentiments de lassitude teintés des préoccupations de
l'époque décadente : son spleen, la tristesse des vieilles villes
belges, les canaux solitaires où l'eau mire les rêves et les tristesses, les dimanches où les cloches font songer à la mort, la
vie étrange des chambres, le goût du « rêve quotidien », le
désir du « sommeil de mourir ». — EPHRAIM MIKHAEL (1866-
1890), dont les vers ont été recueillis dans *Œuvres, poésies,
poèmes en prose*, 1890, écrit en une forme strictement parnassienne ; mais, sous l'influence de Baudelaire et de Verlaine,
il **exprime** des sentiments de neurasthénie très « décadente

et se plaît à toute une imagerie symbolique nouvelle ; ses symboles sont d'ailleurs d'une clarté éblouissante.

III. JULES LAFORGUE. — Jules Laforgue est né à Montevideo le 16 août 1860 ; il passa presque toute sa jeunesse à Tarbes, vint avec sa famille à Paris en 1876, fréquenta les cénacles parisiens vers 1880 et fut, de 1881 à 1886, lecteur de l'Impératrice allemande ; il mourut de la poitrine, à Paris, le 20 août 1887. Il a publié les *Complaintes*, 1885 ; l'*Imitation de N.-D. la Lune* et le *Concile féerique*, 1886. Après sa mort on a recueilli en vol. ses *Moralités légendaires*, 1887 ; ses *Derniers vers*, 1890. Les *Œuvres complètes* de Jules Laforgue ont été publiées par le *Mercure de France* en 1901-1903 (tome I : *Moralités légendaires* ; tome II : *Poésies* : tome III : *Mélanges posthumes*, très incomplet). Une nouvelle édition des inédits, publiés dans diverses revues, a été donnée en 1920 (3 vol. texte inexact souvent et incorrect). On a publié en 1922 *Berlin, la cour et la ville*, recueil de souvenirs sur son séjour d'Allemagne ; et on a commencé, en 1922, à publier une nouvelle édition des *Œuvres complètes*, qui comprend deux volumes de correspondance (*Lettres*, 1925).

A consulter : F. RUCHON, *Jules Laforgue*, 1924.

IV. RENÉ GHIL. — René Ghil, né en 1862, mort en 1925. Son œuvre, qui n'est pas achevée, est une combinaison, bien caractéristique, des préoccupations « harmonistes » de l'époque symboliste et des aspirations positivistes et humanitaires de la fin du siècle ; il a voulu unir la langue du mystère et la poésie scientifique et philosophique. Son œuvre, sous sa forme actuelle (elle a été souvent remaniée), comprend *En méthode à l'œuvre* (forme définitive du *Traité du verbe* ; 1re éd. 1885) et les recueils de poésie suivants : *I*re *partie. Dire du mieux* : *Le meilleur devenir* (1re éd. 1889) et le *Geste ingénu* (1re éd. 1887), 1905 ; — *Le Vœu de vivre* (1re éd. 1890-1893), 1906-1907 ; l'*Ordre altruiste* (1re éd. 1894-1897), 1909 ; — *II*e *partie. Dire des sangs* : *Le pas humain*, 1898 ; le *Toit des hommes*, 1901 ; les *Images du monde*, 1912-1920. Une *III*e *partie* : *Dire de la loi*, était annoncée. *Choix de poésies*, 1928. Quelques ouvrages de vulgarisation sur sa doctrine : *De la poésie scientifique*, 1909 ; la *Tradition de poésie scientifique*, 1920 ; *Les dates et les œuvres*, 1923. Ghil a joué un rôle assez considérable, vers 1890, comme chef d'école et directeur de revues. Son œuvre, confuse, extrêmement obscure, n'est guère lue ni lisible : R. de Gourmont a constaté, sans parti-pris d'hostilité, que ses poèmes, qui veulent tout évoquer, n'évoquent rien du tout.

CHAPITRE IX

SUR LES CIMES DU SYMBOLISME.
VERSLIBRISTES ET MÉLODISTES

———

1. Les nouveaux thèmes et la nouvelle imagerie symboliste. — Quand il fut bien avéré que la nouvelle poésie devait être idéaliste, et que « l'Idée » ne devait jamais s'y exprimer directement, mais « sous le voile de légendes symboliques, qui lui donnaient, pensait-on, une valeur universelle, hors de l'espace et du temps » (P. Quillard) ; quand il fut bien établi que le poète ne devait jamais « dire », mais toujours « suggérer », par le moyen d'images et d'analogies, on ne tarda pas à se rendre compte que les ressources anciennes de la poésie française en images et en symboles étaient fort insuffisantes. Les romantiques et les Parnassiens, ces derniers surtout, avaient bien prétendu écrire des œuvres symboliques ; mais ils s'étaient contentés à peu de frais. Les nouveaux venus — et ils furent infiniment nombreux entre 1890 et 1900 — s'ingénièrent à grossir l'imagerie poétique.

Il fallait faire vite. On recourut, naturellement, aux images et aux symboles tout faits qu'offraient les anciennes littératures. L'éducation historique et positiviste du XIXe siècle avait fini par faire admettre aux gens de lettres que, seules, les vieilles civilisations avaient le pouvoir de créer des symboles. Quelques symboles

grecs pouvaient encore servir, bien que les plus significatifs fussent comme discrédités par l'emploi qu'en
avait fait la génération parnassienne ; mais il y en avait
dont on avait peu usé, et l'on pouvait renouveler quelque peu les autres. Les sirènes, les chimères étaient fort
commodes pour signifier des forces incantatoires, l'appel de la mer, les envols de l'esprit ; les nymphes, les
satyres et les faunes pouvaient suggérer le tumulte des
désirs, les liens de l'homme avec la nature qui l'enveloppe. Quelques légendes étaient encore possibles aussi :
Ariane, angoissée sur son rocher, comme l'âme qui n'arrive pas à prendre son élan vers ce qu'elle souhaite obscurément... ; Omphale, « l'éternel féminin », qui se joue
de l'homme... ; Hélène, force créatrice de désirs. Malheureusement, ces symboles avaient été, depuis des
siècles, trop exactement réalisés par l'art et par la poésie :
il était difficile de les embrumer assez pour qu'ils fussent
des « allusions », laissant jouer avec liberté la pensée du
lecteur, et non des révélations enveloppées d'une lumière
éclatante. Ils plurent surtout aux poètes dont l'éducation avait été très humaniste ou parnassienne, et qui
s'affranchissaient mal de certaines habitudes d'esprit
trop vraiment gréco-latines.

Par contre, on se précipita vers le moyen âge, français
ou européen. Il était d'ailleurs une des toutes dernières
révélations de la philologie ; il y eut en France, après
1870, une vraie renaissance des études romanes, inspirée
par les savants allemands ; et l'on vulgarisa, en peu
d'années, une grande quantité de thèmes, d'allégories,
de légendes, qui eurent le charme de la nouveauté. Le
moyen âge avait eu la passion de l'allégorie ; il avait usé
d'un art bien souvent maladroit dans ses abstractions
et dans ses images ; il leur laissait une délicieuse incertitude ; il suffisait de faire plus moyen âge que nature !

Les fées et les magiciens se répandirent en troupe

dans les recueils de poèmes et dans les pièces de théâtre.
Merlin et Viviane menèrent la sarabande, entraînant à
leur suite le cortège fantomatique des sorciers, des mages,
des nains, des géants, des gnomes, des elfes et des bêtes
méchantes qui sont à leur service ; tout ce monde vint
à nouveau hanter des châteaux magiques, des forêts
enchantées, des îles lointaines et miraculeuses. Sur leurs
pas s'avancèrent de nombreuses princesses aux longs
cheveux dorés ; leurs pages ; leurs beaux doux amis,
des jeunes rois qui chantaient, en s'accompagnant sur
des violes, de chastes vers de cours d'amour. Les princesses s'appelaient de noms que l'on ne savait plus :
Yseut, Aglavaine, Sélysette, Mélisande... Il y en avait
qui habitaient un Orient très lointain, voisin de celui
des *Mille et une nuits*. La Sainte Vierge et les belles
martyres du calendrier hagiographique se tenaient,
debout sur leurs nimbes, au-dessus de cette foule humaine remplie de simplicité et de foi ; des vierges aux mains
diaphanes serraient leur missel contre leurs poitrines et
écoutaient les propos de pèlerins prophétiques. Jamais
on ne voyait apparaître l'image de l'impudique Vénus :
on se mourait d'amour et de foi, mais c'était des élans
de l'âme qui méprisait les soucis charnels.

On aima aussi quelques chansons populaires de la
vieille France, encore qu'elles fussent parfois d'inspiration un peu bien gaillarde et familière ; elles pouvaient
aider à créer le charme des choses très vieilles et très
simples. Les légendes du Nord, que le moyen âge avait
connues, et auxquelles avait commencé à s'intéresser
le Parnasse, durent leur succès, qui fut considérable,
au triomphe de la musique wagnérienne : Siegfried,
Lohengrin, Tristan et Yseut, les Walkyries, le paradis
guerrier... On alla chercher de nouvelles aventures dans
l'*Edda* et les *Niebelungen* : Wieland le forgeron, les
femmes-cygnes, qui aiment un temps les héros, les

anneaux magiques ; et le sens de ces histoires était suffisamment incertain pour qu'on pût prétendre y enfermer des pensées fortes et subtiles.

Chaque poète chercha, en outre, à avoir son imagerie propre, à créer son paysage de rêve intérieur ; mais quelques tableaux reviennent toujours et chez tous, car ils convenaient aux sentiments de tristesse et de lassitude dont l'expression fut de rigueur, comme l'avait été, aux temps du Parnasse, celle de l'énergie et du dédain : les vieux parcs abandonnés, ... les villes mortes, ... les brouillards, ... les paysages de neige, ... les fontaines murmurantes,... les miroirs d'eau recouverts de feuilles mortes,... les aurores et les crépuscules,... les clairs de lune. Il n'y avait pas de raisons, d'ailleurs, pour qu'on limitât ces choix : tout — et même les objets les plus humbles — contient des symboles en puissance. Mallarmé l'avait dit et montré : il eut bien des imitateurs. Les animaux familiers, les murs d'une maison, les meubles d'une chambre, les bocaux d'une pharmacie, le pain que nous mangeons, le vin que nous buvons peuvent se muer en des symboles parleurs ; nos pensées, nos rêves mêmes peuvent devenir des Idées vivantes. La forêt des « correspondances » symboliques qu'avait entrevue Baudelaire se révéla sans limites ; pendant des années, il lui fut donné de s'accroître infiniment devant les pas des poètes qui pénétraient en elle. Souvent, elle se fit assez dense et assez obscure pour que l'humble lecteur, s'il n'avait point la prudence du Petit Poucet, risquât de s'y égarer tout à fait.

2. Gustave Kahn. — Un des recueils de vers de G. Kahn (1) a pour titre « Le livre d'images » : il est, en effet, plein d'images et des images familières aux poètes symbolistes ; dans ses autres recueils coule aussi, sans

(1) Voir page 172 : Notes complémentaires.

tarir, un flot d'images, antiques, médiévales ou exotiques, qui apparaissent et s'effacent si vite qu'il n'est pas
toujours aisé de les fixer pour entrevoir l'Idée, dont elles
ne veulent être que les substituts. Le poète affirme que
toutes ces images ne sont là que pour introduire à une
philosophie ; mais leur suavité est telle qu'on ne s'aperçoit pas tout de suite que G. Kahn pense au rebours de
presque tous les poètes de l'époque symboliste : il est
rationaliste, matérialiste. Son sensualisme est très favorable à sa poésie d'images ; le monde et sa pensée sur le
monde lui arrivent par flux de sensations : il tâche que
son vers garde l'empreinte de tous ces contacts rapides
de sa sensibilité avec la nature extérieure.

Ses recueils — les *Palais nomades* du moins — offrent
l'apparence d'une construction très logique. Au départ,
une grande donnée, de caractère philosophique, métaphysique : il s'agit évidemment de désirs, de joies et de
tristesses d'amour, mais hissés à une telle hauteur que ce
ne sont plus que des démarches de la pure intelligence.
Les différentes parties du poème, les unes en prose rythmée, les autres en strophes plus ou moins lyriques, marquent les étapes de cette vie intérieure. Le reflet du
sentiment n'a plus rien d'individuel : aucun soupçon de
confidence. Le *Finale*, car ce poème est ordonné comme
une grande composition musicale, est un regard désespéré sur l'Homme, qui « laisse aller le vivre à la dérive »,
une manière de synthèse d'idées sur les conditions fondamentales de la vie humaine.

Ce ne sont ni ces images, malgré leur luxe, ni ces idées,
malgré leur grand air, qui ont assuré la gloire de G.
Kahn : il a été l'orgueil de l'époque symboliste parce
qu'on le considéra comme le créateur d'une nouvelle
langue de la poésie : le vers libre, la strophe libre. « Cons-
truire, disait de lui Mallarmé, en 1896, un vers éloigné
autant du moule constant que de la prose, irréductible

à l'un des deux, viable, quel extraordinaire honneur dans l'histoire d'une langue et de la poésie ! ». Remy de Gourmont, plus réservé, se tait sur la valeur de la réalisation, mais il ne fait pas difficulté de reconnaître que G. Kahn fut, « tant que dura la ferveur, le théoricien le plus éco té si on le plus suivi ». La préface de la réédition des « Premiers poèmes » (1897) détaille la conception nouvelle du vers et de la strophe libres, agrégats d'unités rythmiques, apparentées par des allitérations et des assonances, marquées d'un fort « accent d'impulsion », expression de la musique intérieure du poète, et, par suite, si personnels que chaque poète crée son vers.

On ne lit plus guère G. Kahn aujourd'hui, parce qu'il fut trop ambitieux ; sa musique, même il y a trente ans, ne plaisait point à toutes les oreilles : on lui reprochait de « ne point chanter », de n'avoir point de rythme ; on jugeait ses vers exagérément obscurs ; et pourtant les recueils qui ont suivi les *Palais nomades* marquent une volonté vraie d'être plus simple, plus clair. Aujourd'hui, les manières de penser et de dire de l'époque symboliste étant à peu près périmées, la lecture suivie de l'œuvre de G. Kahn donne l'impression qu'on tente un véritable voyage de découvertes : il ne faut pas compter les fatigues et les déceptions.

3. Vielé Griffin et Stuart Merrill.

— Vielé Griffin (1) et Stuart Merrill (2) sont tous deux des verslibristes ; ils furent, pour commencer, des disciples de R. Ghil. Tous deux aussi, ils ont semé d'innombrables images au long de leurs poèmes. Moins ambitieux que G. Kahn, moins novateurs, ils ont montré une grâce souvent bien séduisante. Vielé Griffin a pourtant eu, comme Kahn, des soucis de théoricien, et il a prodigué dans les diverses revues de l'époque symboliste les

(1-2) Voir pages 172 et 173 : Notes complémentaires.

formules de son art poétique. Cet art poétique, ramené
à ses principes essentiels, est très simple : il peut se
réduire aux simples mots que le poète inscrivit, en 1889,
en tête d'un de ses recueils de vers : « Le vers est libre » ;
il doit se conformer au rythme intérieur que chacun
porte en soi.

Vielé Griffin avait écrit d'abord des vers très parnassiens ; peu à peu, il les assouplit et les brisa ; il en vint à
un vers libre assez prudent ; il use sobrement de l'allitération ; il ne cherche point à heurter les anciennes
habitudes métriques par des inégalités de vers durement
contrastées ; il craint les trop longs membres rythmiques
et semble admettre que la mesure de l'alexandrin est
une mesure-limite ; ses strophes sont assez libres, elles
aussi, mais rarement bigarrées ; elles se plient aux retours réguliers des mêmes rythmes ; elles admettent de
fortes mesures dominantes. Comme la rime est le plus
souvent respectée ou remplacée par des assonances
voisines de la rime, l'effet réalisé finalement est, en réalité, intermédiaire entre celui du vers libre et celui de la
strophe régulière. Peut-être est-ce à cause de cette dis-
crétion que Remy de Gourmont a dit de Vielé Griffin
qu'il était « le maître du vers libre ».

Ce rythme poétique très souple, Vielé Griffin l'a employé à des mélodies sur les émotions qui chantaient en
lui : de bien douces émotions, des « chansons légères...
comme un parfum de lis », des sensations rustiques, des
tintements de refrains populaires :

> Je chante en mon âme des choses folles,
> Comme les vierges et comme les joies,
> Et j'ai trouvé de si douces paroles,
> Oh ! si douces qu'il faut bien que tu les croies.

Il conçut quelques poèmes de plus grande envergure,
où, sur des légendes grecques ou scandinaves, il broda
une dentelle de variations symboliques : *Phocas le jar-*

dinier, les *Noces d'Atalante*, la *Sagesse d'Ulysse*, *Swan-hilde*, la *Légende ailée de Wieland le forgeron*... Le symbole est presque toujours lumineux et dûment expliqué. La légende chrétienne lui fournissait l'histoire de Phocas, un riche jardinier de Sinope, qui fut mis à mort sous Dioclétien ; il fit de Phocas un délicieux indécis, fort peu chrétien, et qui voudrait vivre, aimer, mais qui n'arrive point à se libérer de la tradition chrétienne dans laquelle il a été élevé ; après une nuit d'incertitude, sans foi, mais sans trop de regrets, il accepte le martyre. A l'*Edda* Vielé Griffin demande le sujet de *Wieland le forgeron* : Wieland a l'âme belle et pleine de rêve ; il est aimé d'une fille-cygne, et, dès ce jour, il renonce à forger des épées ; à l'œuvre de mort il préfère les œuvres de beauté et sculpte un diadème d'or ; malheureux, torturé, il ne quitte point son rêve ; ce rêve est plus fort que l'Art, plus fort que l'Amour ; c'est une volonté de perfection, « une force sans but que d'être mieux soi-même » ; Wieland mérite l'assomption qui, à la fin du poème, le hausse jusqu'au paradis. Les autres légendes qu'a contées Vielé Griffin disent, ainsi, quelques-unes de ses fois. Sa vision du monde est infiniment optimiste.

Stuart Merrill fut plus incertain dans son art ; et ses recueils successifs le montrent très sensible aux influences dominantes du moment. D'abord parnassien, il écrit, à la manière du Verlaine des *Fêtes galantes*, de jolies pièces, presque tout à fait régulières, où il évoque des images du passé et dessine de gracieuses arabesques de vers. L'influence de R. Ghil le pousse à devenir « instrumentiste » et mélodiste ; il donne fort dans l'allitération, tout en conservant un rythme assez classique ; il s'essaie, un moment, à des sonorités éclatantes, comme les aimait l'auteur du *Traité du verbe* ; mais il revient vite à une note plus familière ; il se veut très simple, très pur !

> Mon âme est pleine de cloches,
> Mon âme est pleine d'oiseaux !...
> Mon âme est pleine d'églises,
> Mon âme est pleine de fleurs !...
> Mon âme est pleine d'archanges,
> Mon âme est pleine d'essors !...
> Mon âme est pleine de joies,
> Mon âme est pleine de dieux !

Sons, parfums, méditations philosophiques, idées et sensations, — tout cela, il voudrait que la musique de ses poèmes pût le suggérer ; aussi deviennent-ils peu à peu de forme moins traditionnelle. Stuart Merrill accepte les longs vers, mais les rassemble en des séquences, de façon à recréer un rythme régulier, que marquent des rimes assez exactes. Jusqu'au bout, il se montre un verslibriste fort sage, et ne se permet que les audaces strictement nécessaires pour faire bruire les mots selon la musique très simple qui lui plaisait (1).

4. Paul Fort. — Dix ans après G. Kahn, on fit bruit de l'invention d'une nouvelle langue poétique : c'était, et ce devait rester longtemps encore une grande tentation pour les poètes. En 1897, Paul Fort (2) produisit des « ballades françaises » qui n'étaient écrites ni en vers libres ni en vers traditionnels. Cela fut de grand effet.

Comme beaucoup de poètes, ses aînés et ses contemporains, Paul Fort avait donné grande attention aux chansons populaires, « le vrai trésor spirituel d'une nation » ; il avait souhaité d'être un poète « national » et de trouver un rythme qui eût la souplesse, l'aisance et la simplicité des belles chansons d'autrefois.

J'ai cherché, écrivait-il en 1898, un style pouvant passer, au gré de l'émotion, de la prose au vers et du vers à la prose : la prose rythmée faisant la transition. Le vers suit les élisions

(1) Voir page 173 : Quelques autres poètes du vers libre.
(2) Voir page 174 : Notes complémentaires.

naturelles du langage. Il se présente comme prose, toute gêne
d'élision disparaissant sous cette forme. La prose, la prose
rythmée, le vers ne sont plus qu'un seul instrument gradué.

Et quelques années après, en 1903, pour répondre à
des critiques, il affirma, dans une manière d'Art poétique,
« la supériorité du rythme sur l'artifice de la prosodie » :

On sait que je « sacrifie » mes livres « à la cause » de
cette vérité, qui, si nous la voyions enfin reconnue, devrait
concourir à bien alléger notre *métier* de poète, apporterait plus
de liberté, bien plus de souplesse et permettrait infiniment
plus de fantaisie dans les formes traditionnelles du langage
poétique français, qui s'en trouverait rajeuni. Ainsi le poète,
alors, en serait moins entraîné à *penser en beaux vers* : l'expression de sa pensée se traduirait de suite en *belles strophes
musicales*, ce qui est le propre, à mon avis, de la véritable
poésie.

Ces mots disent très exactement ce que Paul Fort a
voulu faire, et ce qu'est son vers ou plutôt ce qu'est sa
strophe. Les vers sont assez réguliers, rimés et rythmés,
le plus souvent, suivant les règles traditionnelles ; mais
aucun artifice typographique ne signale leur début ou
leur fin. Pour compter la mesure du vers, le poète suit
les habitudes de la prononciation courante, qui élide
beaucoup de sons. Les stances ont, dès lors, l'apparence
modeste de la prose ; la rime et les longueurs de vers,
dérobées au regard, ne sont plus qu'un élément musical
parmi bien d'autres. Suivant les moments, cette prose
rythmée se tend ou se détend vers la prose ou le vers, se
mettant tout naturellement d'accord avec le mouvement
de la pensée du poète.

Cet instrument poétique est très aisément maniable :
il permet au poète de « chanter ». Paul Fort chante,
intarissablement ; il veut être, non pas un écrivain,
mais « le poète qui chante » :

J'écris des mots pour le plaisir et je les chante... Rien n'est
beau, voire, comme un chant naturel.

Ce chant se promène sur tout : il dit les beautés de la nature, les paysages de France, tous les jeux de couleurs dans le ciel et sur la terre, toutes les scènes de la campagne et des villes, celles d'aujourd'hui, celles d'autrefois ; il ressaisit les vieilles histoires du passé national, il ne dédaigne pas les légendes de la mythologie ; il dit les émois d'amour du poète, les petites mésaventures de sa vie, les histoires des autres... Tout devient chanson et image :

Je suis voyant jusqu'à la frénésie. Nul n'a de meilleur œil pour surprendre le monde comme il est et n'est pas. Mes visions abondent. J'aime à les préciser, malgré que vagabondes... Voir et savoir, hélas ! auront perdu ma vie.

En vingt-cinq ans, près de trente volumes de *Ballades françaises*, c'est-à-dire de chansons et d'images ! « Personne, dit Maeterlinck, dans une préface admirative, ne peut se vanter de les avoir lus jusqu'au bout ». P. Fort s'est résigné à publier lui-même une anthologie de ses œuvres.

NOTES COMPLÉMENTAIRES

I. GUSTAVE KAHN. — Gustave Kahn est né à Metz en 1859. Il a joué un grand rôle dans le symbolisme naissant, comme directeur de la *Vogue* (1886) ; il révéla Jules Laforgue et Rimbaud ; il fut aussi fondateur du *Symboliste* (1886). Ses premiers recueils de vers (*Palais nomades*, 1887 ; *Chansons d'amant*, 1895 ; *Domaine de fée*, 1895) ont été réédités dans *Premiers poèmes*, 1897, avec une préface sur le vers libre. Ses autres recueils de vers sont : *La pluie et le beau temps*, 1895 ; *Limbes de lumière*, 1895 ; le *Livre d'images*, 1897 ; *Odes de la raison*, 1902. Il a publié aussi plusieurs romans et quelques livres de critique.

II. VIELÉ GRIFFIN. — Vielé Griffin (né en 1864) est Américain ; mais il vint en France tout jeune et s'y fixa ; il s'estime de culture uniquement française. Il prit une part active, comme critique et comme théoricien, à la mêlée symboliste, et définit sa propre tendance et la poétique nouvelle dans un très grand nombre d'articles de revue. Ses principaux recueils de vers sont *Poèmes et poésies* (1885-1893), 1895, qui reproduisent, avec des modifications et des suppressions considérables, ses premiers recueils (1886-1892) ; la *Clarté de vie* (1893-1896), 1897 ; *Phocas le jardinier*, 1898, qui contient, outre *Phocas*, une réimpression d'*Ancœus*, 1888 et de *Swanhilde*, 1893 ; *Plus loin*, 1906, qui a reproduit la *Partenza*, 1899 et l'*Amour sacré*, 1903 ; la *Légende ailée de Wieland le forgeron*, 1900 ; *La Lumière de Grèce*, 1912 ; *Voix d'Ionie*, 1914 ; *Le Domaine royal*, 1923 ; *Couronne offerte à la Muse romaine*, 1923 ; *Le livre des reines*, 1929 ; *Œuvres*, éd. complète, 1924 et suiv., etc. I. DE COURS, *Vielé-Griffin, sa vie et son œuvre*, 1930.

III. STUART MERRILL. — Stuart Merrill (1863-1915) était aussi un Américain ; mais il vint en France à deux ans ; il y mourut. Il était « du côté maternel de descendance française » et se disait « fort embarrassé d'écrire correctement en une autre langue que la française ». Ses *Poèmes* (1887-1897), 1897, ont reproduit les *Gammes*, 1887. les *Fastes*, 1891 et les *Petits poèmes d'automne*, 1895. Autres recueils de Stuart Merrill : les *Quatre saisons*, 1900 et *Une voix dans la foule*, 1909 ; *Prose et vers*, œuvres posthumes, 1925.

A consulter : M.-L. HENRY, *Stuart Merrill*, 1927.

IV. QUELQUES AUTRES POÈTES DU VERS LIBRE. — SAINT POL ROUX (Paul Roux, né en 1861), « un des plus féconds et des plus étonnants inventeurs d'images et de métaphores » (Remy de Gourmont), auteur de *Lazare*, 1886 ; le *Bouc émissaire*, 1886 ; *La rose et les épines du chemin* (1885-1900), 1901 ; *De la colombe au corbeau par le paon* (1885-1904), 1904 ; les *Fièvres intérieures* (1885-1906), 1907 ; *Anciennetés*, 1903 ; et de quelques œuvres dramatiques. — ANDRÉ FONTAINAS (né en 1865), qui fut très influencé par Mallarmé, auteur du *Sang des fleurs*, 1889 ; *Crépuscules*, 1897 (qui a réuni les *Vergers illusoires*, 1892 ; *Nuits d'épiphanies*, 1894 ; les *Estuaires d'ombre*, 1895) ; a *Nef désemparée*, 1908 (qui reproduit aussi le *Jardin des îles claires*, 1901) ; et de quelques romans et livres de critique. — ADOLPHE RETTÉ (1863-1930), qui se signala dans la bataille symboliste et le mouvement anarchiste : *Œuvres complètes. Poésie* (1887-1892), 1898 ; *Poésies* (1897-1906), 1907 ; quelques autres recueils depuis. — REMY DE GOURMONT (1858-1915), qui fut surtout un critique, mais donna quelque temps dans le « poème symboliste » : le *Pèlerin du silence*, 1896 ; *Lilith*, 1901 ; *Divertissements*, 1914, (ont reproduit des œuvres plus anciennes). — CAMILLE MAUCLAIR (né en 1872), auteur de *Sonatines d'automne*, 1894 ; de *Le sang parle*, 1904, etc. —

HENRY BATAILLE (1872-1922), auteur du *Beau voyage*, 1904 (avec la *Chapelle blanche*), éd. déf. 1916 ; la *Divine Tragédie*, 1917 ; la *Quadrature de l'amour*, 1920.

POÈTES BELGES : Verhaeren et Maeterlinck, dont il sera parlé plus loin (chapitres X et XI) ; — ALBERT MOCKEL (né en 1866) fonda en 1886, à Liège, la *Wallonie*, revue qui eut un rôle actif. Il a publié : *Poèmes minuscules*, 1886 ; l'*Essor du rêve*, 1887 ; *Chantefable un peu naïve*, 1891 ; *Clartés*, 1902 ; la *Flamme immortelle*, 1924. — GRÉGOIRE LE ROY (né en 1862), auteur de la *Chanson du pauvre*, 1907 (avec réimpression de vers plus anciens) ; la *Couronne des soirs*, 1911. — CHARLES VAN LER- BERGHE (1861-1907), auteur d'*Entrevisions*, 1898, et de la *Chanson d'Ève*, 1904 (*Lettres*, 1925). — MAX ELSKAMP (1862- 1932), auteur de la *Louange de la vie*, 1898 (réimpression de recueils parus depuis 1892) ; *Enluminures*, 1898 ; *La chanson désabusée* ; *La chanson de la rue St Paul*, 1923 ; *Délectations moroses*, 1924, etc.

V. PAUL FORT. — Paul Fort (né en 1872) fonda en janvier 1890 le Théâtre d'Art, qui permit aux poètes de la nouvelle école de commencer à se produire au théâtre (1890-1893) ; en 1905, il créa le recueil *Vers et prose*. A partir de 1897, il publie ses *Ballades françaises* : 1. *Ballades françaises*, 1897 ; 2. *Montagne, forêt, plaine, mer*, 1898 ; 3. *Le roman de Louis XI*, 1898 ; 4. *Les Idylles antiques et les Hymnes*, 1900 ; 5. *L'Amour marin*, 1900 ; 6. *Paris sentimental*, 1902 ; 7. *Les Hymnes de feu* ; 8. *Coxcomb ou l'homme tout nu tombé du Paradis*, 1906 ; 9. *Ile de France*, 1908 ; 10. *Mortcerf*, 1909 ; 11. *La Tristesse de l'homme*, 1910 ; 12. *L'Aventure éternelle*, 1911 ; 13. *Montlhéry la bataille*, 1912 ; 14. *Vivre en Dieu*, 1912 ; 15. *Chansons pour me consoler d'être heureux*, 1913 ; 16. *Les Nocturnes*, 1914 ; 17. *Si Peau d'Ane m'était conté*, 1916 ; 18. *Deux chaumières au pays de l'Yveline*, 1916 ; 19. *Poèmes de France*, 1916 ; 20. *Que j'ai de plaisir d'être Français !* 1917 ; 21. *L'Alouette*, 1917 ; 22. *La Lanterne de Priollet*, 1918 ; 23. *Les Enchanteurs*, 1919 ; 24. *Barbe-Bleue, Jeanne d'Arc et mes amours*, 1919 ; 25. *Chansons à la gauloise*, 1919 ; 26. *Hélène en fleur et Charlemagne*, 1921. 27. *Au pays des moulins*, 1921 ; 28. *Louis XI curieux homme*, 1921. Une édition *définitive* des *Ballades françaises* a commencé à paraître en 1922 (nouveaux titres et nouveau classement). Une *Anthologie des Ballades françaises* (1897-1920) a paru en 1921 (appendices bibliographiques et critiques). L'Odéon a joué, en octobre 1924, *Ysabeau de Bavière*, la Com. Fr. : *Les compères du roi Louis* (21 juin 1926), etc.

CHAPITRE X

LES COTEAUX MODÉRÉS DU SYMBOLISME.
RETOURS A LA TRADITION CLASSIQUE

---

1. Moréas. — Le succès du symbolisme fut considérable, entre 1890 et 1900, mais il fut loin d'être unanime. De même que, vers 1830, Casimir Delavigne et Béranger avaient autant de lecteurs, pour le moins, que V. Hugo ou bien que Lamartine, de même il y eut, au plus beau temps du vers libre, des poètes et des lecteurs qui restaient attachés à la tradition parnassienne ou même à la vieille tradition romantique. Tous ne furent pas intransigeants dans cet attachement aux images poétiques et aux formes rythmiques du passé. Beaucoup, et parmi eux ceux qui comptent vraiment, se laissèrent gagner, au moins un temps, par l'ardeur des modernes réformateurs.

Il était bien difficile à un jeune poète qui fréquentait les autres « jeunes » de n'être pas entraîné par les discussions de cénacle et de café littéraire. Les écoles pullulaient ; il était bien malaisé de n'être pas embrigadé, au moins quelques semaines, dans l'une d'elles ; et il en était de plus modérées que les autres. Ces écoles avaient, en général, une revue, éphémère comme elles ; et c'était à seulement qu'un jeune poète estimait pouvoir se produire convenablement devant l'audience de ceux qui étaient de son âge : quelle tentation ! S'il arrivait de sa province ou bien de l'étranger, par fausse honte, il était plus vite encore saisi par la contagion de la mode ; il rougissait d'habitudes, pourtant devenues bien chères déjà ; son libre jugement était pour quelque temps brouillé, et il donnait, d'enthousiasme, des adhésions dont il devait être fort étonné quelques mois après. Il osait alors des concessions : il s'essayait sur les thèmes du jour ; il déplaçait légèrement ses coupes ; il dédorait un peu ses rimes ; on l'applaudissait flatteusement ; il finissait par commetttre de timides vers libres. Mais, déjà, la mode était moins forte ; les vraies habitudes et les vrais goûts du poète n'avaient été nullement entamés ; il avait au contraire pris conscience de son originalité et de ses préférences intimes d'art ; il sentait le ridicule des exagérations qu'il avait frôlées. Alors commençait un « retour », retour vers le Parnasse, retour vers le romantisme ; si son éducation de jeunesse et ses goûts y prêtaient, il pouvait même être entraîné vers un idéal bien plus ancien, et, par fatigue des outrances symbolistes, revenir jusqu'aux modèles de l'âge classique.

C'est, du moins, l'histoire de Moréas (1). Il joua un rôle important dans la bataille symboliste, il fonda plusieurs écoles successives. Mais, à distance, et si l'on s'en tient à ses recueils de vers, en négligeant la lecture des manifestes et les anecdotes de l'histoire littéraire, on est précisément frappé par ce que son œuvre a de peu symboliste : volontiers, en l'absence de précisions chronologiques, on imaginerait que Moréas a vécu avant ou après la période symboliste ; et l'on tiendrait pour des pastiches moqueurs les quelques pages qui, dans son œuvre, portent la marque des environs de l'année 1890.

Il était Grec de naissance, mais sa première éducation avait été toute française. Notamment, il avait lu très

jeune nos poètes de la Renaissance, de l'époque classique,
du Romantisme ; à dix ans, il formait le rêve d'être un
« poète français », et un poète comme ceux dont il avait
les œuvres en mains. Il y eut là, bien vraisemblablement,
une influence essentielle. Ces vieilles œuvres, entourées
de tout le prestige de leur révélation, à l'étranger et dès
l'enfance, lui imposèrent des manières de penser, des
images, des rythmes, au pouvoir desquels il ne pourrait
se dérober que pour peu de temps, et par un effort très
factice de la volonté ; vite il devait retourner aux
modèles si longtemps admirés. Pour un observateur
indifférent ou peu sympathique, la plus grande partie de
l'œuvre de Moréas donne l'impression d'une galerie de
pastiches des poètes français du quinzième, du seizième
et du dix-septième siècle.

Mais, à vingt-cinq ans, il vivait à Paris ; et les cafés
littéraires étaient décadents. On libérait alors le vers ;
on désarticulait la phrase, on bouleversait le vocabulaire ; on était neurasthénique, pessimiste et anarchiste.
Moréas, encore qu'il fût de culture très classique, de
tempérament méditerranéen, ami des paysages clairs,
des sentiments simples et forts, des formes syntaxiques
et rythmiques robustes, avait trop envie du succès immédiat pour ne pas devenir *décadent*. Il publia les *Syrtes*.

Ce premier recueil est fait, naturellement, de souvenirs
de jeunesse et de vers d'amour. Il fallait que cet amour
fût baudelairien, et quelque peu satanique ! C'est ce que
signifiait le titre du recueil : le poète se flattait d'avoir
fait « souvent naufrage près du port », le long de la
« syrte inhospitalière » ; et ces naufrages ne pouvaient
être que l'effet de ses péchés, de ses « vices » ! Mais il
s'en faut que l'inspiration du volume réponde à ce titre
désespéré. Moréas se fait alors une âme d'esthète décadent ; il dit le mépris de la femme, l'horreur du désir,
l'amour triste et mystique, le dégoût de la vie. A côté

d'images d'une netteté toute parnassienne, il fait passer
des visions troubles, des « correspondances » de sensations. Il se conforme aussi à l'art poétique de Verlaine,
nouvellement révélé, et qui est la loi du moment : rimes
assez libres, séquences de rimes masculines ou féminines,
vers impairs... On n'avait pas encore inventé le symbolisme ni le vers libre.

Le second recueil, les *Cantilènes*, parut au moment où
le symbolisme se substituait au décadisme, et où l'on
était en quête de définitions et de formules. Le titre
affirme le goût de Moréas pour les très vieux poètes
français, pour les rythmes lyrico-épiques très élémentaires : ses cantilènes sont des espèces de « complaintes »,
ennoblies par le recul du temps, où tout l'art est de parvenir à la naïveté de la phrase, à l'ingénuité des mots et
des rimes, à la monotonie du rythme ancien. L'époque
symboliste raffola de cette poésie populaire, dont la
simplicité faisait si vivement contraste avec la technique
trop perfectionnée du Parnasse. Un certain nombre de
poèmes des *Cantilènes* ne sont que des « airs et récits »
sur de vieilles légendes. Dans d'autres poèmes, Moréas,
après avoir imité Verlaine, s'avise de l'existence de
Mallarmé : il croit, et il dit, dans un manifeste paru presque en même temps que son livre, que l'art du poète est
un art de suggestion et d'allusion ; il fait effort pour
atteindre à l'Idée et pour effacer les images trop nettes
que les paysages ont laissées à sa mémoire. Tout un
groupe de poèmes a pour titre le *Pur concept*, ce qui est
on ne peut plus mallarméen. La dernière pièce, *Mélusine*,
est d'un symbolisme bien compliqué : une chevauchée
fantastique et allégorique. Précédée d'un cortège de
mots étranges, apparaît, à la fin, « Entélékhia pure,..
en le Jour vertical et vain ». Il est assez inutile de chercher le sens de ce poème ; il suffit de se plaire, si l'on
peut, au miroitement des images, qui, malgré l'effort du

poète pour les envelopper de grisaille, restent souvent nettes et éclatantes.

Mais ces pièces ambitieuses sont rares ; et les progrès de Moréas dans la foi symboliste sont surtout notables dans les rythmes. Il est plus audacieux ; les grands vers de 13 et de 14 pieds s'installent à côté de l'hendécasyllabe ; la rime est traitée beaucoup plus cavalièrement ; il y a des variations curieuses sur l'*e* muet. Évidemment Moréas, qui semblait prendre la direction du mouvement symboliste, était en route pour de plus grandes audaces ; mais il se sentit bien vite dépassé ; les dissidences commencèrent à se manifester ; on demanda aux mots des réalisations de plus en plus inouïes... Lentement, il commença à s'éloigner du symbolisme, qui, par suite de la concurrence, n'était plus sa chose, et ne se tenait pas à la hauteur moyenne où il eût aimé à le tenir. Le *Pèlerin passionné* (1891) marque le début des renoncements de Moréas.

Il y a, à vrai dire, quelques vers libres dans le recueil ; et, dès 1893, Moréas dut le remanier pour en faire disparaître les poèmes qui choquaient ses convictions nouvelles. Mais c'est peu de chose ; la grande nouveauté de ce recueil, c'est le souci qu'a le poète des questions de langue, sa volonté de renouveler les moyens d'expression par un usage raisonné et intense de l'archaïsme. Moréas réinaugure alors quantité de mots du xvᵉ siècle, plus vieux même, et si bien morts qu'il faut, pour le lire, recourir quelquefois à un lexique. Il ne se borne pas, en effet, aux mots dont la forme avoisine celle des mots d'aujourd'hui, ni à ceux que le contexte peut éclairer ; il utilise le plus possible des mots qu'il a notés au cours de ses lectures érudites. Il a fait, pendant des années, un « pèlerinage passionné » ; il veut revivre et dire les émotions de son pèlerinage et les joies de son initiation aux secrets de la vieille langue française.

Aussi présente-t-il, dans le *Pèlerin passionné*, des pastiches de Villon et de Marot, de claires allégories, des églogues très graciles. C'est une partie fort vétuste de son œuvre ; lui-même, bientôt, il n'y verra qu'une étape qui était nécessaire pour le conduire à autre chose : il fallait, pour revenir à la simplicité classique, passer par la naïveté médiévale. Les symbolistes, en général, ne furent pas indifférents à ce goût ; mais ils ne le poussèrent pas bien loin. Moréas, lui, y vit une possibilité de régénération.

Bientôt il annonça la fondation de « l'école romane » (1).

L'École romane française revendique le principe gréco-latin, principe fondamental des Lettres françaises, qui florit aux XIe, XIIe, XIIIe siècles avec nos trouvères ; au XVIe avec Ronsard et son école ; au XVIIe avec Racine et La Fontaine. Aux XIVe et XVe siècles, ainsi qu'au XVIIIe, le principe gréco-latin cesse d'être une source vive d'inspiration et ne se manifeste que par la voix de quelques excellents poètes, tels que Guillaume de Machaut, Villon et André Chénier. Ce fut le romantisme qui altéra ce principe dans la conception comme dans le style, frustrant ainsi les Muses françaises de leur héritage légitime.

L'école romane française renoue la chaîne gallique, rompue par le romantisme et sa descendance parnassienne, naturaliste et symboliste...

Je me sépare du Symbolisme, que j'ai un peu inventé. Le Symbolisme, qui n'a eu que l'intérêt d'un phénomène de transition, est mort. Il nous faut une poésie franche, vigoureuse et neuve, en un mot ramenée à la pureté et à la dignité de son ascendance.

La « Romanité » de Moréas comprend, dès lors, l'époque classique ; les nouveaux maîtres qu'il reconnaît, c'est Virgile et Dante, Homère, Pindare, Ronsard, La Fontaine, André Chénier... Il les rassemble dans son respect, à cause de leur commune inspiration antique. Lui-même, ressaisissant sa vraie tradition intellectuelle, il revient aux pures légendes antiques, qu'il n'avait

(1) Voir page 195 : L'école romane.

trouvées que bien déformées chez les poètes français du
moyen âge. Il écrit *Énone au clair visage, Ériphyle* ; il
renonce tout à fait à la « modernité », qui, depuis Baudelaire, était l'article essentiel du Credo de la poésie
nouvelle. Bravement, il décide de traiter les grands lieux
communs classiques : l'immortalité de la poésie, le pouvoir de la douleur, le regret du pays natal, la tristesse
de l'automne ; il bourre ses vieux thèmes d'allusions
antiques. Comme Chénier, il pare sa langue d'une mosaï-
que d'expressions grecques et latines : Horace, Pindare,
Homère, Virgile... Le vers libre, bien entendu, disparaît ;
les coupes redeviennent régulières ; quelques libertés
seulement, surtout la non-alternance des rimes masculines et féminines. Il s'en faut de peu, dès alors, que le vers
de Moréas ne soit devenu tout à fait racinien.

Les *Stances* marquent la dernière étape de ce retour au
classicisme. C'est un titre fort classique, et qui désigne
une forme, non un thème ou une série de thèmes. Le
recueil est fait de courtes pièces, généralement des quatrains d'alexandrins, ou bien des quatrains à clausule,
de facture très exactement traditionnelle. Le poète
dessine quelques jolis tableaux de plein air, simples et
qui paraissent tracés au trait ; il commente des maxi-
mes d'éternelle sagesse ; surtout, — et c'est la note
la plus originale de ce recueil, — il dit son angoisse de
voir s'enfuir les jours de sa vie et monter la mort.
L'amour de la lumière et de la vie, chevillé dans l'âme
de ce Méditerranéen artiste et voluptueux, s'est désormais affranchi de toutes les désespérances symbolistes ;
il n'en veut plus à la vie que d'être si brève et si peu
donneuse. Ce sont des thèmes bien rebattus et que la
poésie classique, ancienne et moderne, a développés en
cent manières : Moréas réussit à les rendre une fois de
plus lisibles, grâce à la simplicité de ses effets, à la pureté
racinienne de sa langue.

Racine était devenu son modèle unique, du moins
l'image, pour lui, de la perfection poétique ; il ne lui
restait plus qu'à écrire une tragédie, et sur un si jet racinien ; il l'écrivit, ce fut *Iphigénie.* Le nom d'Euripide
n'apparaît point sur le titre, mais seulement celui de
Jean Moréas ; et pourtant l'adaptateur a suivi de bien
près le texte original, se bornant à ignorer ce qu'il avait
de trop philosophique, de trop particulier.

Une fois achevé ce bref inventaire de l'œuvre de
Moréas, et si l'on élimine tous les poèmes qu'il a lui-même
condamnés, comme vers de début ou comme œuvres
exagérément symbolistes ou « romanes », il ne reste
plus grand'chose : une série d'efforts avortés, quelques beaux vers d'anthologie, qui ne révèlent point
une personnalité puissante, qui n'ont aussi que bien peu
de rapports avec les sentiments et les goûts de l'époque
à laquelle ils ont été écrits. Moréas s'y manifeste comme
un virtuose des mots plutôt que comme un artiste du
rythme ; son idéal de poésie est quelque chose de brillant et de sonore. La génération actuelle l'ignore ou le
dédaigne ; seuls, ses compagnons de l'École romane, ou
quelques critiques, qui furent jeunes quand il était jeune,
sont touchés par la mélancolie des *Stances.* A tous, dès
à présent, il apparaît étranger à la poésie symboliste.

2. Henri de Régnier. — Henri de Régnier (1),
comme Moréas, débuta par des recueils tout parnassiens
de facture et de rythme : les *Lendemains* (1885), *Apaisements* (1886), *Sites* (1887) sont vraiment purs de toute
atteinte décadente ou symboliste. Le très jeune poète
dit ses souvenirs d'amour, ses tristesses ; il dessine les
images de la nature qui lui plaisent : de calmes paysages
de France, de beaux parcs, d'indolentes rivières ; il
stylise, en tableaux ordonnés et lumineux, ses rêveries

(1) Voir page 196 : Notes complémentaires.

sur l'antiquité. La forme et le rythme sont tout à fait
traditionnels ; l'expression de la pensée est toujours
directe ; les images sont choisies pour elles-mêmes et
présentées de façon à donner toujours une impression
de sereine beauté.

Mais, une fois qu'il eut publié ces vers de prime jeunesse, — l'habituel cahier d'exercices des apprentis-poè-
tes entre 1875 et 1885, — Henri de Régnier, qui fréquentait chez Mallarmé, ne put rester indifférent aux ardeurs
et aux curiosités symbolistes. D'ailleurs, dès ses premiers
recueils, il avait laissé paraître une nonchalance hautaine et distinguée, qui pouvait l'engager à aimer les
formes voilées et atténuées de l'expression poétique.
Dans *Épisodes* (1888), son imagerie se complique et
s'obscurcit un peu : on voit s'avancer des princesses
lointaines, des nefs médiévales, des bêtes de légende ;
on erre dans des jardins mystérieux... Le poète, évidemment, préfère encore les thèmes antiques, mais il fait
effort pour changer, du tout au tout, leur caractère. Le
nu est fort peu symboliste, le goût ingénu de vivre et
l'amour païen de la volupté, non plus : les visions antiques se voilent de tristesse. Des intentions philosophiques s'avouent, assez discrètes d'ailleurs, très aisément
saisissables, comme celles qu'enferment, à la même
époque, les gracieux *Contes à soi-même* et les emblématiques histoires du *Trèfle noir*.

Un roman ou un conte — dit le poète dans la préface de la
Canne de jaspe, et l'on peut appliquer ces mots aux poèmes
aussi — peut n'être qu'une fiction agréable. S'il présente un
sens inattendu au delà de ce qu'il semble signifier, il faut jouir
de ce surcroît à demi intentionnel, sans y exiger trop de suite

Les symboles très simples des *Poèmes anciens et
romanesques* ou de *Tel qu'en songe* aboutissent, la plupart du temps, à des réalisations précises. Le poète
pianote sur des « motifs de légende et de mélancolie » ;

mais, quels que soient ces motifs, il se laisse entraîner à
peindre ses images préférées : des pierres précieuses, d s
bijoux d'or, de belles verreries, de beaux meubles. e
belles robes, de beaux jardins... D'abord, il conserve e
rythme traditionnel ; mais il ne tarde point à entrer
dans le groupe de ceux qui se disent les disciples de
Ghil ; et, bien qu'il reste, en fait, très indifférent à la
doctrine « instrumentiste », il cherche à renouveler la
musique de son vers, en la faisant un peu plus semblable
à celle que la mode a mise en valeur. Il consent au vers
libre : un vers libre très réglé, où il reste beaucoup de
rimes, ou bien avec de très sonores assonances ; de longs
fragments sont entièrement réguliers.

Là s'arrêtèrent les concessions d'Henri de Régnier au
symbolisme. Jamais, d'ailleurs, même pendant la période
où il essaya ces airs et ces thèmes, il ne renonça à ses
belles visions antiques. Que de faunes, de centaures,
d'ægipans et de sirènes, qui viennent sans cesse se mêler
à la vie des hommes ! Combien d'apparitions de nudités,
voluptueuses, sensuelles ! Henri de Régnier ne pouvait
se priver de ces images ; ses rêves d'enfant, dans un
port brumeux du Nord, ne se dirigeaient-ils pas sans
cesse, par une préférence invincible, vers « les pays de
musique et d'azur » ?

> Beau pays ! ton mirage enivra ma jeunesse,
> Et mon cœur a connu tes aubes et tes nuits ;
> Devant moi, ta Sirène a dénoué sa tresse,
> Et j'ai goûté tes fleurs, tes sources et tes fruits.
>
> O toi, dont nul regret n'a terni le mensonge,
> Parce qu'il me suffit que je ferme les yeux
> Pour sentir en mon rêve et pour voir en mon songe
> Ta forme, ton parfum, ta lumière et tes dieux !

D'autres parfums, d'autres formes, d'autres lumières
vivaient aussi dans son souvenir, aussi peu symbolistes
que possible, toutes choisies et conservées pour la joie

qu'elles avaient donnée aux sens et qu'elles étaient
capables de donner encore :

> Si tu veux parler à ma tristesse...
> Parle-lui du soleil, des arbres, des fontaines,
> De la mer lumineuse et des bois ténébreux
> D'où monte dans le ciel la lune souterraine,
> Et de tout ce qu'on voit quand on ouvre les yeux.
>
> Dis-lui que le printemps porte toujours des roses...
> Car la forme, l'odeur et la beauté des choses
> Sont le seul souvenir dont on ne souffre pas.

On croirait volontiers que le poète, ainsi que les héros
de 'a plupart de ses romans, ait vécu toute une longue
vie d'enfant et d'homme dans d'admirables maisons, au
milieu de grands parcs où les jets d'eau retombent dans
des vasques, où les fontaines chantent, où les statues de
marbre et de bronze se dressent devant le promeneur ; il
semble qu'il ait dormi toujours sous de riches plafonds,
dont les entrelacs enserraient des peintures galantes ;
qu'il ait soupesé « des épées, des miroirs, des bijoux,
des robes, des coupes de cristal » ; caressé de belles re-
liures et vécu parmi des fleurs magnifiques. Ce sont,
en tout cas, les images qu'il préfère — avec les évocations d'une antiquité tout adonnée à l'amour et à la
beauté ; c'est pour faire apparaître ces images qu'il est
si souvent penché vers le passé, proche ou lointain.

Très vite, après 1895, H. de Régnier s'affranchit de
l'obligatoire grisaille symboliste ; comme Moréas, il
avoue ses vraies préférences, un moment comprimées ;
comme lui, il trouve ses vrais maîtres, Ronsard et Chénier ; il est sensible au prestige de Heredia et essaie
souvent d'enfermer en des sonnets, pareils à ceux des
Trophées, des visions antiques fort somptueuses. Le
vers libre, qui avait fini par prendre une place importante
dans son œuvre, devient plus rare, et finit par disparaître ; le plus souvent, d'ailleurs, il se présente sous l'aspect de stances assez uniformes, avec quelques vers

courts, et ce n'est guère que l'alignement sur la marge
qui révèle le caractère « libre » du rythme. Peut-être ce
temps d'exercices appliqués sur des partitions nouvelles a-t-il contribué à rendre plus souple le vers de H. de
Régnier ; en tout cas, le poète obtient, avec un vers
très prudemment libéré, des effets de fluidité et d'harmonie que le vers libre prétendait pouvoir seul réaliser.

Les *Jeux rustiques et divins*, les *Médailles d'argile*, la
Cité des eaux, *La Sandale ailée*, le *Miroir des heures* sont
des recueils fort classiques comme thèmes et comme
forme : légendes antiques, visions antiques, paysages
antiques, inscriptions, médailles, épitaphes, transpositions à l'antique d'impressions modernes, tels sont les
sujets du poète. Il découvre de nouveaux thèmes : l'O-
rient : Brousse, Constantinople, qu'il ajoute aux lieux

> Dont les chers souvenirs sont, au fond de *sa* vie,
> Le regret, le désir et l'amour de *ses* yeux ;

— Versailles, la « cité des eaux », parce qu'elle est le
plus beau des parcs qu'il ait vus ou rêvés, plein de statues appuyées sur des fonds de verdure et reflétées dans
l'eau des vasques et des fontaines. Ces poèmes ont souvent un sens symbolique, mais ils ne disent que les clairs
symboles grecs consacrés par les siècles, ou bien les
courtes et simples affirmations de la sagesse antique.

Quelques critiques, influencés par le succès de l'œuvre d'Henri de Régnier, affirment qu'il fut le plus
grand poète de l'école symboliste, qu'il a « incarné le
symbolisme » ; et il est fort possible que le temps consacre leur impression ; mais, dès aujourd'hui, elle n'est
vraiment acceptable que si l'on dépouille le mot symbolisme de tout le sens que voulurent lui donner les
poètes symbolistes, et si on le traite comme un commode
signe d'abréviation chronologique, pour désigner les
quinze dernières années de la production poétique au
XIXᵉ siècle.

3. Albert Samain et Charles Guérin. — Albert Samain et Charles Guérin ne furent guère sensibles à la contagion du symbolisme ; facilement on pourrait hésiter à les inscrire dans une histoire de la poésie symboliste. N'ont-ils pas, presque en commençant, donné de leurs vers à la *Revue des Deux Mondes* ? Et pourtant, on a pu reprocher récemment à Albert Samain (1) d'avoir « mis le symbolisme à la portée des pharmaciens et des petites bourgeoises de sous-préfecture » ! Si l'on prend les mots dans une rigueur de sens qu'ils n'ont eue qu'un très court moment, Albert Samain fut un « décadent » plutôt qu'un « symboliste ». Le *Jardin de l'Infante* a rendu assez populaire une poésie mièvre, alanguie, indécise, triste ; l'Art, tel que le poète le conçoit,

> D'un séraphique archet de diamant et d'or,
> Triste, laisse tomber des notes en étoiles,
> Et suscite l'immense extase d'une mort.

Un même motif revient sans cesse : le souhait de sensations si affaiblies, si ténues qu'on ne soit pas bien certain que la vie continue. Des images et des mots se répètent : la voix est un sanglot qui meurt ; l'âme se gonfle de soupirs, le rêve ne veut pas se définir ; la pensée a le « vouloir de se taire » :

> J'adore l'indécis, les sons, les couleurs frêles,
> Et ce qui tremble, ondule et frissonne et chatoie :
> Les cheveux et les yeux, l'eau, les feuilles, la soie,
> Et la spiritualité des formes grêles.

Le vers cherche à donner la sensation de cette fluidité, de cette inconsistance des thèmes :

> Je rêve de vers doux et d'intimes ramages,
> De vers à frôler l'âme, ainsi que des plumages...
> De vers silencieux, et sans rythme et sans trame,
> Où la rime sans bruit glisse comme une rame,

(1) Voir page 196 : Notes complémentaires.

> De vers d'une ancienne étoffe exténuée,
> Impalpable comme le son et la nuée...

et la litanie de ces « déliquescences » se prolonge, quelque temps encore, par des images qui, toutes, disent une
langueur morbide et un parfum câlin.

Albert Samain use de symboles : ils sont élémentaires,
très nets : de belles claires images, de grandes métaphores continuées : l'âme est une infante, triste et hautaine,
qui se promène dans un vieux parc... Ces langueurs et
ces symboles devaient être, chez le poète, un goût un
peu artificiel, car dans les recueils qui ont suivi le premier dominent d'autres inspirations toutes différentes,
et surtout le plaisir de dessiner, comme « aux flancs d'un
vase », de belles images antiques, qui font souvent songer
à un Chénier mignard et sentimental. Le vers de Samain,
qui était resté très traditionnel, en dépit de quelques
légères libertés, se trouve tout à fait à l'aise avec ces
sujets classiques.

Charles Guérin (1), peut-être parce qu'il était plus
jeune d'une quinzaine d'années, et qu'il débuta plus
tard, à la belle heure du symbolisme, s'estima un vrai
« décadent », prodigua les images nouvelles, multiplia
les assonances, aima les néologismes à la mode ; ses
premiers recueils sont de tendance assez verslibriste.
Mais vite il se reprit ; le prestige d'Heredia, à qui il
dédia son *Semeur de cendres* (1901), agit très fortement
sur lui, comme sur H. de Régnier et Albert Samain. En
1904, il réédite et refond son *Cœur solitaire*, paru six
ans avant ; et il efface bien des mots et des images qui
portaient trop, dans leur ajustement, la date d'une mode
symboliste un peu vieillie ; il refait ses vers selon le
rythme traditionnel ; il écrit des sonnets ; il évoque des
souvenirs mythologiques. Lui aussi, il se mettait en
marche vers le classicisme ; il voulait être très simple,

(1) Voir page 196 : Notes complémentaires

très clair et fixer, sous forme arrêtée, des sentiments
généraux sur la vie ou des pensées pieuses. Quelquefois,
il regrettait de s'être obligé à ce dessein classique :

> Et quelquefois, au contact dur
> De mes strophes trop ordonnées,
> Je souffre d'un regret obscur
> Pour l'art de mes autres années.
>
> J'étais libre alors du souci
> D'atteindre à la forme parfaite :
> Pourquoi ne suis-je pas ainsi
> Resté naïvement poète ? (1)

4. Francis Jammes. — Un peu après 1890, un jeune
poète, qui vivait très loin de Paris, dans une ville minus-
cule de province, reçut la nouvelle que ses confrères de
la capitale avaient décidément mis en pièces le vers
romantique. La nouvelle dut être agréable à Francis
Jammes (2), car elle l'encourageait à traduire, sans la
moindre contrainte de style ou de métrique, en des lignes
disposées comme des vers, les spectacles habituels de
son existence et ses méditations sur ces spectacles. Sa
vie devait ressembler à celle d'un de ses héros, gentil-
homme campagnard :

> Il s'occupe des travaux de la terre...
> Il nettoie son fusil et couche avec sa bonne.
> L'existence lui est douce, calme et bonne...
> Il vit ainsi doucement, sans savoir pourquoi ;
> Il est né un jour. Un autre il mourra,

Il vivait pour jouir de l'éclat et du parfum des fleurs,
des chants des oiseaux, de la clarté du ciel, des prome-
nades dans la campagne, des rencontres de simples et
gracieuses jeunes filles, des faciles amours que le village

(1) Voir page 197 : P. Quillard et P. Louys.
(2) Voir page 197 : Notes complémentaires.

lui offrait. C'est tout cela qu'il mit dans ses poèmes,
sans le moindre apprêt ; l'exquis s'y rencontre avec le
vulgaire ou l'insignifiant ; le sentimentalisme avec
l'humour ; la caricature avec l'image d'Épinal ; les vers
faux avec les vers très réguliers.

Jammes fit de cette absolue simplicité un système ;
en 1897, il s'amusa à l'appeler le *jammisme*, qui se rédui-
sait à cette formule très brève : « Toutes choses sont
bonnes à décrire, lorsqu'elles sont naturelles » ; il n'y a
pas à distinguer « la vie d'avec l'art ». De fait, les recueils
successifs de Jammes prirent pour sujets : le pauvre pion
« doux et sale », qui « a mal aux yeux » et un bras para-
lysé, les petits ânes qui trottent sur les routes, le petit
veau qu'on va égorger, les menus événements de la
maison et de la rue du village, les cancans de la petite
ville... Cela tourne parfois à la nouvelle naturaliste
ou à la pièce genre « Théâtre Libre ». Mais, à côté, on
peut lire des poèmes selon la mode symboliste où tout
a une âme et parle, bêtes, choses et gens ; — d'exquises
évocations de jeunes filles anciennes, « qui avaient des
noms rococo, des noms de livres de distribution des
prix », de jolies et charmantes créoles : Clara d'Ellébeuse,
Almaïde d'Étremont, Sylvie Laboulaye. De « vieillottes
romances se traînent » alors, « comme un soleil mou-
rant », dans la voix du poète ; — un peu plus loin
s'offrent des élégies, parfois très sensuelles, mais d'une
sensualité fraîche, sans la moindre complication.

Aux approches de la quarantaine, F. Jammes, qui
jusque là n'avait pas été bien sûr de l'existence de Dieu,
se découvrit très catholique. Ses lignes rythmiques
devinrent des prières ; elles devinrent même des vers,
bientôt ; le vers libre a quelque chose d'hérétique, et
n'est généralement pas reçu, pour s'adresser à Dieu !
C'était là un double retour à la tradition ; le poète l'a
fixé en un « bref, mais sûr art poétique » :

> C'est ainsi que le vers dont j'use est bien classique,
> Dégagé seulement par la seule logique...
> Le vers libre ne nous fit pas très bien sentir
> Où la strophe s'en vient commencer et finir...

Francis Jammes revient alors à la rime, à la règle de
l'alternance des rimes ; il ne se permet plus que très peu
des libertés rythmiques du jour. Son vers, d'une monotonie voulue, s'emploie, comme autrefois, à décrire la
vie du poète à la campagne ; mais sa foi transfigure sa
vie ; une imagination douce, tendre et pieuse transforme la réalité ; celle-ci semble n'offrir plus aucun événe-
ment notable, mais seulement des occasions pour l'âme
de s'élever vers Dieu. F. Jammes déclare que ceux qui
n'aiment point ses vers sont bien près d'être corrompus !
Une telle ingénuité de foi, une telle simplicité de moyens
d'expression désarment la critique. Il y a d'ailleurs là
un certain charme ; une partie du public l'a senti assez
vivement à l'heure où l'on était lassé de la mystique, de
la métaphysique et de la métrique symbolistes.

5. Verhaeren. — L'évolution de Verhaeren (1) fut
plus longue, plus complexe, et son « classicisme » final
beaucoup moins conforme à la tradition. Aussi bien
revenait-il de plus loin ; et comme il vivait hors de Paris,
il fut moins immédiatement que d'autres sensible aux
caprices de la mode parisienne. Quand il commença à
écrire, la jeunesse littéraire belge était naturaliste avec
fougue. Ses premiers vers, les *Flamandes* (1883), sont
des contes ou des descriptions, très réalistes, qui font
songer à Maupassant ; des paysages nets et étincelants
de soleil, des spectacles de la campagne flamande. Tout
y dit la puissance de l'instinct : les garçons se battent,
ou se soûlent, ou se précipitent violemment sur les
« garces » et les « gouges » : c'est une kermesse universelle

(1) **Voir page 197 : Notes complémentaires.**

emportée dans un mouvement violent. La phrase du
poète est robuste, son vers solidement construit, son
rythme très parnassien. On avait affaire à un homme
sanguin, amoureux de la vie et qui aimait à l'exalter, à
en exagérer le tumulte, plutôt que de la mépriser ou
de l'embrumer, comme faisaient les symbolistes.

En 1887, pourtant, Verhaeren se révéla « décadent ».
Les *Soirs*, dédiés à Rodenbach, offrent des paysages
tristes, des méditations où le poète dit son dégoût du
« journalier mirage » ; il blasphème et rêve de mourir.
Les *Débâcles* et les *Bords de la route* sont de la même
inspiration : Verhaeren cherche à s'affadir, à s'alanguir.
Il se peut bien qu'il y ait eu alors, dans sa vie, une crise
maladive ; mais sa santé et sa robustesse naturelles
étaient si anachroniques, vers 1890, qu'il fallait bien
qu'il les dissimulât, en attendant qu'un nouveau changement de la mode poétique lui permît de reprendre sa
silhouette naturelle. En même temps, il s'essayait à
assouplir son vers trop solidement forgé et à en rendre
le rythme inégal et incertain, selon la manière de Verlaine. Bientôt la « Décadence » le conduisit au symbolisme et le symbolisme au vers libre.

Contre cet envoûtement, il se défendait, par une
révolte instinctive. Il bourrait ses livres de symboles ;
mais ces symboles sont clairs et simples ; ses poèmes en
vers libres ont des parties très exactement rythmées et
rimées. Surtout, il se lassait de son impressionnisme
factice, de cette recherche volontaire de l'hallucination
à laquelle il s'était obligé deux ou trois ans durant ; il
revenait à ses tableaux réalistes, par où il avait débuté,
et qui lui permettaient de lâcher sa fougue intérieure :

> L'ardeur de l'univers
> Me rajeunit et me pénètre.
> Que m'importe d'avoir souffert,
> D'avoir raclé mon cœur avec la chaîne
> — Qui vient et va — de la douleur humaine ?

> Que m'importe ! — je sens
> Mon corps renouvelé vibrer de joie entière
> D'être trempé, vibrant et sain,
> Dans ce brassin
> De formidable et sauvage matière.

Il s'offrait à toutes les fortes impressions qui montaient de la terre de son pays ; un vague panthéisme lui faisait croire que toutes les « forces tumultueuses » de l'univers et de l'humanité entraient en lui ; il ne « distinguait plus le monde de lui-même ». Il voyait les « villages illusoires », les « campagnes hallucinées », dépeuplées de leurs habitants qu'attire, de l'horizon, la « ville tentaculaire ». Tout, dans la campagne, lui parlait de mort, d'abandon ; tout, dans la ville, annonçait le triomphe d'une grande foi moderne, la religion de l'effort, le culte de l'énergie.

Dès lors, il s'employa à exalter la cité moderne, les grandes villes à usines ; et s'il se plaisait à évoquer le passé, c'était pour faire réapparaître les heures où la volonté, la force, la brutalité des ancêtres s'étaient manifestées splendidement. Les révoltes, les émeutes, les conquêtes, voilà le passé qu'aime Verhaeren. Et, pour le présent, il se plaît à montrer les trains, lancés à toute vitesse, qui trouent la nuit et qui ceinturent le monde ; les usines avec leurs fenêtres toutes rouges dans le soir et le bruissement de leur incendie intérieur ; les maisons de banque agitées et bourdonnantes ; les ports, avec la confusion des navires qui entrent et qui sortent, et la dure activité des débardeurs ; l'or qui conquiert le monde ; la science qui détruit la foi et prépare la religion de l'humanité ; les idées sociales qui enflamment le peuple et le soulèvent ; toutes les manifestations de « la vie élargie » : la « force sainte », « la lutte avide et la fièvre féconde ».

> C'est l'angoisse, c'est la fureur,
> C'est la rage contre l'erreur,
> C'est la fièvre qui sont la vie...

> J'aime la violente et terrible atmosphère
> Où tout esprit se meut, en notre temps, sur terre,
> Et les essais et les combats et les labeurs.

Les *Visages de la vie*, les *Forces tumultueuses*, *Toute la Flandre*, la *Multiple splendeur*, les *Rythmes souverains*, les *Flammes hautes*, tels sont les titres des recueils qui ont succédé aux *Soirs*, aux *Débâcles*, aux *Flambeaux noirs*. Les images du poète sont ardentes et prennent souvent l'aspect de flamboyantes hallucinations ; son expression est passionnée et magnifique. Le vers, très assoupli par les techniques nouvelles, est maintenant un instrument dont le poète fait ce qu'il veut, bon pour les descriptions exactes ou pour les moments d'ivresse lyrique.

Les derniers recueils témoignent que Verhaeren commençait à se lasser de ce vers libre, trop souple ; il y introduisait de fortes mesures dominantes ; il marquait très fortement la rime, en rimant, bien entendu, pour l'oreille et non pour les yeux ; la phrase et le vers prenaient un pas plus sage. Les *Blés mouvants* (1912) montrent que cette sagesse « classique » atteignait l'inspiration elle-même. Le poète revient aux spectacles des campagnes de Flandre ; il ne les voit plus « hallucinées », comme autrefois, ni même désertées ; il a relu Théocrite et Virgile, et sa vision des choses rustiques s'est apaisée ; il chante de jolies chansons de village, les regrets des bons vieux paysans, l'amour du cultivateur pour sa terre, l'idylle aux champs. Ce sont encore, tout cela, des « forces », mais des forces « souveraines », point « tumultueuses ». Il est probable d'ailleurs que les poèmes que Verhaeren a consacrés aux énergies modernes, sous leurs formes les plus véhémentes, sont ceux qui résisteront le plus longtemps à l'oubli, car ils portent, très forte, l'empreinte d'un tempérament vigoureux et original. C'est du moins ce qu'il espérait lui-même :

Je serai dans le corps, dans les mains, dans la voix
De ceux qui, malgré l'homme, obstinément espèrent
Et façonnent leur être ardent, quoiqu'éphémère,
A ne vivre que pour l'effort et pour l'exploit.

Mon cri dominera les plus longs cris d'alarme
Et mes strophes de fougue et de témérité
Jetteront de tels feux pendant l'éternité
Qu'elles luiront pour tous comme des faisceaux d'armes.

NOTES COMPLÉMENTAIRES

I. MORÉAS. — Jean Moréas, de son vrai nom Papadiaman-topoulos, naquit à Athènes en 1856 et mourut à Saint-Mandé en 1910. Il vint achever ses études à Paris, un peu après 1870, et ne tarda pas à s'y fixer ; plus tard, il obtint la naturalisation française. Il fréquente les cénacles « décadents » et publie les *Syrtes* (1884) et les *Cantilènes* (1886) ; il est alors fort en vue parmi les « symbolistes » (voir p. 150 et suiv.). Mais la publication du *Pèlerin passionné* (1891) marque sa dissidence ; un banquet lui est offert lors de l'apparition de ce livre ; on y annonce la fondation de « l'École romane ». Moréas remanie alors le *Pèlerin passionné* (1893), supprime quelques poésies trop symbolistes (publiées à part dans *Autant en emporte le vent*, 1893) et ajoute quelques poèmes écrits à l'imitation de Ronsard, puis *Énone au clair visage* (1893), *Ériphyle et quatre sylves* (1894). Les recueils publiés de 1886 à 1896 ont été réunis dans *Premières poésies*, 1907, et *Poèmes et sylves*, 1907. Paraissent ensuite les *Stances* (livres I et II, 1899 ; III à VI, 1901 ; les VI premiers livres en 1905 ; le VIIe, posthume, en 1920 ; édition complète en 1923) ; on a publié en 1922 un *VIIIe livre des Stances*, qui est un ingénieux pastiche. Moréas a publié en outre une tragédie, *Iphigénie*, 1904 (jouée au théâtre d'Orange et à l'Odéon en 1903), et quelques volumes de prose : *Contes de la vieille France*, 1904 ; *Esquisses et souvenirs*, 1908 ; *Variations sur la vie et les livres*, 1910 ; *Réflexions sur quelques poètes*, 1912, etc. *Choix de poèmes*, 1923 ; *Œuvres*, 1923 et suiv.).— A consulter : E. RAYNAUD, *Jean Moréas et les Stances*, 1929 ; R. GEORGIN, *J. Moréas*, 1930.

II. L'ÉCOLE ROMANE. — Autour de Moréas se groupèrent, en 1891 : ERNEST RAYNAUD (né en 1864), qui avait déjà publié des vers d'inspiration « décadente » : le *Signe*, 1887 ; *Chairs profanes*, 1889. A l'inspiration « romane » appartiennent les *Cornes du faune*, 1890 ; le *Bocage*, 1895 ; la *Tour d'ivoire*, 1899 ; la *Couronne des jours*, 1899 : les *Bucoliques de Virgile* inter-

prêtées en vers, 1920 ; *Six églogues de Calpurnius*, 1927, etc. —
MAURICE DU PLESSYS (1864-1924), qui fut ami de Verlaine et
collaborateur du *Décadent*, auteur de la *Bédicace à Apollodore*,
1891 ; *Études lyriques*, 1896 (contient la reproduction, avec modifications, du *Premier livre pastoral*, 1892) ; *Pallas occidentale*,
1909 ; les *Odes olympiques*, 1912 ; les *Tristes*, 1912 ; le *Buveur
et la guerre*, 1917. Le *Feu sacré*, 1924 (posthume), a recueilli une
grande partie de l'œuvre du poète ; — RAYMOND DE LA TAIL-
LHÈDE (né en 1867), auteur de la *Métamorphose des fontaines*,
1895 ; *Les Poésies*, 1926 ; — CHARLES MAURRAS (né en 1868).
qui était le critique du groupe (*Jean Moréas*, 1891 ; le *Repentir
de Pythéas*, 1892, reproduits dans l'*Allée des philosophes*, 1924.'

III. HENRI DE RÉGNIER. — Henri de Régnier (né en 1864)
passa ses premières années à Honfleur, puis vint à Paris où
il fit ses études. Ses recueils de poésies sont *Lendemains*, 1885 ;
Apaisements, 1886 ; *Sites*, 1887 ; *Épisodes*, 1888 ; *Épisodes,
sites et sonnets*, 1891, qui ont été, tous les cinq, réunis dans
Premiers poèmes, 1899 ; — *Poèmes anciens et romanesques*,
1890 ; *Tel qu'en songe*, 1892, recueillis, tous deux, dans *Poèmes
(1887-1892)*, 1895 ; — *Aréthuse*, 1895, qui a été recueilli dans
les *Jeux rustiques et divins*, 1897 ; — les *Médailles d'argile*,
1900 ; la *Cité des eaux*, 1902 ; la *Sandale ailée*, 1906 ; le *Miroir
des heures (1906-1910)*, 1911 ; *1911-1916, Poésies*, 1918 ; *Ves-
tigia flammæ*, 1921 ; *Flamma tenax (1922-1928)*, 1928. Œuvres,
en cours de publication au *Mercure de France*. Des *Œuvres,
choisies* ont été publiées dans la *Bibliothèque de l'adolescence*
(Crès). A partir de 1894, H. de Régnier a publié des recueils
de nouvelles et de nombreux romans ; quelques recueils d'articles de critique (*Figures et caractères*,1901 ; *Sujets et paysages*,
1906 ; *Portraits et souvenirs*, 1913 ; *Proses datées*, 1925). Depuis
1911, Henri de Régnier est membre de l'Académie française.

IV. ALBERT SAMAIN. — Albert Samain (1858-1900) a publié
Au jardin de l'Infante, 1893 (réédité en 1898, avec une partie
nouvelle) et *Aux flancs du vase*, 1898. Après sa mort on a
publié le *Chariot d'or*, 1901 ; *Contes*, 1912, et *Polyphème*, 1906
(reproduction du manuscrit autographe, 1923) ; *Œuvres*,
4 vol., 1911-1912 ; 3 vol., 1913-1917 ; *Des Lettres, 1887-1900*
(1933). — A consulter : G. BONNEAU, *Albert Samain*, 1925.

V. CHARLES GUÉRIN. — Charles Guérin (1873-1907) a publié
Sonnets et un poème, 1897 (qui reproduit les premiers recueils :
Fleurs de neige, 1893 ; l'*Art parjure*, 1894) ; *Joies grises*, 1894 ;
le *Cœur solitaire*, 1898 (éd. corrigée et augmentée, 1904) ; le
Semeur de cendres (1898-1900), 1901 ; l'*Homme intérieur
(1901-1905)*, 1905. Posthume : *Premiers et derniers vers*, 1924.

VI. Pierre Quillard et Pierre Louys. — Ces poètes, légèrement touchés par le symbolisme, sont « revenus à l'antique » : Pierre Quillard (1864-1912) : *La Lyre héroïque et dolente*, 1897 ; — Pierre Louys (1870-1925) : *Astarté*, 1891 ; *Chansons de Bilitis*, 1894 (éd. ultér. augm.), *Poésies*, 1927 ; romans : *Aphrodite*, 1896, *Psyché*, 1927 ; *Poétique*, 1917 ; *Journal intime (1882-1891)*, 1929 ; *Littérature*, 1929 ; *Œuvres complètes*, 13 vol., 1931, etc.

VII. Francis Jammes. — Francis Jammes (né en 1868) habita, dès son enfance, Orthez (Basses-Pyrénées). Premiers vers : *De l'Angélus de l'aube à l'Angélus du soir*, 1898. Ont paru ensuite le *Deuil des primevères*, 1901 ; le *Triomphe de la vie*, 1901 ; *Clairières dans le ciel*, 1906 ; les *Géorgiques chrétiennes*, 1911-1912 ; la *Vierge et les sonnets*, 1919 ; le *Premier*, le 2e, le 3e et le 4e *Livres des quatrains*, 1923-1925 ; *Ma France poétique*, 1926 ; *Œuvres*, en cours de publication au *Mercure de France* ; *Choix de poèmes*, 1922. Les mémoires de F. Jammes ont commencé à paraître : I. *De l'âge divin à l'âge ingrat*, 1921 ; II. *L'Amour, les Muses et la Chasse*, 1922 ; III. *Les Caprices du poète*, 1923. Quelques jolies nouvelles et des essais en prose ont été réunis dans le *Roman du lièvre*, 1903 ; la *Brebis égarée*, « roman musical », 1923 ; *Diane*, 1928.

VIII. Verhaeren. — Emile Verhaeren, né à Saint-Amand, près d'Anvers, en 1855, mort à Rouen en 1916. Voici l'essentiel de son œuvre poétique : les *Flamandes*, 1883 ; les *Moines*, 1886 ; *Aux bords de la route*, 1891, réunis dans *Poèmes* ; — les *Poèmes, nouvelle série*, 1896, reproduisent les *Soirs*, 1887 ; les *Débâcles*, 1888 (fac-similé du mss. 1926) ; les *Flambeaux noirs*, 1889 ; — les *Poèmes, IIIe série*, 1896, reproduisent les *Apparus dans mes chemins*, 1891 ; les *Villages illusoires*, 1895. Ensuite, les *Villes tentaculaires*, 1895, qui reproduisent les *Campagnes hallucinées*, 1893 ; les *Visages de la vie*, 1899 ; les *Forces tumultueuses*, 1902 ; *Toute la Flandre*, 5 vol. 1904 à 1911 ; la *Multiple splendeur*, 1906 ; les *Rythmes souverains*, 1910 ; les *Blés mouvants*, 1912 ; les *Ailes rouges de la guerre*, 1916 ; les *Flammes hautes*, 1917 ; *A la vie qui s'éloigne*, 1924. Des éditions (incomplètes) des *Œuvres* ont été données en 1912-1914 et en 1920. Un *Choix de poèmes* a été publié en 1916. Pièces de théâtre : *Deux drames*, 1909 (reproduit *Le Cloître*, 1900, et *Philippe II*, 1904) ; les *Aubes*, 1898, et *Hélène de Sparte*, 1912. Essais : *Impressions*, 1926-1928, 3 vol., etc. — A consulter : E. Estève, *Verhaeren*, 1928 ; A. Mockel, *E. Verhaeren*, 1933.

CHAPITRE XI

LE THÉATRE SYMBOLISTE

---

1. Vers la forme dramatique. — Toutes les écoles poétiques du XIXᵉ siècle ont recherché la consécration des succès dramatiques. Il serait assez facile de se servir de cette constatation pour affirmer une « loi », et une loi d'autant plus impérieuse qu'on peut la croire voulue, très probablement, par des nécessités d'ordre sociologique. Il y a une heureuse rencontre entre les désirs des poètes qui souhaitent le bruit et l'argent que, seul, peut donner le théâtre, et les désirs du monde des théâtres, qui, pour entretenir et renouveler son attrait, cherche à donner une forme dramatique à toutes les modes intellectuelles du jour. Ce désir commun du succès, et d'un succès qui ne peut s'établir que s'il est convenablement monnayé, suscite des œuvres quelquefois bien singulières ; une fois que la mode a passé, on s'étonne qu'elles aient pu seulement se produire à la scène, tant elles paraissent dépourvues de tout caractère dramatique et dissemblables des œuvres auxquelles se plaît le public ordinaire des salles de spectacles.

Comme les Parnassiens, comme les romantiques, comme les classiques, comme les poètes de la Pléiade, les poètes symbolistes mirent leur honneur à faire jouer des pièces conçues suivant leur doctrine d'art. Il faut recon-

naître d'ailleurs que, en dehors de la force de la tradition et des appels des directeurs de théâtre, ils y étaient
comme poussés par leur conception même de la poésie.
L'allégorie, dont ils usaient communément, est volontiers parleuse ; il était tentant de donner la vie, du
moins la vie du théâtre, aux belles abstractions, aux
quintessences d'Idée que la plupart d'entre eux se flat-
taient d'avoir réalisées. Et puis, c'est au théâtre, en
s'aidant de la musique, de la danse, des décors, et, au
besoin, de symphonies de lumières et de parfums, que
l'on pouvait le mieux réaliser l'ambition qu'avait alors
la poésie d'être l'art total, l'art suprême, celui qui pouvait créer les plus riches complexes de sensations. Mallarmé a écrit quelques subtiles « divagations » sur les
spectacles d'opéra et les ballets, où il dit le pouvoir qu'a
le théâtre de créer les « prestiges » et de « dispenser le
mystère ».

Beaucoup de poètes symbolistes ont écrit des dialo-
gues ou des scènes sans penser peut-être, d'abord, que
cela pût être joué. Mais, par horreur de la pièce à thèse,
selon les formules d'Émile Augier, d'Alexandre Dumas
et du Théâtre Libre, ils ne tardèrent pas à se persuader
que « le théâtre était inutile au théâtre » ; ils voulaient
dire par là que les ressorts ordinaires de l'émotion dramatique : la curiosité, l'inquiétude, ne sont bons qu'à
produire des effets de mauvais mélodrame ; et qu'il
serait beau que le public voulût bien consentir à assister
à une pièce de théâtre comme à un concert où l'on
donnerait des fragments d'opéra ou des symphonies.
Ils étaient convaincus aussi que le vers libre était le
vers dramatique par excellence, puisqu'il était une
musique et qu'il pouvait tout dire, tout chanter, tout
faire entendre.

Voici, un peu au hasard, quelques marques de ce goût
pour la forme dramatique. Henri de Régnier a écrit un

long poème en vers libres, l'*Homme et la Sirène*, qui a
un sens symbolique et affirme l'incompréhension mu-
tuelle de l'homme et de la femme ; les entités que crée sa
pensée parlent et vivent d'une espèce de vie plus chaude
que celle que crée la pure allégorie. Sa *Gardienne* a pu
être portée au théâtre, encore que les personnages en
soient très « emblématiques », la donnée en dehors du
temps et l'action sans événements. F. Herold (1) a
dramatisé des légendes médiévales et orientales où
s'affrontent, sous des noms d'homme et de femme, la
Foi, l'Amour, la Gloire, la Mort. Vielé Griffin a souvent
essayé des fictions dramatiques : *Ancœus, Swanhilde,
Phocas le jardinier,* où il y a des incidents, des surprises,
des inquiétudes et des luttes de sentiments, une véritable action en vérité, quoiqu'elle soit à chaque instant
embrumée de légende, de poésie et de philosophie.
Quant à F. Jammes, il y a souvent dans son œuvre, à
côté de fantaisies dramatiques très lyriques, de véritables scènes de comédie réaliste, dont le sens symbolique
finit bien par apparaître, mais qui, si on les isole,
donnent l'impression d'être écrites vraiment pour le
théâtre. Verhaeren, lui, mit sur pied de véritables
pièces de théâtre, philosophiques et symboliques à souhait, mais vigoureuses et emportées par un fort mouvement dramatique.

2. Les Théâtres d'avant-garde. « L'Œuvre ». — Tout
cela, ce n'était que du théâtre écrit, des féeries qu'on
laissait à réaliser à l'imagination des lecteurs. Quelques
théâtres d'avant-garde, entre 1890 et 1900, s'employè-
rent à faire de l'idéal symboliste une réalité scénique.
Ils offrirent aux auteurs un public de jeunes poètes et
d'admirateurs convaincus, décidés à tout applaudir dès
le début de la représentation, des acteurs en herbe,

(1) Voir page 207 : Notes complémentaires.

pleins de bonne volonté et prêts à tenir les rôles les plus difficiles. Auteurs et acteurs ne visaient point au « succès » immédiat ; ils bornaient leur ambition à faire tenir les pièces pendant une, deux ou trois représentations. On pouvait bien être audacieux !

Le *Théâtre Libre*, bien qu'il se soit spécialisé très vite dans la comédie rosse, monta quelques pièces poétiques, et joua du Villiers de l'Isle Adam et de l'Ibsen ; le *Cercle des Escholiers* s'employa de bonne heure à faire connaître Ibsen et Maeterlinck ; le *Théâtre moderne* représenta bravement en 1891, 1892 et 1893 les trois parties d'une *Légende d'Antonia* de E. Dujardin, en vers libres, qu'il fallut défendre contre les fous rires de la salle. Il y eut d'autres tentatives : le *Théâtre d'application*, le *Théâtre des poètes*, etc. Les deux plus importantes sont le *Théâtre d'art* et l'*Œuvre*.

Paul Fort créa, en 1891, le Théâtre d'art avec l'intention très nette de donner au symbolisme le moyen de s'affirmer sur la scène contre le naturalisme, qui avait pour lui le Théâtre Libre ; son ambition était si grande que, sans aucun souci des contingences dramatiques, il voulut faire entendre sur une scène, garnie de décors appropriés, quelques-uns des poèmes les plus symbolistes, faire *voir* quelques-uns des tableaux les plus modernes. On récita des poèmes de Stéphane Mallarmé, de Poe, de Banville, de Verlaine, de Stuart Merrill ; on mima en musique le premier chant de l'*Iliade* ; on paraphrasa « instrumentalement » le *Cantique des cantiques*, et la légende veut que, avec les pauvres moyens du théâtre, dans l'espèce quelques vaporisateurs, on ait essayé de lancer dans la salle des effluves qui pussent évoquer les forts parfums dont s'oint la Sulamite pour recevoir son amant ! On joua l'*Intruse* et les *Aveugles* de Maeterlinck ; *Madame la Mort* de Rachilde ; la *Fille aux mains coupées* de Pierre Quillard ; le *Théodat* de R. de

Gourmont ; on « joua » le *Concile féerique* de Jules Laforgue ! Mais bientôt, après deux années d'essais poursuivis
sans un dessein très arrêté, l'entreprise échoua, ne laissant guère que du mécontentement chez tous ceux qui
y avaient participé.

Le Théâtre de l'Œuvre (1) eut une vie plus longue et
une activité mieux récompensée. Il fut fondé en octobre
1893 par Lugné Poe, Camille Mauclair et Ed. Vuillard,
et commença aussitôt une intéressante campagne dramatique. D'une part, on présenta au public français
l'œuvre d'un certain nombre d'auteurs étrangers :
Ibsen, Bjoernstjerne Bjoernson, Strindberg, Maeterlinck,
Hauptmann, Oscar Wilde, etc. ; on fit jouer des adaptations des vieux théâtres indien et chinois ; d'autre part,
on porta à la scène des œuvres « symbolistes » de Rachilde, de H. Bataille, de H. de Régnier, de Judith Cladel.
Dix à quinze pièces par an, dans les premières années ;
puis le mouvement se ralentit. Le 21 juin 1899, le directeur Lugné Poe annonça que l'*Œuvre* avait vécu. En
réalité, elle reprit vie, quelquefois à de longs intervalles,
donnant une ou deux représentations dans chacune des
années qui suivirent : on joua ainsi de l'Ibsen, du Verhaeren, du Samain, du d'Annunzio, du Gorki, du Van
Lerberghe, du Marinetti.

Les pièces étrangères, — on le voit, — sont de beaucoup les plus nombreuses et les plus importantes dans
le programme de l'*Œuvre*. La grande préoccupation de
l'entreprise fut, en réalité, de révéler Ibsen au public
français. Son théâtre donnait d'ailleurs pleine satisfaction aux aspirations « décadentes » ; il était une violente
critique de la société actuelle ; il exaltait l'individu ; il
était « anarchiste », comme on l'était, vers 1890, dans
les milieux intellectuels. Et puis les pièces d'Ibsen
étaient aussi peu « théâtre » que possible ; elles ne res-

(1) Voir page 207 : Quelques pièces jouées à l'*Œuvre*, de 1893 à 1899.

semblaient en rien aux pièces à thèse françaises ; les personnages s'y promenaient dans l'action comme des Idées vivantes, comme des symboles en chair et en os, faits uniquement pour s'affirmer et pour discuter les idées adverses.— Ce n'était pas là, certes, la grande poésie d'images, ni la musique des mots, révélatrice du mystère que rêvaient alors pour le théâtre les poètes symbolistes ; mais c'était bien un appel à l'Idée, par delà la réalité immédiate, une protestation contre cette réalité, et la suggestion permanente d'une réalité supérieure. Rien de plus « symboliste » !

Après les traductions d'Ibsen, la réalisation la plus originale au théâtre de l'effort symboliste a été l'œuvre de Maeterlinck ; elle eut un franc succès et quelque influence. Aujourd'hui, après trente ans, elle apparaît comme la seule réussite dramatique du symbolisme.

3. Le Théâtre de Maeterlinck. — Maeterlinck (1) commença par publier un recueil de vers, les *Serres chaudes*, qui ressemble à beaucoup des volumes que publièrent, vers 1890, la plupart des poètes débutants : des thèmes décadents, des allégories, des vers très libérés ou libres, une prose rythmée qui, bientôt, trouvera son emploi dans les pièces de théâtre. Les poèmes disent des lassitudes, des tristesses, des ennuis, des fièvres ; quelques-uns révèlent un souci particulier du mystère, des craintes vagues devant l'inconnu ; ce souci et cette crainte, développés à l'extrême, vont hanter, pendant des années, la pensée de Maeterlinck. Leurs effets, à vrai dire, étaient un peu usés déjà en poésie ; mais Maeterlinck eut l'idée, l'année même où il publia les *Serres chaudes*, de les essayer au théâtre ; et ces ressorts nouveaux manifestèrent aussitôt une puissance singulière. Les intentions du poète et ses procédés étaient simples ;

mais une partie du public était toute préparée à admirer ; et l'autre, la majorité, ne demandait pas mieux
que de s'émouvoir une fois de plus devant des évocations adroites d'inconnu, de mystère et de mort.

Tout le théâtre de Maeterlinck est fondé sur une espèce de philosophie, qui est tout à fait antipositiviste.
Maeterlinck croit à tous les mystères qu'autorise l'intelligence moderne ; il transforme, du moins, en mystères l'Inconnaissable, l'Inconscient, le Subconscient que
venaient de vulgariser les philosophies spiritualistes du
jour. Le domaine du Connaissable, croit-il, est infiniment petit ; dès que nous agissons, dès que nous pensons,
nous en sortons, et nous avançons, comme à tâtons,
dans une nuit mauvaise. Autour de nous, il y a « d'énor-
mes puissances invisibles et fatales, … malveillantes,
attentives à toutes nos actions, hostiles au sourire, à la
la vie, à la paix, au bonheur ». Le rôle du poète dramatique est de « faire descendre dans la vie réelle, dans
la vie de tous les jours, l'idée qu'il se fait de l'inconnu ».
Mais l'Inconnu n'est pas seulement au dehors de nous ; il
est en nous : nous avons une « vie profonde », que nous ne
voyons pas ; « nous agissons presque tous, sans que rien
de notre âme intervienne » ; à d'autres moments, c'est
notre âme qui nous pousse irrésistiblement à agir, sans
que nous comprenions rien à nos propres actes.

La première pièce de Maeterlinck, la *Princesse Malei-
ne*, donne assez bien l'impression, si l'on s'en tient à la
facture du drame et à la suite des événements, d'un
pastiche shakespearien : personnages royaux, mélange
d'effets tragiques et grotesques, scènes dispersées,
amours traversées, tuerie finale. Mais le vrai intérêt est
ailleurs. Sans cesse le drame attire l'attention sur
l'immense inconnu qui enveloppe les personnages, qui
les surveille, qui les conduit malgré eux ; de touves
parts éclatent des présages et se manifestent des sym-

boles que les héros ne comprennent point. Ces avertisse-
ments que font entendre les bêtes, les choses et les gens,
sont bien souvent, le poète l'a reconnu, « des naïvetés
dangereuses » ; les personnages, avoue-t-il, ont « l'apparence de somnambules un peu sourds, constamment
arrachés à un songe un peu pénible » ; leur hébétement
tient à « l'idée un peu hagarde qu'ils se font de l'univers ».

Le procédé était trouvé ; il n'y avait plus qu'à le per-
fectionner, surtout à en user plus discrètement. D'ailleurs, les sujets de tragédie n'étaient pas nécessaires
pour montrer la hantise de l'inconnu : les plus humbles
événements de la vie quotidienne péuvent être éclairés
d'une lumière tragique. La mort nous guette, à chaque
heure de notre vie ; on ne peut la surprendre, la *voir*
pendant son guet, mais on peut faire sentir qu'elle rôde,
montrer des portes qui s'ouvrent ou se ferment sur son
passage, faire craquer la chaise sur laquelle elle s'asseoit.
...La plupart des pièces qui ont suivi la *Princesse Ma-
leine* doivent leurs effets à une atmosphère d'inquiétude
ou de terreur ingénieusement créée par l'accord de l'auteur et du machiniste. L'Inconnu « y prend le plus souvent la forme de la Mort. La présence infinie, ténébreuse,
hypocritement active de la mort remplit tous les inters-
tices du poème ». L'*Intruse* : la Mort entre dans une
maison ; sa présence se manifeste en vingt façons, mais
les gens de la maison ne la voient point ; seul un aveugle,
dont la vie de l'âme est plus active, est troublé par quelques-uns des signes avertisseurs. — Les *Aveugles* : dans
une « ancienne forêt septentrionale », une troupe d'aveugles a été conduite jusqu'à une clairière par un prêtre,
qui, soudain, est mort, sans qu'aucun de ses compagnons
s'en soit avisé ; peu à peu les malheureux, symboles de
l'âme humaine désormais sans Foi, comprennent leur
détresse ; bientôt, ils entendent approcher des pas qui
ne peuvent qu'annoncer la venue d'une puissance hos-

tile. — *Intérieur* : une famille ne sait pas qu'un de ses
membres vient de mourir ; on rapporte le cadavre à la
maison ; dans les minutes qui précèdent son arrivée,
une inquiétude sourde, muette, qui ne se traduit que
par des gestes inconscients, les envahit progressivement.
— *La Mort de Tintagiles* : la Mort, devenue une vieille
reine méchante, fait enlever le petit Tintagiles à ses
sœurs ; l'une d'elles, jusqu'au bout, veut le sauver, mais
une porte de fer, sous des voûtes sombres, la sépare à
jamais du petit disparu.

D'autres pièces sont moins exclusivement pénétrées de
l'idée de la mort ; elles admettent d'autres symboles :
l'Amour est une force obscure comme La Mort ; volontiers il s'associe avec elle. Dans *Alladine et Palomides*,
un grand amour, né dans l'obscurité des âmes, s'éva-
nouit dès que celles-ci se voient en pleine lumière ; dans
Pelléas et Mélisande, l'amour, invincible et mystérieux,
passe hagard à travers une humanité qui ne sait pas lui
faire accueil. *Aglavaine et Sélysette, Joyzelle*,... autres
symboles, aussi clairement et aussi simplement réalisés.
Presque toutes ces pièces se passent en des lieux inconnus, chimériques, à des époques qu'on ne saurait dater ;
il y a des palais magiques, des grottes mystérieuses, des
événements inouïs... Cela pouvait devenir aisément des
féeries musicales, le prétexte à de merveilleux décors,
à des « changements à vue » : Maeterlinck écrivit en
effet quelques pièces pour les musiciens, les décorateurs
et les machinistes : *Ariane et Barbe-Bleue, Sœur Béatrice* ; *l'Oiseau bleu* surtout : une promenade à la recherche du bonheur dans le pays du Rêve, où les animaux
domestiques, les objets familiers, les pensées habituelles
prennent forme de personnes vivantes et parleuses ; le
passé existe encore, l'avenir prend vie, l'Inconnu se
figure, notre âme profonde s'illumine. Toute la philosophie de Maeterlinck s'étale dans *l'Oiseau bleu* ; mais

la pièce est en même temps une prodigieuse féerie, bonne à amuser les enfants et les amateurs de spectacles.

On pouvait aussi, pour éviter la répétition d'effets vite devenus des poncifs et l'apparence dangereuse d'enfantillage, faire entrer plus de réalité dans ces drames symboliques et atténuer l'expression de cette philosophie ingénue du mystère ; c'est ce que Maeterlinck semble avoir fait dans *Monna Vanna*, — son plus grand succès. C'est une histoire d'amour, mêlée à un drame d'histoire, avec des rencontres, des péripéties, des surprises ; mais la grande originalité de l'œuvre est que le drame le plus prenant se passe dans l'âme des héros, dans celle de Monna Vanna surtout, et qu'il reste obscur, inexprimé. Le tumulte de la vie, la passion des foules ne peuvent rien pour troubler le mystère qui vit dans le sanctuaire de l'âme.

NOTES COMPLÉMENTAIRES

I. FERDINAND HEROLD. — A.-F. Herold (né en 1865) a réuni ses principales œuvres dans *Images tendres et merveilleuses*, 1897 (*La Légende de Sainte Liberata*, 1889 ; la *Joie de Maguelonne*, 1891 ; *Floriane et Persigant*, 1894 ; le *Victorieux*, 1895). Il a publié en outre les *Pæans et les thrènes*, 1890, recueil de vers tout à fait parnassiens ; *Chevalerie sentimentale*, 1893 ; *Au hasard des chemins*, 1900 ; la *Route fleurie*, 1911, des adaptations, des traductions et quelques essais dramatiques.

II. QUELQUES PIÈCES JOUÉES A « L'ŒUVRE », DE 1893 A 1899. — 1893 : Ibsen, *Rosmersholm* et *Un Ennemi du peuple* ; — 1894 : Bjoernstjerne Bjoernson, *Au-dessus des forces humaines*, et Rachilde, *L'Araignée de cristal* (13 févr.) ; M. Beaubourg, l'*Image*, et G. Trarieux, *Nuit d'avril à Céos* (27 févr.) ; Ibsen, *Solness le constructeur* (3 avr.) ; H. Bataille et R. d'Humières, *La Belle au bois dormant* (24 mai) ; H. Bang, *Frères*, H. de Régnier, la *Gardienne*, et Strindberg, les *Créanciers* (21 juin) ; John Ford, *Annabella* (6 nov.) ; M. Beaubourg, la *Vie muette* (27 nov.) ; Strindberg, le *Père* (13 déc.) ; — 1895 : V. Barrucand, le *Chariot de terre cuite*, adaptation de l'hindou (22 janv.) ; Maeterlinck, *Intérieur* (15 mars) ; P. Verola, *L'École de l'idéal*, et Ibsen, *le Petit Éyolf* (8 mai) ; Judith Cladel, *Le Volant* (28 mai) ; Ibsen, *Brand* (22 juin) ; Kalidasa, *l'Anneau de Çakuntala*, adaptat. de F. Herold (16 déc.) ; — 1896 : J. Lorrain, *Brocéliande*, et Van Lerberghe, *Les Flaireurs* (7 janv) ; Oscar Wilde, *Salomé* (11 févr.) ; P. Quillard. *L' Errante* (22 avr.) et J. Arène, *La Fleur errante* (22 avr.) ; Ibsen, *Les Soutiens de la société* (17 juin) ; Ibsen, *Peer Gynt* (12 nov.) ; A. Jarry, *Ubu roi* (10 déc.) ; — 1897 : G. Hauptmann, *La Cloche engloutie* (5 mars) ; H. Bataille, *Ton sang* (8 mai) ; Ibsen, *La Comédie amoureuse* (23 juin) ; Ibsen, *J. G. Borkmann* (9 nov.) ; — 1898 : Gogol, *Revizor* (8 janv.) ; R. Rolland, *Aërt* (3 mai) ; Saint-Just, *Morituri*, inspirée par l'affaire Dreyfus (18 mai) ; Saint-Georges de Bouhélier, *La Victoire* (20 juin) ; Shakespeare, *Mesure pour mesure* (10 déc.) ; — 1899 : M. de Faramond, *La Noblesse de la terre* (10 févr.) ; R. Rolland, *Le Triomphe de la raison* (21 juin).

III. Maeterlinck. — Maurice Maeterlinck (né à Gand en 1862) a publié en 1889 un recueil de poèmes, *Serres chaudes*, (rééd. 1927), en 1896, *Douze chansons* (réimprimé avec des modifications dans des rééditions de *Serres chaudes*, 1900 et 1927). Ses œuvres les plus importantes ont été écrites pour le théâtre : *La Princesse Madeleine*, 1889, que fit connaître un article d'O. Mirbeau ; *Les Aveugles* (joué le 7 déc. 1891) et *L'Intruse* (jouée le 21 mai 1891), publiés ensemble en 1890 ; *Les Sept Princesses*, 1891 ; *Pelléas et Mélisande*, 1892 (joué le 17 mai 1893) ; *Alladine et Palomides* ; *Intérieur* (joué le 15 mars 1895), *La Mort de Tintagiles* (joué en déc. 1905), publiés ensemble en 1894 ; *Aglavaine et Sélysette*, 1896. Ces pièces de théâtre ont été réunies dans *Théâtre*, 3 vol. 1901-1902 (avec *Ariane et Barbe-Bleue*, 1901, et *Sœur Béatrice*, 1901), rééd. en 1902 avec une préface. Depuis, Maeterlinck a fait jouer *Monna Vanna* (17 mai 1903), 1902 ; *Joyzelle* (jouée le 20 mai 1903), 1903 ; *L'Oiseau bleu* (joué à Paris en mars 1911) ; *Marie-Magdeleine* (jouée en mai 1913), 1913. On a commencé à publier son *Théâtre* en 1924. « L'Œuvre » a joué (2 déc. 1923) *Berniquel*, une pochade d'un acte.

Maeterlinck a publié en outre quelques contes et une série d'essais, notamment le *Trésor des humbles*, 1896 ; *La Sagesse et La Destinée*, 1898 ; *La Vie des abeilles*, 1901 ; *Le Temple enseveli*, 1902 (rééd. 1925) ; *Le Double Jardin*, 1904 ; *L'Intelligence des fleurs*, 1907 ; *La Mort*, 1913 ; *L'Hôte inconnu*, 1917 ; *La vie des termites*, 1926 ; *La vie de l'espace*, 1928, etc. Maeterlinck a reçu, en 1911, le prix Nobel de littérature. Voir H. Gérard, *La vie et l'œuvre de M. Maeterlinck*, 1932.

CHAPITRE XII

LA RÉACTION CONTRE LE SYMBOLISME

———

La durée d'action vraie des écoles littéraires au XIXᵉ siècle a été toujours fort brève ; il semble même qu'elle ait tendu de plus en plus à diminuer. On peut compter quelque vingt-cinq ou trente ans, pendant lesquels la doctrine romantique fut une force réellement agissante ; au bout de vingt ans, la doctrine parnassienne commençait à être singulièrement discréditée. La défaveur du symbolisme fut plus rapide encore : dix ou quinze ans après sa naissance, on l'enterra assez joyeusement. Il y a probablement des raisons profondes à la brièveté de ces actions : la concurrence est devenue plus violente ; la curiosité du public s'est montrée, à mesure que le siècle avançait, de plus en plus excitée et exigeante ; aussi se lassait-elle très rapidement. On l'a bien vu dans ces derniers temps. Mais on a bien envie aussi de penser que le symbolisme était plus exposé que d'autres formules littéraires à se périmer fort vite. La disproportion se révélait trop forte entre son ambition et son œuvre ! Il était la doctrine de l'Art pour l'Art, presque sous sa forme absolue ; il avait voulu créer une nouvelle manière de regarder et de comprendre l'univers, créer aussi une nouvelle langue poétique. En fait, il avait réussi surtout à lancer quelques poncifs nouveaux, que la mode abandonna vite, et une forme rythmique très discutée, le vers libre. La plupart des poètes qui réussirent alors à se produire devant un public autre que celui des petits cénacles symbolistes s'éloignèrent d'ailleurs lentement de la doctrine, ou bien même annoncèrent des conversions éclatantes.

Les symptômes de cette fragilité apparurent de très bonne heure. Dès 1891, — trois ans après la découverte du symbolisme, — Moréas fonde l'École romane ; il ne retient à peu près rien, ni au fond ni dans la forme, des aspirations symbolistes. L'enquête menée, la même année, par J. Huret dans les milieux littéraires témoigne combien étaient vives les résistances contre la poésie nouvelle, et révèle que la foi de quelques-uns des conducteurs du mouvement était assez incertaine. Mais bientôt les critiques se firent plus vives. On s'impatienta d'entendre dire et de constater que la formule symboliste ne s'était pas encore réalisée en une œuvre dont le prestige fût indiscutable. Dès 1894, se dessine une vive attaque contre Mallarmé : Ad. Retté, qui était poète et avait été symboliste, affirma véhémentement pendant quelques années que le maître n'était « ni un grand penseur, ni un grand poète » ; il dénonça son influence comme déplorable. On loua l'iconoclaste de « jeter à bas cette idole à jamais dérisoire » ; aux défenseurs de l'*Après-midi d'un faune* on affirma péremptoirement que « la littérature dont M. Mallarmé s'est fait l'inexcusable grand-prêtre n'est autre chose, en dernière analyse, que la littérature de Babel ». En 1897, une ballade publiée par la *Plume*, journal symboliste, annonce, en un refrain sarcastique, que « le symbolisme se décolle ». La même année, C. Mauclair, symboliste pourtant, le dit « fini ». Le succès, en 1898, du *Cyrano de Bergerac* de Rostand est considéré, dans les milieux symbolistes, comme un grand échec de la doctrine. En 1900, Romain

Rolland constate que le symbolisme a été une époque
mauvaise de fatigue et de neurasthénie mystiques ;
mais que, heureusement, la santé renaît. Le Congrès des
poètes, en 1901, dresse la province contre Paris et
montre que la plupart des poètes sont attachés aux rythmes traditionnels et fort hostiles au vers libre. Le rapport de Catulle Mendès sur le mouvement poétique de
1867 à 1900 (1902) est reçu comme une reprise d'hos-
tilités du Parnasse ; et, la même année, une enquête de
l'*Ermitage* auprès des poètes, sur leurs « poètes pré-
férés », aboutit à mettre au premier rang Victor Hugo ;
Mallarmé ne vient qu'après Lamartine, Musset, Leconte
de Lisle.

Ce ne sont là que quelques faits parmi beaucoup ;
mais la désagrégation de la doctrine symboliste apparaît plus visiblement encore, si l'on considère la multiplication des écoles poétiques : « Une suite d'embriga-
dements, un amalgame de petites sectes intolérantes et
jalouses, s'excommuniant les unes les autres, en quête
perpétuelle de fidèles et de prosélytes. Chaque matin
surgissait un manifeste fulgurant appelant les foules à
la conversion et au vrai dogme » (E. Raynaud). Aux
environs de 1900, ce fut une vraie fureur : successivement apparaissent le Naturisme, l'Humanisme, le
Somptuarisme, le Paroxysme, le Synthétisme, l'Inté-
gralisme, l'Impulsionnisme, le Sincérisme, l'Inten-
séisme, le Simultanéisme, le Futurisme, l'Unanimisme,
etc. Il est vrai que le mot *école* avait alors perdu à peu
près tout son sens ; et l'on fondait une école uniquement
pour affirmer, avec un peu de bruit, que l'on n'acceptait
pas sans quelques réserves telle ou telle des opinions à
la mode. La fondation d'une école cesse de marquer un
vrai désir de groupement et d'action collective ; c'est
une manière comme une autre de faire entendre une
protestation individuelle. Le recensement de ces écoles

ne saurait guère intéresser que les gazetiers de l'histoire
littéraire.

Leur diversité, d'ailleurs, dès qu'on les regarde d'un
peu près, n'est qu'apparente : il y a de fortes tendances
communes. Presque toutes ces écoles se déclarent hostiles au symbolisme, ou bien elles entendent limiter
considérablement sa part. Il suffira, pour caractériser le
mouvement, de signaler la plus importante et la plus
vigoureuse de ces réactions successives : le *Naturisme*,
qui commença à se manifester en 1895 et s'affirma, avec
de très nettes formules, en 1897. Ses partisans, St-Geor-
ges de Bouhélier, Eugène Montfort, Maurice Le Blond,
etc., se plaignirent hautement que le symbolisme eût
voulu isoler l'artiste dans une « littérature pour litté-
rateur », loin de la foule et de la vraie vie ; ils se déso-
laient de son pessimisme et de ses goûts morbides ;
ils ne repoussaient plus l'héritage du positivisme ;
ils ne se rebellaient pas contre « la science » ; ils osaient
admirer Zola, Auguste Comte, Darwin, Taine ; ils
prétendaient revenir à la réalité et à l'exactitude ; ils se
réclamaient de la « nature », telle que la philosophie
et la science du XIXᵉ siècle avaient permis de la comprendre. Autant dire qu'ils croyaient à l'*art social* ! Ils
recommençaient le vieux rêve qu'avait interrompu et
interdit le Parnasse, trente ans avant ; ils s'occupaient
à fonder une foi nouvelle.

Rendre à l'humanité son héroïque beauté, rétablir les liens
qui l'unissent au monde, éclairer d'une forte lueur sa place
dans la nature, telle est la mission du poète actuel... Le devoir
des auteurs contemporains est d'accroître le bonheur humain
en augmentant la beauté, en faisant cesser le malentendu qui
sépare les hommes du monde tout entier, et en leur restituant
d'éternelles proportions... Ce qu'on appelle le naturisme est
bien plus une morale qu'une doctrine d'art (Saint-Georges de
Bouhélier, 1897).

L'*Humanisme* de F. Gregh s'inspira des mêmes

préoccupations ; il préférait « l'homme » à l'artiste, n'admettait le symbole que « clair », et raillait « l'incohérence » comme « l'impassibilité ».

L'*art utile*, on le voit, reprenait avantage, en poésie, sur l'*Art pour l'Art*... C'est la querelle même qu'avait déclenchée le romantisme, et qui s'est poursuivie, avec des phases et des aspects divers, pendant tout le XIXe siècle. A nouveau les préoccupations de forme passèrent au second rang ; on se rallia à une forme plus ou moins classique. Il y eut évidemment, pour ce nouveau changement de front, des causes d'ordre tout à fait littéraire : des symbolistes très insoucieux d'action sociale se détachèrent, eux aussi, du symbolisme. Mais il faut tenir compte aussi de causes plus générales, politiques et sociales. En 1830, le succès de la révolution avait favorisé l'expansion des idées saint-simoniennes et de l'*art utile* ; en 1850, la réaction bonapartiste favorisa indirectement l'Art pour l'Art ; le triomphe de l'idée républicaine, vers 1880, fut favorable au naturalisme positiviste. De même, dans les dernières années du XIXe siècle, l'affaire Dreyfus, grâce à son extraordinaire retentissement dans les milieux intellectuels, porta un coup très dur aux cénacles du symbolisme ; les questions d'images et de rythme devinrent soudain sans intérêt ; une fois de plus, les écrivains se trouvèrent jetés vers l'action publique ; il ne fut plus question que d'aller au peuple, de régénérer la France, d'éclairer l'humanité. Presque toutes les doctrines littéraires et beaucoup d'œuvres se teintèrent de ces préoccupations nouvelles. Anarchistes, socialistes, républicains, esthètes, philosophes, historiens, poètes se trouvèrent, pour quelque temps, des ennemis semblables et des passions communes.

L'arrivée au pouvoir des partis de gauche, le succès des « politiques » dans le monde intellectuel firent alors

bien apparaître la force latente de la tradition rationaliste, idéologique, classique. On se rendit compte de
la fragilité des renaissances mystiques et spiritualistes
qui avaient été tentées dans les années précédentes.
Depuis quatre ou cinq ans, on disait que le symbolisme
était bien malade ; cette fois, on crut pouvoir affirmer
qu'il était mort. Le mot de *mort* a évidemment un sens
très relatif en littérature ; il y avait en 1900 et il y a
en 1930 des « symbolistes », soit des anciens restés
fidèles aux habitudes de leur jeunesse, ou bien des jeunes
que leur goût personnel a conduits à aimer la grâce
molle des images et des vers symbolistes ; mais la force
agissante et créatrice du symbolisme est morte, comme
l'était celle du romantisme vers 1860, celle du Parnasse
vers 1890.

Après 1900, le symbolisme n'intéresse plus aussi
directement l'histoire des idées : il ne s'agit plus, à
son propos, que de prolongements, de survivances ou
bien de tendances profondément modifiées par des ap-
ports nouveaux. Le Cubisme et le Dadaïsme pousseront
jusqu'à l'extrême l'affirmation de l'indépendance du
poète, de son droit à exprimer obscurément l'irration-
nel, à fixer les sensations sous leur forme la plus vive
et la plus passagère ; il sera difficile de concevoir un
art plus « subjectif », plus indifférent aux apparences
de la réalité. On continuera aussi à rechercher les moyens
d'augmenter le pouvoir d'expression de la poésie ; on
imaginera, par exemple, pour traduire « le paroxysme
moderniste », de projeter sur l'écran des « poèmes
synoptiques sur plusieurs plans », avec l'espoir de créer
véritablement l'immense orchestre intérieur qu'avaient
rêvé d'instituer Rimbaud et Mallarmé.

Ce sont là les formes extrêmes, les formes limites,
probablement, du symbolisme, après quoi on ne saurait
guère que revenir sur ses pas. Mais il est d'autres mar-

ques de l'influence actuelle du symbolisme, plus éparses, plus incertaines. Que d'œuvres, aujourd'hui, sont pénétrées d'esprit symboliste, écrites avec un « métier » où se reconnaissent les techniques symbolistes ! Paul Claudel et Paul Valéry se disent les continuateurs de Rimbaud et de Mallarmé ; et l'on pourrait, très logiquement, d'autant plus qu'ils ont commencé tous deux à écrire vers 1890, les rattacher directement à l'histoire du symbolisme, et montrer dans leur œuvre un des épanouissements de la doctrine symboliste, un épanouissement tardif, mais plus vigoureux que les premiers. Mais il s'agit, en réalité, d'un symbolisme très différent de celui qu'on avait voulu créer à la fin du XIXe siècle : un symbolisme chargé de bien autres préoccupations et qui, malgré son « surréalisme » et sa somptueuse imagerie, se manifeste surtout comme une réaction traditionaliste, classique, rationaliste. André Gide, lui aussi, fut symboliste, pour commencer ; il railla ensuite la doctrine reniée et incarna une des formes de la réaction classique ; mais son œuvre est conçue souvent selon les formules de la poésie symboliste, écrite avec le souci des mots et des images symbolistes… La génération qui est née et qui a grandi à l'époque symboliste est loin d'avoir disparu. Suivant l'âge des écrivains qui la représentent encore, on pourrait cataloguer et étiqueter de nombreux spécimens d'œuvres où la marque de l'école de 1890 deviendrait de moins en moins facilement reconnaissable.

Le débat sur le symbolisme est d'ailleurs encore ouvert aujourd'hui, en permanence. Tous les ans les revues se demandent « si le symbolisme est mort », « si le symbolisme a dit son dernier mot ». Des journalistes écrivent de véhémentes philippiques contre le symbolisme et contre la manie de l'inintelligibilité. On leur répond, sans trop de passion certes, mais on leur

répond. Il est vrai que ces revisions de procès sont à la
mode : le naturalisme, le romantisme, et, bien entendu,
le classicisme lui-même en ont bénéficié. Mais ces
hésitations et ces controverses engagent à beaucoup de
prudence ; décidément, on ne saurait établir, en 1925,
le bilan du symbolisme. Osera-t-on, comme un de ses
historiens, sérier les questions, affirmer le succès de la
« réforme poétique », nier celui de la réforme prosodique,
syntaxique et lexicographique, puis conclure que l'« œuvre du symbolisme comporte un échec honorable
et une victoire pleine de profit » ? La « matière poétique » a-t-elle été si vraiment renouvelée ? Le vers
régulier a-t-il été décidément brisé ? Le vers libre a-t-il
conquis une faveur durable ? Le symbolisme est, en
réalité, un mouvement qui achève de s'étaler ; ses derniers remous ne sont presque plus visibles, car ils sont
repris déjà et emportés dans des directions diverses
par de nouveaux et forts courants ; on le voit assez
bien qui commence, on ne le voit pas nettement finir.

BIBLIOGRAPHIE SOMMAIRE

GÉNÉRALITÉS : TH. GAUTIER, *Rapport sur les progrès de la poésie française depuis 1830* (composé en 1867), recueilli dans l'*Histoire du romantisme*, 1874. — CATULLE MENDÈS, *Rapport sur le mouvement poétique français de 1867 à 1900, suivi d'un dictionnaire bibliographique et critique et d'une nomenclature de la plupart des poètes français*, 1902 (très parnassien de tendance ; répertoire souvent inexact). — H. CLOUARD, *La poésie française moderne des romantiques à nos jours*, 1924 (très polémique : hostile au symbolisme). — P. FORT et L. MANDIN, *Hist. de la poésie fr. depuis 1850*, 1926. — G. PELLISSIER, *Anthologie des poètes du XIXe siècle* (1800-1866). — G. WALCH, *Anthologie des poètes français contemporains* (1866-1906), 3 vol. ; *Poètes d'hier et d'aujourd'hui*, 1917 ; *Poètes nouveaux, supplément*, 1923. — A. VAN BEVER et LÉAUTAUD, *Poètes d'aujourd'hui, morceaux choisis*, 1910 et 1930 (excellentes notices bio-bibliographiques).

CHAPITRE I. — A. CASSAGNE, *La théorie de l'Art pour l'Art en France chez les derniers romantiques et les premiers Parnassiens*, 1906. — J. MARSAN, *La bataille romantique*, t. II, 1925. — TH. PALFREY, « *L'Europe littéraire* », 1927.

CHAPITRE II. — E. RENAN, *L'Avenir de la science, pensées de 1848,*1890 ; *Études d'histoire religieuse,*1857. — R. CANAT, *La Renaissance de la Grèce antique* (1820-1850), 1911. — J. DUCROS, *Le retour de la poésie française à l'antiquité grecque*, 1917. *Recueil de rapports sur le progrès des lettres et des sciences : Études relatives à l'Égypte et à l'Orient*, 1867. — C.-A. FUSIL, *La poésie scientifique de 1750 à nos jours*, 1918.

CHAPITRE III. — C. MENDÈS, *La légende du Parnasse contemporain*, 1884. — L.X. DE RICARD, *Petits mémoires d'un Parnassien*, Petit Temps, nov.-déc. 1898, juill. 1899, sept. 1900. — A. THÉRIVE, *Le Parnasse 1929*, avec florilège.

CHAPITRE VIII. — A. Barre, *Le symbolisme, essai histo-rique sur le mouvement poétique en France de 1885 à 1900* (avec une *Bibliographie de la poésie symboliste*), 1911. — A. Beaunier, *La poésie nouvelle*, 1902. — J. Huret, *Enquête sur l'évolution littéraire*, 1891. — E. Raynaud, *La mêlée symbo-liste*, 3 vol., 1920-1923. — R. Ghil, *Les dates et les œuvres. Symbolisme et poésie scientifique*, 1923. — A. Retté, *Le symbolisme, anecdotes et souvenirs*, 1903. — A. Poizat, *Le symbolisme*, nouv. éd., 1924. — A. Fouillée, *Le mouvement idéaliste et la réaction contre la science positive*, 1896. — H. P. Thieme, *Essai sur l'histoire du vers français*, 1916 (sur le **vers** libre). — J. Hytier, *Les techniques modernes du vers français*, 1923. — **J.** Charpentier, *Le symbolisme*, 1927, avec florilège.

CHAPITRE XI. — E. Charles, *Le théâtre des poètes (1850-1910)*, 1910.

CHAPITRE XII. — Florian-Parmentier, *Histoire des lettres françaises de 1885 à 1914*, 1919. — R. Lalou, *Histoire de la littérature française contemporaine*, nouv. éd., 1928. — Eug. Montfort, *Vingt-cinq ans de littérature française*, 1922 et suiv. — D. Mornet, *Hist. de la litt. et de la pensée contemp.*, 1927. — A. Billy, *La litt. fr. contemp.*, 1927. — F. Bouvier, *Initiation à la littérature contemporaine*, 1928. — L. Raynaud, *La crise de notre littérature*, 1929. — F. Baldensperger, *L'avant-guerre dans la littérature fran-çaise (1900-1914)*. — J. Epstein, *La poésie d'aujourd'hui*, 1921. — R. de la Vaissière, *Anthologie poétique du XXᵉ siè-cle*, 1923. — J. Muller et G. Picard, *Les tendances présentes de la littérature française*, 1914. — A. Lang, *Voyages en zig-zags dans la République des lettres*, 1922 ; *Déplacements et villégiatures littéraires*, 1924. — P. Varillon et H. Rambaud, *Enquête sur les maîtres de la jeune littérature*, **1923.** — F. Lefèvre, *Une heure avec...*, 1924 et suiv., 5 vol. — M. Raymond, *De Baudelaire au surréalisme*, 1933.

TABLE DES MATIÈRES

———

12479. —: Paris. — Imp. Hemmerlé, Petit et Cⁱᵉ. 5-35.

COLLECTION
ARMAND COLIN

Directeur : Paul MONTEL, Professeur à la Sorbonne

Chaque volume in-16 (11×17), broché ou relié.

N° 1. **Rayonnement** (Principes scientifiques de l'Éclairage) (*2ᵉ édition*), par A. BLANC, Doyen de la Faculté des Sciences de Caen (*35 figures*).

N° 2. **La Construction du Vaisseau de guerre**, par E. JAMMY, Ingénieur en chef aux Forges et Chantiers de la Méditerranée (*183 figures, 4 planches hors texte*). (*Ouvrage couronné par la Ligue maritime et coloniale française.*)

N° 3. **Cinématique et Mécanismes** (*2ᵉ édition*), par R BRICARD, Professeur à l'École Centrale et au Conservatoire des Arts et Métiers (*79 figures*).

N° 4. **L'École classique française** : Les doctrines et les hommes (1660-1715) (*3ᵉ édition*), par A. BAILLY, Professeur au Lycée Pasteur.

N° 5. Éléments d'Agriculture coloniale : **Plantes à huile**, par Yves HENRY, Ingénieur agronome, Inspecteur général de l'Agriculture aux Colonies (*35 figures*).

N° 6. **Télégraphie et Téléphonie sans fil** (*8ᵉ édition*), par C. GUTTON, Correspondant de l'Institut, Directeur du Laboratoire National de Radioélectricité (*128 figures*).

N° 7. **Théorie cinétique des Gaz** (*3ᵉ édition*), par E. BLOCH, Professeur à la Faculté des Sciences de Paris (*7 figures*).

N° 8. **Traité pratique de Géométrie descriptive** (*2ᵉ édition*), par J. GEFFROY, Ingénieur des Arts et Manufactures (*248 figures*).

Nᵒˢ 9 - 10. **Statique et Dynamique** : Tomes I et II (*2ᵉ édition*), par H. BÉGHIN, Professeur à la Faculté des Sciences de Paris (*227 figures*).

N° 11. **Éléments d'Electricité** (*5ᵉ édition*), par Ch. FABRY, Membre de l'Institut, Professeur à la Sorbonne et à l'École Polytechnique (*70 figures*).

N° 12. **La Fonte** : Élaboration et Travail (*2ᵉ édition*), par le Colonel J. ROUELLE (*29 figures*).

N° 13. **L'Hérédité** (*2ᵉ édition*), par Et. RABAUD, Professeur à la Faculté des Sciences de Paris (*34 figures*).

N° 14. **Principes de l'Analyse chimique** (*2ᵉ édition*), par V. AUGER, Professeur de Chimie analytique à la Sorbonne (*77 figures*).

Nº 15. **Les Pyrénées** (*3ᵉ édition*), par M. SORRE, Recteur de l'Académie d'Aix-Marseille (*6 cartes, 6 photographies*).

Nº 16. **Chimie et Fabrication des Explosifs** (*2ᵉ édition*), par P. VEROLA, Ingénieur en chef des Poudres (*9 figures*).

Nº 17. **La Révolution française**, par A. MATHIEZ, Tome I : **La Chute de la Royauté** (*5ᵉ édition*).

Nº 18. **Les grands Marchés des Matières premières** (*6ᵉ édition*), par F. MAURETTE, Directeur du Bureau international du Travail (S. D. N.) à Paris (*11 cartes et graphiques*).

Nº 19. **L'Industrie du Fer en France** (*2ᵉ édition*), par J. LE-VAINVILLE, Docteur ès lettres, Vice-Président de la Chambre Syndicale des Mines de fer de l'Ouest (*4 cartes*). (*Ouvrage couronné par la Société de Géographie de Paris.*)

Nº 20. **L'Acier** : Élaboration et Travail (*2ᵉ édition*), par le Colonel J. ROUELLE (*45 figures*).

Nº 21. **Le Droit ouvrier** : Tableau de la Législation française actuelle (*2ᵉ édition*), par G. SCELLE, Professeur à la Faculté de Droit de Paris.

Nº 22. **Les Maladies dites Vénériennes** (*3ᵉ édition*), par le Dʳ P. RAVAUT, Membre de l'Académie de Médecine, Médecin de l'Hôpital Saint-Louis (*22 figures*). (*Ouvrage couronné par l'Académie des Sciences, Prix Bélion.*)

Nº 23. **La Houille blanche** (*2ᵉ édition*), par H. CAVAILLÈS, Prof. à la Faculté des Lettres de Bordeaux (*8 cartes et 4 fig.*).

Nº 24. **Propriétés générales des Sols en Agriculture**, par G. ANDRÉ, de l'Institut, Prof. à l'Institut Agronomique.

Nº 25. **Vue générale de l'Histoire d'Afrique** (*2ᵉ édition*), par G. HARDY, Recteur de l'Académie d'Alger.

Nº 26. **Les Instruments d'Optique** (*3ᵉ édition*), par H. PA-RISELLE, Recteur de l'Académie de Besançon (*82 fig.*).

Nº 27. **Le Naturalisme français** : 1870-1895 (*2ᵉ édition*), par P. MARTINO, Recteur de l'Académie de Poitiers.

Nº 28. **Théorie du Navire** : Tome I, par M. LE BESNERAIS, Ingénieur en chef du Génie Maritime (*61 figures*).

Nᵒˢ 29 - 30. **Éléments de Paléontologie** : Tomes I et II (*2ᵉ édition*), par L. JOLEAUD, Professeur à la Faculté des Sciences de Paris (*93 figures*).

Nº 31. **Le Ballon, l'Avion, la Route aérienne**, par M. LAR-ROUY, Ingénieur de l'École Sup. d'Aéronautique (*25 fig.*).

Nº 32. **La Société Féodale** (*3ᵉ édition*), par J. CALMETTE, Professeur à l'Université de Toulouse.

Nº 33. **Les Bois coloniaux**, par H. LECOMTE, de l'Institut, Prof. au Muséum d'Histoire naturelle (*28 figures*).

Nº 34. **Probabilités, Erreurs** (*4ᵉ édition*), par Emile BOREL, de l'Institut, Professeur à la Sorbonne, et R. DELTHEIL, Recteur de l'Académie de Caen (*10 fig.*).

N° **35. Physique du Globe** (*2ᵉ édition*), par Ch. MAURAIN, de l'Institut, Doyen de la Faculté des Sciences de Paris (*21 figures*).

N° **36. L'Atmosphère et la prévision du Temps** (*2ᵉ édition*), par J. ROUCH, Capitaine de Frégate, ancien Chef du Service Météorologique des Armées (*36 figures*).

N° **37. Les Méthodes actuelles de la Chimie** (*2ᵉ édition*), par P. JOLIBOIS, Professeur à l'Ecole Nationale Supérieure des Mines (*45 figures*).

N° **38. Les Coopératives de consommation en France**, par B. LAVERGNE, Prof. à la Faculté de Droit de Lille.

N° **39. La Grande Guerre** (1914-1918), par le général THE-VENET, ancien Gouverneur de Belfort (*15 cartes*).

N° **40. Mines et Torpilles**, par Henri STROH, Ingénieur en chef de la Marine (*40 figures*).

Nᵒˢ **41, 42, 43. Chimie minérale** (*2ᵉ édition*), par H. CO-PAUX, Professeur à l'École de Physique et de Chimie Industrielles de la Ville de Paris, et H. PERPÉROT, Sous-Chef de travaux pratiques à l'École de Physique et de Chimie (3 volumes illustrés de *136 figures*).

N° **44. Éléments de Géométrie analytique** (*2ᵉ édition*), par A. TRESSE, Docteur ès sciences, Inspecteur général de l'Instruction Publique (*91 figures*).

N° **45. Le Félibrige**, par Émile RIPERT, Professeur à la Faculté des Lettres de l'Université d'Aix-Marseille.

N° **46. Le Blocus et la Guerre sous-marine**, par A. LAU-RENS, Capitaine de Vaisseau, Chef de la Section historique de l'État-Major de la Marine.

Nᵒˢ **47 - 48. Alternateurs et Moteurs synchrones** : Tomes I et II (*2ᵉ édition*), par E. ROTH, Ingénieur en chef à la Société Générale Als-Thom (*167 figures*).
(*Ouvrage couronné par l'Académie des Sciences, Prix Hébert.*)

N° **49.** Éléments d'Agriculture coloniale : **Plantes à fibres**, par Yves HENRY, Ingénieur agronome, Inspecteur général de l'Agriculture aux Colonies (*55 figures*).

N° **50. Astronomie générale** (*2ᵉ édition*), par Luc PICART, de l'Institut, Dʳ de l'Observatoire de Bordeaux (*42 fig.*).

N° **51. L'Après-guerre et la Politique commerciale** (*2ᵉ édition*), par Cl.-J. GIGNOUX.
(*Ouvrage couronné par la Société de Géographie Commerciale.*)

N° **52. La Révolution française**, par A. MATHIEZ, Chargé du Cours d'histoire de la Révolution française à l'Université de Paris. Tome II : **La Gironde et la Montagne** (*5ᵉ édition*).

N° **53. L'Angleterre au XIXᵉ siècle**, *son évolution politique* (*2ᵉ édition*), par Léon CAHEN, Professeur au Lycée

N° 54. **Balistique extérieure**, par J. OTTENHEIMER, Ingénieur principal d'Artillerie navale (*48 figures et 4 planches*).

N° 55. **Piles et Accumulateurs électriques** (*2ᵉ édition*), par L. JUMAU, Ingénieur (*76 figures*).

N° 56. **Les Alpes françaises** (*3ᵉ édition*), par R. BLANCHARD, Professeur à l'Université de Grenoble (*23 cartes et graphiques*).

N° 57. **Les Courants alternatifs** (*4ᵉ édition*), par Pierre SÈVE, Professeur à la Faculté des Sciences de Marseille (*127 fig.*).
(*Ouvrage couronné par l'Académie des Sciences, Prix Hébert.*)

N° 58. **Rome et les Lettres latines** (*2ᵈ édition*), par A. DUPOUY, Professeur au Lycée Michelet, à Paris.

N° 59. **Théorie du Navire** (Tome II), par M. LE BESNERAIS, Ingénieur en chef du Génie Maritime (*35 figures*).

N° 60. **Calculs numériques et graphiques** (*3ᵉ édition*), par Émile GAU, Directeur de l'Enseignement en Tunisie (*33 figures*).

N° 61. **Les Industries de la Soie en France**, par P. CLERGET, Directeur de l'École de Commerce de Lyon (*10 graphiques, 15 tableaux statistiques*).

N° 62. **Les Industries de fixation de l'Azote** (*2ᵉ édition*), par Marcel GUICHARD, Professeur à la Sorbonne (*21 fig.*).

N° 63. **Le Saint-Siège, l'Église catholique et la Politique mondiale** (*2ᵉ édit.*), par Maurice PERNOT, Agrégé de l'Université, ancien Membre de l'École française de Rome.

N° 64. **La France économique et sociale au XVIIIᵉ siècle** (*2ᵉ édition*), par Henri SÉE, Professeur honoraire à l'Université de Rennes.
(*Ouvrage couronné par l'Académie des Sciences morales et politiques.*)

N° 65. **Les Submersibles**, par G. RABEAU, Ingénieur du Génie Maritime, et A. LAURENS, Capitaine de Vaisseau, Chef de la Section historique de l'État-Major de la Marine (*44 figures*).

N° 66. **Les Doctrines économiques en France depuis 1870** (*3ᵉ édition*), par G. PIROU, Professeur agrégé à la Faculté de Droit de Paris.

N° 67. **Introduction à la Géologie** (*4ᵉ édit.*), par J. LEUBA, Docteur ès sciences (*60 figures*).

N° 68. **La Renaissance des Lettres en France**, *de Louis XII à Henri IV* (*2ᵉ édition*), par J. PLATTARD, Professeur à la Faculté des Lettres de Poitiers

N° 69. **Parnasse et Symbolisme : 1850-1900** (*4ᵉ édition*), par P. MARTINO, Recteur de l'Académie de Poitiers.

N° 70. **Les Moteurs à explosion** (*2ᵉ édition*), par E. MARCOTTE, Ingénieur-Conseil (I. C. F.), Professeur à l'École spéciale des Travaux publics (*61 figures*).

N° 71. **Le Magnétisme** (*2ᵉ édition*), par P. WEISS, Membre de l'Institut, Professeur à la Faculté des Sciences de Strasbourg, et G. FOEX, Maître de Conférences à la Faculté des Sciences de Strasbourg (*69 figures*).

Nᵒˢ 72-73. **Éléments de Calcul différentiel et de Calcul intégral** : Tomes I et II (*3ᵉ édition*), par Th. LECONTE, Inspecteur général de l'Instruction publique, et R. DELTHEIL, Recteur de l'Académie de Caen.

N° 74. **Peuples et Nations des Balkans.** *Géographie politique* (*2ᵉ édition*), par Jacques ANCEL, Professeur à l'Institut des Hautes Études internationales (*3 cartes*).
(Ouvrage couronné par la Société de Géographie, Médaille d'or.)

N° 75. **Transport de l'Électricité**, par René COUFFON, Ingénieur des Arts et Manufactures (*45 figures*).

N° 76. **Les Alpes**, *Géographie générale* (*2ᵉ édition*), par Emm. DE MARTONNE, Professeur à la Sorbonne (*24 cartes*).

N° 77. **Les Moteurs à combustion** (*2ᵉ édition*), par E. MARCOTTE, Ingénieur-Conseil (I. C. F.), Professeur à l'École Spéciale des Travaux publics (*37 figures*).
(Ouvrage couronné par l'Académie des Sciences, Prix Trémond.)

N° 78. **La Transformation de l'énergie électrique : I. Transformateurs** (*2ᵉ édition*), par R. CARTON, Ingénieur E.M.I., et P. DUMARTIN, Ingénieur A.M. et I.E.G. (*89 figures*).

N° 79. **Les Origines du Capitalisme moderne.** *Esquisse historique* (*3ᵉ édition*), par Henri SÉE, Professeur honoraire à l'Université de Rennes.
(Ouvrage recommandé par le Comité du Livre français France-Amérique.)

N° 80. **Balistique intérieure**, par J. OTTENHEIMER, Ingénieur principal d'Artillerie navale (*37 figures*).

N 81. **La Pensée française au XVIIIᵉ siècle** (*4ᵉ édition*), par Daniel MORNET, Professeur à la Sorbonne.

N° 82. **Mesures Électriques** (*2ᵉ édition*), par Jean GRANIER, Professeur à la Faculté des Sciences de Besançon (*85 figures*).
(Ouvrage couronné par l'Académie des Sciences, Prix Hébert.)

N° 83. **La Littérature italienne**, par Th. LAIGNEL, Professeur agrégée d'italien au Lycée de jeunes filles de Lyon.

N° 84. **L'Organisation scientifique du Travail** (*2ᵉ édition*), par G. BRICARD, Ingén. en chef du Génie Maritime (*34 fig.*).

Nᵒˢ 85-86. **Les Courants de la Pensée philosophique française** : Tomes I et II (*2ᵉ édition*), par A. CRESSON, Professeur de Philosophie au Lycée Louis-le-Grand.

N° 87. **Principes de l'Électrochimie** (*2ᵉ édition*), par J. PONSINET, Ingénieur des Manufactures de l'Etat (*35 figures*).

N° 88. **Syndicats et Coopératives agricoles**, par Michel AUGÉ-LARIBÉ, Secrétaire général de la Confédération nationale

Nᵒˢ 89-90. **La Tuberculose** (*1ʳᵉ édition, 2ᵉ tirage*), par le Docteur Édouard RIST, Membre de l'Académie de Médecine, Médecin de l'Hôpital Laënnec et du Dispensaire Léon Bourgeois. Un volume double (*25 figures et 6 graphiques*).

Nᵉ 91. **Les Expériences monétaires contemporaines** (*2ᵉ édit.*), par George-Edgar BONNET, Directeur général adjoint de la Compagnie du Canal de Suez.
(*Couronné par l'Académie des Sciences morales et politiques, Prix Limantour, et recommandé par le Comité du Livre français France-Amérique.*)

Nᵒ 92. **Histoire de la Langue Allemande** (*2ᵉ édition*), par E. TONNELAT, Prof. au Collège de France (*1 carte*).

Nᵒ 93. **La Révolution française**, par A. MATHIEZ, Tome III : **La Terreur** (*4ᵉ édition*).

Nᵒ 94. **La Cinématographie**, par Lucien BULL, Sous-Directeur de l'Institut Marey (*36 figures*).

Nᵒ 95. **La Littérature française contemporaine** : *Poésie, Roman, Idées* (*4ᵉ édition*), par André BILLY.

Nᵒ 96. **La Vie de la Cellule végétale**. Tome I : *La Matière vivante* (*2ᵉ édition*), par R. COMBES, Professeur à la Sorbonne (*16 figures*).
(*Couronné par l'Académie des Sciences, Prix de Parville.*)

Nᵒ 97. **Psychologie expérimentale** (*3ᵉ édition*), par Henri PIÉRON, Professeur au Collège de France et à l'Institut de Psychologie (*11 figures ou graphiques*).

Nᵒ 98. **La Civilisation athénienne** (*2ᵉ édition*), par P. CLOCHÉ, Prof. à la Faculté des Lettres de Besançon (*15 fig., 1 carte*).

Nᵒ 99. **Appareils et Méthodes de Mesures mécaniques**, par le Lieutenant-Colonel J. RAIBAUD, Chef des Travaux pratiques de Mécanique à l'École Polytechnique (*87 fig.*).

Nᵒ 100. **L'École romantique française** : *les doctrines et les hommes* (*2ᵉ édition*), par Jean GIRAUD, Agrégé des Lettres, Directeur de la Fondation Deutsch de la Meurthe.
(*Couronné par l'Académie française, Prix Montyon.*)

Nᵒ 101. **Éléments de Thermodynamique** (*3ᵉ édition*), par Ch. FABRY, Membre de l'Institut, Professeur à la Sorbonne et à l'École Polytechnique (*39 figures*).

Nᵒ 102. **Introduction à la Psychologie collective** (*2ᵉ édit.*), par le Dʳ Charles BLONDEL, Correspondant de l'Institut, Professeur à la Faculté des Lettres de Strasbourg.

Nᵒ 103. **Nomographie**, par M. FRÉCHET, Professeur à la Faculté des Sciences de l'Université de Paris, et H. ROULLET, Ingénieur, Professeur à l'École nationale technique de Strasbourg (*79 figures*).

Nº 104. L'Ancien Régime et la Révolution russes (2ᵉ *édition*), par Boris NOLDE, ancien Professeur à la Faculté de Droit de l'Université de Pétrograd.
(*Couronné par l'Académie des Sciences morales et politiques, Prix Perret.*)

Nº 105. La Monarchie d'Ancien Régime en France, *de Henri IV à Louis XIV* (2ᵉ *édition*), par Georges PAGÈS, Membre de l'Institut, Professeur d'Histoire moderne à la Faculté des Lettres de Paris.

Nº 106. Le Théâtre français contemporain (2ᵉ *édition*), par Edmond SÉE.

Nº 107. Hygiène de l'Européen aux Colonies (2ᵉ *édition*), par le Dʳ Ch. JOYEUX, Professeur agrégé à la Faculté de Médecine de Marseille.

Nº 108. Grammaire descriptive de l'Anglais parlé, par Joseph DELCOURT, Docteur ès lettres, Professeur au Lycée Pasteur, à Paris.

Nº 109. La Vie de la Cellule végétale. Tome II : *Les enclaves de la matière vivante*, par R. COMBES, Professeur à la Sorbonne (*13 figures*).
(*Ouvrage couronné par l'Académie des Sciences, Prix de Parville.*)

Nº 110. La Formation de l'État français et l'Unité française, *des Origines au milieu du XVIᵉ siècle* (2ᵉ *édition*), par G. DUPONT-FERRIER, Membre de l'Institut, Professeur à l'École Nationale des Chartes.
(*Couronné par l'Académie des Sciences morales et politiques, Prix Audiffred.*)

Nº 111. Nos Grands Problèmes Coloniaux (2ᵉ *édition*), par Georges HARDY, Recteur de l'Académie d'Alger.
(*Couronné par l'Académie des Sciences morales et politiques, Prix Perret.*)

Nº 112. Le Calcul vectoriel (2ᵉ *édition*), par Raoul BRICARD, Professeur au Conservatoire National des Arts et Métiers et à l'École Centrale des Arts et Manufactures.

Nº 113. Ondes et Électrons (2ᵉ *édit.*), par Pierre BRICOUT, Docteur ès sciences, Répétiteur à l'École Polytechnique.

Nº 114. La Littérature en Russie, par Jules LEGRAS, Professeur à l'Université de Paris.
(*Ouvrage couronné par l'Académie française, Prix Bordin.*)

Nº 115. Essences naturelles et Parfums, par Raymond DELANGE, Chef des Services scientifiques des Fabriques de Laire.

Nº 116. La Formation de l'Unité Italienne, par Georges BOURGIN, Ancien membre de l'École française de Rome, Conservateur adjoint aux Archives nationales.
(*Ouvrage couronné par l'Académie française, Prix Thérouanne.*)

Nº 117. La Justice pénale d'aujourd'hui, par H. DONNEDIEU DE VABRES, Professeur à la Faculté de Droit de Paris.
(*Ouvrage recommandé par le Comité du Livre français France-Amérique.*)

N° 118. **Les grands courants de la Pensée antique** (*2e édition*), par A. RIVAUD, Correspondant de l'Institut, Professeur à la Sorbonne.

N° 119. **Les Systèmes philosophiques** (*3e édition*), par A. CRESSON, Professeur de Philosophie au Lycée Louis-le-Grand.

N° 120. **Les Rayons X** (*2e édition*), par Jean THIBAUD, Docteur ès sciences, Ingénieur E. S. E., Professeur à la Faculté des Sciences de Lyon.

N° 121. **Les Quanta** (*2e édition*), par Georges DÉJARDIN, Professeur à la Faculté des Sciences de Lyon (*34 figures*).

N° 122. **Les Anciennes Civilisations de l'Inde**, par Gaston COURTILLIER, Chargé de Cours à la Faculté des Lettres de Strasbourg (*5 planches hors texte*).

N° 123. **Couleurs et Pigments des Êtres vivants**, par le Docteur Jean VERNE, Docteur ès sciences, Professeur agrégé à la Faculté de Médecine de Paris (*26 figures*).
(*Ouvrage couronné par l'Académie des Sciences, Prix Gama-Mochado.*)

N° 124. **Pétroles naturel et artificiels**, par J.-J. CHARTROU, Ingénieur (*52 figures*).

N° 125. **La Téléphonie**, par Robert DREYFUS, Ingénieur des Postes et Télégraphes.

N° 126. **L'Islam**, par Henri MASSÉ, Professeur à l'École Nationale des Langues orientales.

N° 127. **Principes de Psychologie appliquée**, par le Dr Henri WALLON, Directeur à l'École des Hautes-Études, Professeur à l'Institut de Psychologie de l'Université de Paris.
(*Couronné par l'Académie des Sciences morales et politiques, Prix Louis Liard.*)

N° 128. **La Belgique contemporaine** (1780-1930), par Franz VAN KALKEN, Professeur à l'Université de Bruxelles.
(*Ouvrage couronné par l'Académie des Sciences morales et politiques.*)

N° 129. **Soies artificielles et Matières plastiques**, par R. GABILLION, Ingénieur-Chimiste I. C. N., Chimiste principal du Service des Poudres (*21 figures*).

N° 130. **La Thérapeutique moderne**, par le Dr G. FLORENCE, Prof. agrégé à la Faculté de Médecine de Lyon.

N° 131. **La Transformation de l'Énergie électrique : II. Commutatrices et Redresseurs**, par H. GIROZ, Ingénieur E.S.E. (*65 figures*).

Nos 132-133. **La Musique contemporaine en France**, par René DUMESNIL : *Tomes I et II*.
(*Ouvrage couronné par l'Académie des Beaux-Arts, Prix Bordin*).

N° 134. **Le Sommeil**, par le Docteur J. LHERMITTE, Professeur agrégé à la Faculté de Médecine de Paris.

N° 135. **Constitution et Gouvernement de la France**, par L. TROTABAS, Prof. de Droit public à la Faculté de Droit d'Aix-Marseille.

N° 136. **Les Problèmes de la Vie mystique,** par R. BASTIDE, Agrégé de Philosophie, Professeur au Lycée de Valence.

N° 137. **Le Maroc,** par J. CÉLÉRIER, Prof. à l'Institut des Hautes-Etudes marocaines à Rabat (*3 graphiques et 6 cartes*).

N° 138. **Théorie mathématique des Assurances,** par H. GAL-BRUN, Docteur ès sciences, Actuaire de la Banque de Paris et des Pays-Bas.

N° 139. **Histoire d'Espagne,** par Rafaël ALTAMIRA Y CRE-VEA, Professeur à l'Université de Madrid.

N° 140. **Électricité et Radiologie médicales,** par le Dr L. GALLY, Radiologiste des Hôpitaux de Paris, et le Dr P. ROUSSEAU, Chef du laboratoire d'Electrologie à la Faculté de Médecine de Paris (*56 figures*).

N° 141. **Cicatrisation et Régénération,** par Jacques MILLOT, Professeur à la Faculté des Sciences de Paris (*32 figures*).

N° 142. **La Crise britannique au XXe siècle** (*4e édition*), par André SIEGFRIED, Membre de l'Institut, Professeur au Collège de France (*2 cartes et 2 graphiques*).

N° 143. **La Photographie,** par M. HESSE et Cl. AMÉDÉE-MANNHEIM, anciens Élèves de l'École Polytechnique (*80 figures*).

N° 144. **La Littérature comparée,** par Paul VAN TIE-GHEM, Professeur au Lycée Louis-le-Grand, chargé de Conférences de Littérature comparée à la Sorbonne.

N° 145. **Les Vitamines** (*2e édition*), par Mme L. RANDOIN, Directeur du Laboratoire de Physiologie de la Nutrition à l'École des Hautes Etudes et à l'Institut des Recherches agronomiques, et H. SIMONNET, Chef des travaux de physiologie à l'École vétérinaire d'Alfort (*9 graphiques, 70 figures, 4 tableaux*).

N° 146. **La Littérature anglaise,** par Paul DOTTIN, Professeur à la Faculté des Lettres de l'Université de Toulouse.

N° 147. **L'Auvergne,** par Philippe ARBOS, Professeur à l'Université de Clermont-Ferrand (*12 cartes et graphiques*).

N° 148. **Introduction à la Mécanique des Fluides,** par Adrien FOCH, Professeur à la Sorbonne (*55 figures*).
(*Ouvrage couronné par l'Académie des Sciences, Prix Boileau.*)

N° 149. **Socialismes français :** *Du « Socialisme utopique » à la « Démocratie industrielle »* (*2e édition*), par C. BOUGLÉ, Professeur à la Sorbonne, Directeur de l'École Normale.

N° 150. **Les Crises allemandes** (1919-1931), par A. RIVAUD, Correspondant de l'Institut, Professeur à la Sorbonne et à l'École libre des Sciences politiques.

N° 151. **La France et l'Allemagne depuis dix siècles,** par G. ZELLER, Maître de Conférences à la Faculté des Lettres de Strasbourg.

N° 152. **Géographie des Plantes,** par Henri GAUSSEN, professeur à l'Université de Toulouse (*8 cartes et figures*).

N° 153. **Géographie des Animaux,** par Marcel PRENANT, Professeur à la Sorbonne (*4 cartes*).

N° 154. **Mathématiques financières,** par J. DUBOURDIEU, Docteur ès sciences, Actuaire adjoint à la Banque de Paris et des Pays-Bas (*9 figures*).

N° 155. **Fleuves et Rivières,** par Maurice PARDÉ, Professeur à l'École des Ingénieurs hydrauliciens de l'Université de Grenoble (*18 graphiques et cartes*).
(*Ouvrage couronné par l'Académie des Sciences, Prix Gay.*)

N° 156. **La Manutention mécanique,** par Marcel LEGRAS, ancien Élève de l'Éc. Polytechnique, Ingén.-Conseil (*95 fig.*).

N° 157. **Les Sociétés italiennes, du XIIIᵉ au XVᵉ siècle,** par Julien LUCHAIRE, Inspecteur général de l'Instruction publique (*5 cartes*).

N° 158. **Les Phénomènes sociaux chez les animaux,** par François PICARD, Professeur à la Sorbonne (*9 figures*).

N° 159. **Le Problème moral et les Philosophes,** par A. CRESSON, Professeur de philosophie au Lycée Louis-le-Grand.
(*Couronné par l'Académie des Sciences Morales et Politiques, Prix Louis Liard.*)

N° 160. **Les Principes du Droit Civil,** par Henry SOLUS, Professeur à la Faculté de Droit de Paris.

N° 161. **Les Bases historiques de la Finance moderne,** par Robert BIGO, Prof. à l'École des Hautes Études Sociales.

N° 162. **Télévision et Transmission des images,** par René MESNY, Prof à l'Ecole Sup. d'Electricité (*97 figures*).

N° 163. **Machines automatiques, mécaniques et électriques,** par P. MAURER, Ingénieur en chef de la C. P. D. E., Professeur à l'École d'électricité et de mécanique industrielles et à l'École d'électricité Bréguet (*42 figures*).

N° 164. **La France méditerranéenne,** par Jules SION, Professeur à l'Université de Montpellier (*8 cartes*).
(*Couronné par l'Académie des Sciences. Prix Delalande-Guérineau.*)

N° 165. **La Science française depuis le XVIIᵉ siècle,** par Maurice CAULLERY, Membre de l'Institut, Professeur à la Sorbonne.

N° 166. **Acoustique,** par Adrien FOCH, Professeur à la Sorbonne (*67 figures*).

N° 167. **Les Régimes électoraux,** par Georges LACHAPELLE.

N° 168. **Histoire des Pays Baltiques,** par Jean MEUVRET, Agrégé de l'Université (*5 cartes*).
(*Médaille décernée par l'Académie des Sciences morales et politiques.*)

N° 169. **L'Afrique centrale,** par Maurice ROBERT, Professeur à l'Université de Bruxelles (*8 cartes et graphiques*).

N° 170. **L'Irlande,** par A. RIVOALLAN, Professeur au Lycée Janson-de-Sailly (*2 cartes*).
(Ouvrage couronné par l'Académie française. Prix d'Académie.)

N° 171. **La Pensée allemande,** de Luther à Nietzsche, par Jean-Édouard SPENLE, Recteur de l'Académie de Dijon.
(Couronné par l'Académie française. Prix d'Académie.)

N° 172. **Le Monde Egéen avant les Grecs,** par P. WALTZ, Professeur à la Faculté des Lettres de Clermont-Ferrand (*13 fig.*).

N° 173. **Ciments et Mortiers,** par Augustin MACHÉ, Ingénieur E.P.C.I. (*51 figures*).

N° 174. **Statistique et Applications,** par Georges DARMOIS, Chargé de Cours à la Sorbonne (*32 graphiques*).
(Ouvrage couronné par l'Académie des Sciences. Prix H. de Parville.)

N° 175. **Génératrices et Moteurs à courant continu,** par Éd. ROTH, Ingénieur en Chef à la Société Als-Thom, et J. BARDIN, Ingénieur à la Société Als-Thom (*85 figures*).

N° 176. **Parasites et Parasitisme,** par P.-P. GRASSÉ, Professeur à la Faculté des Sciences de Clermont-Ferrand (*25 figures*).

N° 177. **Les Céréales :** *Biologie et Applications,* par R. LE-GENDRE, Directeur du Laboratoire de Physiologie comparée à l'École des Hautes-Études (*33 figures*).

N° 178. **Les Matières colorantes artificielles,** par G. MARTIN, Directeur à la Société anonyme des Matières colorantes et Produits chimiques de Saint-Denis (*7 figures*).

N° 179. **L'Indochine française,** par Ch. ROBEQUAIN, Prof. à la Faculté des Lettres de Rennes (*12 graphiques et cartes*).

N° 180. **La Littérature Portugaise,** par G. LE GENTIL, Professeur à la Sorbonne.
(Ouvrage couronné par l'Académie française, Prix Montyon.)

N° 181. **Les grands Problèmes de la politique des États-Unis,** par Firmin ROZ.

N° 182. **La Paix économique,** par H. HAUSER, Professeur à la Sorbonne.

N° 183. **La Tchécoslovaquie,** *Étude économique,* par André TIBAL, ancien Professeur à l'Université de Prague, Professeur à l'Université de Nancy.
Ouvrage couronné par l'Académie des Sciences morales et politiques et par la Société de Géographie. Médaille H. Lorin.)

N° 184. **Extrême-Orient et Pacifique,** par Roger LÉVY, Secrétaire Général du Comité d'Etudes des Problèmes du Pacifique, Chargé de Cours à l'École nationale de la France d'Outre-mer.
(Couronné par l'Académie des Sciences morales et politiques, Prix Drouin de Lhuys, et par la Société de Géographie, Médaille Roulet).

N° 185. **Phénomènes colloïdaux,** par R. DUBRISAY, Professeur au Conservatoire des Arts et Métiers (*27 figures*).

Nº 186. **La Démence**, par le Docteur R. MALLET, Médecin-Inspecteur des Asiles, Expert près le Tribunal de la Seine.

Nº 187. **Éléments de Sociologie religieuse**, par Roger BASTIDE, Agrégé de Philosophie, Professeur au Lycée de Valence.

Nº 188. **Histoire des Pays-Bas**, *du XVIᵉ siècle à nos jours*, par Enno VAN GELDER (*1 carte*).

Nº 189. **Le Champ électromagnétique**, par Marc JOUGUET, Ingénieur Radio-électricien E. S. E. (*20 figures*).

Nº 190. **Mesure des Températures**, par G. RIBAUD, Professeur à la Sorbonne (*83 figures*).

Nº 191. **Chimie générale**, par A. BOUZAT, Doyen de la Faculté des Sciences de Rennes (*28 figures*).

Nº 192. **Les Races humaines**, par P. LESTER, Sous-Directeur de Laboratoire au Muséum, et Jacques MILLOT, Professeur à la Faculté des Sciences de Paris (*23 figures*).

Nº 193. **Histoire des États-Unis**, par Edmond PRÉCLIN, Professeur à la Faculté des Lettres de Besançon (*2 cartes*).

Nº 194. **Blanchiment, Teinture et Impression**, par G. MARTIN, Directeur à la Société anonyme des Matières Colorantes et Produits chimiques de Saint-Denis (*15 fig.*).

Nº 195. **Histoire de la Littérature Allemande**, par G. BIANQUIS, Prof. à la Faculté des Lettres de l'Univ. de Dijon.

Nº 196. **Les Thermidoriens**, par G. LEFEBVRE, Professeur à la Faculté des Lettres de l'Université de Paris.

Nº 197. **Les Finances publiques et les Impôts de la France**, par L. TROTABAS, Professeur de Droit public à la Faculté de Droit d'Aix-Marseille (*11 figures*).

Nº 198. **Introduction à la Sociologie**, par Armand CUVILLIER, ancien Élève de l'École Normale supérieure, Professeur agrégé de Philosophie.

Nº 199. **La Réforme et les Guerres de Religion**, par Mᵐᵉ Josèphe CHARTROU-CHARBONNEL, Agrégée d'Histoire, Docteur ès lettres.

Nº 200. **Biologie mathématique**, par V.A. KOSTITZIN, ancien Professeur à la Faculté des Sciences de Moscou, ancien Directeur à l'Institut géophysique de Moscou (*16 figures*).

Nº 202. **La Chine : Passé et Présent**, par J. ESCARRA, Professeur à la Faculté de Droit de l'Université de Paris, Chargé de Cours à l'Institut des Hautes Études Chinoises (*1 carte*).

Hemmerlé, Petit et Cⁱᵉ. 13046-1-37.